國家古籍整理出版專項經費資助項目

栖芬室

栖芬室藏中醫典籍精選·第三輯

新編名方類證醫書大全 貳

【明】熊宗立　輯

中國中醫科學院中醫藥信息研究所組織編纂

牛亞華◎主編　　牛亞華◎提要

北京科學技術出版社

圖書在版編目（CIP）數據

栖芬室藏中醫典籍精選·第三輯．新編名方類證醫書大全　貳/牛亞華主編．—北京：北京科學技術出版社，2018.1

ISBN 978－7－5304－9242－0

Ⅰ．①栖…　Ⅱ．①牛…　Ⅲ．①中國醫藥學—古籍—匯編②方書—中國—明代　Ⅳ．①R2-52②R289.348

中國版本圖書館CIP數據核字（2017）第213669號

栖芬室藏中醫典籍精選·第三輯．新編名方類證醫書大全　貳

主　　編：牛亞華
策劃編輯：章　健　侍　偉　白世敬
責任編輯：楊朝暉　周　珊
責任印製：張　良
出 版 人：曾慶宇
出版發行：北京科學技術出版社
社　　址：北京西直門南大街16號
郵政編碼：100035
電話傳真：0086-10-66135495（總編室）
0086-10-66113227（發行部）　0086-10-66161952（發行部傳真）
電子信箱：bjkj@bjkjpress.com
網　　址：www.bkydw.cn
經　　銷：新華書店
印　　刷：虎彩印藝股份有限公司
開　　本：787mm×1092mm　1/16
字　　數：392千字
印　　張：33.75
版　　次：2018年1月第1版
印　　次：2018年1月第1次印刷
ISBN 978－7－5304－9242－0/R·2410

定　　價：**800.00元**

栖芬室藏中醫典籍精選·第三輯

新編名方類證醫書大全　貳

名方類證　五

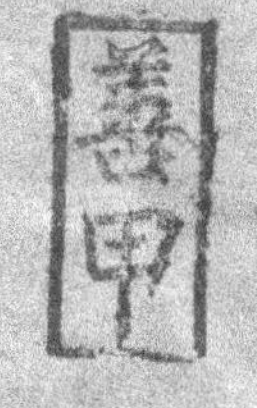

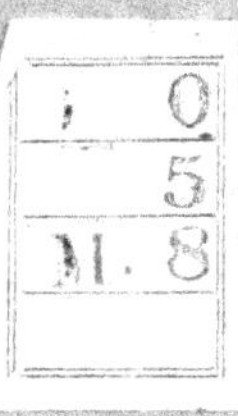

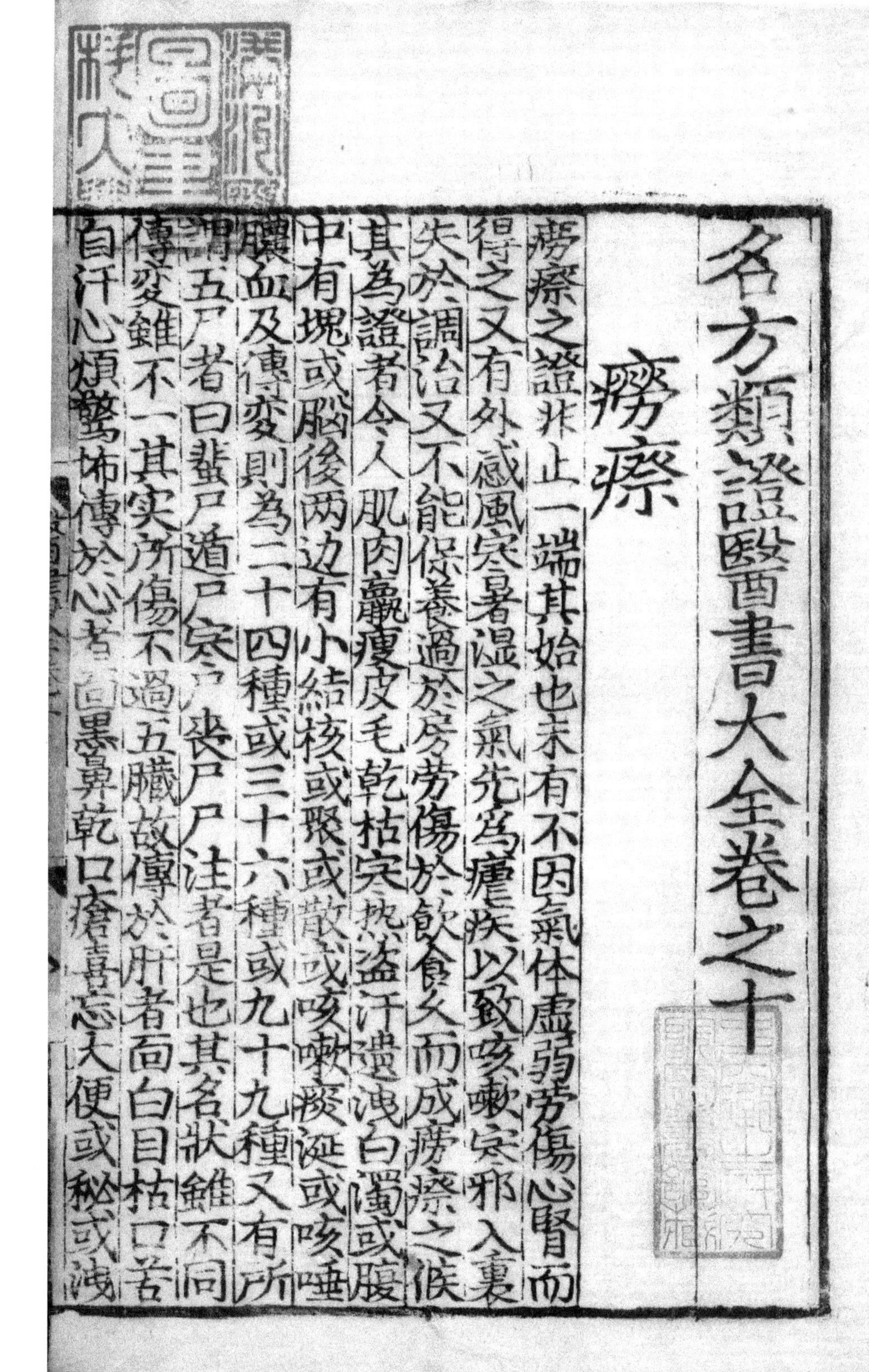

名方類證醫書大全卷之十

癆瘵

癆瘵之證非止一端其始也未有不因氣体虛弱勞傷心腎而得之又有外感風寒暑濕之氣先為瘧疾以致咳嗽寒邪入裏失於調治又不能保養過於房勞傷於飲食久而成癆瘵之候其為證者令人肌肉羸瘦皮毛乾枯寒熱盜汗遺洩白濁或腹中有塊或腦後兩边有小結核或聚或散或咳嗽痰涎或咳唾膿血及傳變則為二十四種或三十六種或九十九種又有所謂五尸者曰蜚尸遁尸寒尸喪尸尸注者是也其名狀雖不同傳變雖不一其実所傷不過五臟故傳於肝者面白目枯口苦自汗心煩驚怖傳於心者面黑鼻乾口瘡喜忘大便或秘或洩

傳於脾者面青唇黃舌強喉哽吐涎体瘦飲食无味傳於肺者面赤鼻白痰吐咯血喘咳毛枯傳於腎者面黃耳枯胷滿脇痛白濁遺瀝又有二十四種勞蒸者亦可因證驗之蒸在心也心氣煩悶舌必焦黑蒸在小腸也腹内雷鳴大腸或秘或洩蒸在肝也目昏眩暈躁怒无时蒸在膽也耳聾口苦脇下堅痛蒸在腎也耳輪焦枯腰脚酸痛蒸在右腎也情意不定洩精白濁蒸在肺也喘嗽咯血声音嘶遶蒸在大腸也右鼻乾疼大腸隱痛蒸在脾也唇口乾燥腹脇脹滿畏寒不食蒸在胃也鼻口乾燥腹脹自汗睡卧不寧蒸在膀胱也小便黄赤凝濁如膏蒸在三焦也或寒或熱中脘膻中時竟煩悶蒸在膈也心胷噎塞疼痛不舒蒸在宗筋也筋脉縱緩小腹隱痛陰器自強蒸在回腸也肛門秘澁傳道之时裏急後重蒸在玉房也男子遺精女子白淫蒸在腦也眼眵頭眩口吐濁涎蒸在脾也肌膚鱗起毛折髮

黑蒸在骨也版齒黑燥大杼痠痛蒸在髓也肩背疼倦胻骨痠痛蒸在筋也眼昏脇痛爪甲焦枯蒸在脉也心煩体熱痛刺如針蒸在肉也自覺身熱多不柰何四肢瞤動蒸在血也毛髮焦枯有时鼻衄或復尿血蒸傳及此未易言治若病之淺者服藥之外惟有早灸膏肓崔氏四花穴然生者可謂有命諸方所載皆云此證有虫嚙心肺閒治法先當去之然後調養五臟致若傳尸一證名骨蒸殗殜復連屍疰勞疰虫疰毒疰熱疰冷疰食疰見疰是也夫疰者注者自上注下病源无異是之謂傳尸此證相傳滅門者有之素无治法但令人多於病者未死之先逃於他所而幸免者謾述於此古今有效之方開列于后

傳尸　一　取勞虫方

青桑枝　柳枝　桃枝　石榴枝

梅枝五枝各七莖長四寸許　青蒿小握

右用童子小便一升半葱白七莖去頭葉煎及一半去滓别
入安息香阿魏各一分再煎至一盞濾去滓調辰砂末半分
檳榔末一分麝香一字分作二服調下五更初一服五更三
點時一服至巳牌時必取下虫色紅者可救青者不治見有
所下即進軟粥飲温煖將息不可用性及食生冷毒物合时
須擇良日不得令猫犬孝服穢惡婦人見之

【二】神授散治諸傳尸勞氣殺虫去毒

川椒二斤擇去子并合口者炒出汗

右爲末每服二分空心米湯調下必麻痺暈悶少頃如不能
禁即以酒糊丸如梧桐子空心服五十丸又一方揀正川椒
炒爲末老酒浸白糍丸如梧桐子每服四十丸食前塩湯下
服至一斤瘵疾自差此藥兼治諸痺用肉桂煎湯下腰痛茴
香酒下腎冷塩湯下

三一 **雄黃丸** 取傳尸蟲

雄黃 半兩　兎糞 二兩　天靈盖 一兩 酥炙

鱉甲　木香 各半兩　輕粉 二分

右為末法酒一升大黃半兩熬膏丸如彈大朱砂為衣凡此疾先燒安息香煙吸之不嗽非傳屍也不可用此丸若煙入口咳不止乃尸也宜此丸五更初服勿令人知用童子小便同酒化一丸服之如人行二拾里許吐出蟲或如灯心或如爛瓜李或如蝦蟇未効再服以應為度虫用紅火燒之又用油煎

四 **蘇合香丸** 治癆瘵傳尸骨蒸發熱肺痿喘急 方載諸氣門

骨蒸 **地骨皮散** 治骨蒸壯熱肌肉消瘦少力多困夜多盗汗

地骨皮　秦艽　柴胡　枳殼

知母　當歸　鱉甲 醋炒黃

右等分為末水一盞桃柳枝頭各七个姜三片烏梅一个每服去滓臨卧服（五）

（六）地仙散治骨蒸肌熱一切虛勞煩燥並皆治之

地骨皮　防風各一两　甘草二钱半

右為末每服二钱水一盞姜三片竹葉七片煎服

一方增人參半两雞蘇一两倍甘草

（七）經驗方治男子婦人骨蒸勞瘵增寒壯熱

青蒿春夏用葉秋冬用子不用葉用根不用莖四者相似而反以為痼疾必用童子小便浸過使有功效无毒　大鱉甲醋炙　白朮煨　地骨皮　白茯苓　桑白皮蜜炙　粉草炙　棟參去頭　瓜蔞實　北柴胡去芦各等分

右為末每服三钱水一盞姜三片煎服

（八）清骨散治男子婦人五心煩熱欲成勞瘵去骨熱如神

生地黃二两　人參一两　防風一两去芦　北柴胡二两　薄荷葉七钱半

秦艽　赤茯苓各一兩　胡黃連半兩　熟地黃一兩

右㕮咀每服四錢水一盞煎七分溫服患骨熱者先服荊蓬煎丸一服使臟腑微利然後服此

九　四美丸　凡骨蒸莫非是勞脊骨尤屬腎虛髓竭也以四方

黃耆鱉甲散　沉香鱉甲散　秦艽鱉甲散　青蒿鱉甲散

四散和合為末以雄羊脊骨一具斫碎煉汁調和為丸溫酒吞下治脊痛骨熱漸成蒸疾一劑而效其功全在脊骨膏也

十　青蒿散　治骨蒸勞增寒壯熱

青蒿春夏用葉秋冬用子以童子小便浸一宿

大鱉甲炙醋淬　白朮　地骨皮　白茯苓

粉草　人參　瓜蔞根　北柴胡　桑白皮各等分

右剉每服四錢水一盞半煎溫服

十一　團魚丸　治骨蒸潮熱咳嗽累效

貝母　前胡　知母　杏仁

北柴胡各二兩　團魚二个

右同煎煑熟提起去頭取肉連汁食之却將藥焙乾為末用

魚裙甲及骨更煮汁一盞和藥為丸梧子大每服二十丸煎

黃芪湯空心下病安仍服黃芪六一湯補理

十二　一物黃連飲　治骨節間熱漸至黃瘦

右以黃連一兩剉用童子小便一大升浸經宿微煑去滓食

前分二服如人行五里再服

熱勞

十三　人參散　治邪熱客於經絡痰嗽煩熱頭目昏痛夜

多盜汗四肢倦怠一切血熱虛勞並宜服之

黃芩半兩　人參　茯苓　白朮　半夏麯

赤芍藥　杜仲　當歸　甘草　乾葛各一兩

右㕮咀每服三錢水一盞姜四片棗二枚煎服

（十四）**白朮黃耆散** 治五心煩自汗四肢瘦劣飲食減少肌瘦

白朮　黃耆　當歸　黃芩去皮　芍藥已上各半兩

石膏　甘草炙各二兩　寒水石　茯苓各一兩

官桂一分　人參　川芎各三分

右為末每服三錢水一盞煎至六分去滓溫服食前日三服

（十五）**秦艽扶羸湯** 治肺痿骨蒸已成勞嗽或寒或熱聲嗄不出體虛自汗四肢怠墮

柴胡去蘆二兩　人參去蘆　鱉甲米醋炙　秦艽　當歸洗焙各一兩

地骨皮一兩半　半夏湯洗七次　紫菀茸　甘草各一兩

右㕮咀每服四錢水一盞姜五片烏梅大棗各一枚煎七分食後溫服

（十六）**青蒿散** 治虛勞骨蒸咳嗽聲嗄皮毛乾枯四肢倦怠夜多盜汗時作潮熱飲食減少日漸瘦弱

香附子(炒去毛) 桔梗(去芦) 天仙藤 鱉甲(醋炙) 青蒿(各一两)
甘草(炙两半) 烏藥(半两) 前胡(去苗) 秦艽(各一两) 川芎(二錢半)
右為末每服二錢水一盞姜三片棗一枚煎食後服

(十七)鱉甲地黄湯 治虛劳手足煩熱心下怔悸及婦人血室有乾身体羸瘦飲食不為肌肉
柴胡(去芦) 當歸(去芦酒浸) 麥門冬(去心) 鱉甲 石斛(去根)
白术 熟地黄(酒焙) 茯苓(去皮) 秦艽(去芦各一两)
人参 肉桂(不見火) 甘草(炙各半两)
右㕮咀每服四錢水一盞姜五片烏梅一枚煎服不拘時此藥專治熱劳其性差寒虛甚而多汗者不宜服

(十八)秦艽鱉甲散 治氣血劳傷四肢倦怠面黄肌瘦骨節煩疼潮熱盜汗咳嗽痰唾山嵐瘴氣並皆治之
荊芥(去梗) 貝母 天仙藤 前胡(去芦) 秦艽(去芦洗)

青皮去白　柴胡　甘草炙　陳皮去白　白芷
鱉甲去裙醋浸炙各一兩　乾葛二兩　肉桂去皮半兩　羌活五錢
右為末每服二錢水一盞姜三片煎八分熱服酒調亦可

〔虚勞〕十九　猪骨煎　治男子婦人虚勞發熱熱從脊骨上起者

此藥有神効更宜審病而後服之
獖猪脊骨一條去尾五寸細剉用好法醋六升青蒿一握烏梅十个柴胡一兩去芦秦艽一兩去芦慢火同煮耗一半去滓入蜜半斤同煮成膏子　沉香各半兩　川牛膝去芦酒浸
茴香炒　人参去芦　白茯苓去皮　破故紙炒各一兩
鱉甲醋炙　鹿茸酒浸酥炙　肉蓯蓉酒浸　巴戟去心酒浸
附子炮去皮臍各二兩　當歸去芦　五味子　川芎各一兩
右為末用前猪骨膏子搜和為丸如梧桐子米飲下五十丸

二十　大補十全湯　治男子婦人諸虚不足五勞七傷不進飲食久病虚損時發潮熱氣攻骨脊拘急疼痛夜夢遺精面色痿

黄脚膝無力喘欬中滿脾腎氣弱五心煩熱並皆治之方見虚門

一方治發寒熱漸成劳瘵者

十全大補湯加黄連煎服熱在骨節更加青蒿鱉甲煎

一方治骨蒸發熱飲食自若者大補湯柴胡等分同煎

人參潤肺丸治肺氣不足咳嗽成劳方見咳嗽門

二十一 家藏方寧肺湯治榮衛俱虚發熱自汗肺氣喘急咳嗽痰唾

人參去芦　白术　當歸去芦　熟乾地黄

川芎　白芍藥　甘草炙　麥門冬去心

五味子　桑白皮　白茯苓去皮各半兩　阿膠一兩蚌粉炒

右㕮咀每服四钱水一盞姜五片煎七分温服

二十二 樂令建中湯治臟腑虚損身体消瘦潮熱自汗將成癆瘵此藥大能退虚熱生血氣

前胡去芦一兩　細辛　黄耆蜜炙　人參去芦

桂心　橘皮去白　當歸去土　白芍藥

茯苓去皮　麥門冬去心　甘草炙各一兩　半夏湯洗七次七錢半

右㕮咀每服四錢水一盞姜五片棗一枚煎服不拘時

二十三 黃耆飲子 治諸虛勞瘵四肢倦怠潮熱乏力日漸黃瘦胸膈痞塞咳嗽痰多甚則唾血

黃耆蜜炙兩半　當歸去芦酒浸　紫菀洗去土　石斛去根

地骨皮去皮　人參　桑白皮　附子炮去皮

鹿茸酒蒸　款冬花各一兩　半夏湯洗七次　甘草炙各半兩

右㕮咀每服四錢水一盞姜七片棗一枚煎服此藥溫補榮衛枯燥者不宜進唾血加阿膠蒲黃各半两

二十四 混元丹 治勞損五臟補益真氣

紫河車一具用少婦首生男子者良帶子全者於東流水洗斷血脉入麝香一錢在內以線縫定用生絹包裹懸胎於砂瓮內入無灰酒五升慢火煮成膏

沉香別研　朱砂各一兩別研水飛　人參　蓯蓉酒浸

乳香別研　安息香酒煮去沙各二兩　白茯苓去皮三兩

右為末入河車膏子和藥末杵千百下丸如梧桐子每服七十丸空心溫酒下沉香湯尤佳服之可以輕身延年補損扶虛如病證虛極又須增加後項藥味

川巴戟去心　鍾乳粉　陽起石煅　鹿茸酒蒸　龍骨

黃耆去蘆各二兩　桑寄生　香附子　紫菀　生鹿角鎊各一兩

修製為末和前藥為丸如婦人血海虛損榮衛不足多致潮熱經候不調或閉斷不通又宜增加此藥

當歸去蘆　石斛去根　紫石英煅醋淬水飛　栢子仁炒別研

鹿茸酒蒸　鱉甲醋炙　卷栢葉各一兩　川牛膝去蘆酒浸兩半

修製為末和前藥為丸湯使如前虛寒者加炮熟附子二兩咳嗽者加紫菀茸二兩

嗽血

二十五 當歸地黃湯 治嗽血衄血大小便血或婦人經候不調月水過多喘嗽者

茯苓去皮 黃芩 白龍骨各一兩 當歸 芍藥
生地黃 甘草 川芎 白朮 梔子 黃藥子各半兩

右為末每服三錢水一盞煎至七分去滓溫服食前

二十六 黃芪鱉甲散 治虛勞客熱肌肉消瘦四肢煩熱心悸盜汗減食多渴咳嗽有血

桑白皮 半夏炮 紫菀去蘆 甘草炙各二錢半 白茯苓去皮
地骨皮 秦艽去蘆各三錢三分 黃芪 知母焙 赤芍藥各三錢半
肉桂去皮 人參 苦梗各一錢六分半 天門冬去心 鱉甲炙去裙醋煮各五錢
生乾地黃洗焙三兩 柴胡去苗梗三兩三分

右㕮咀每服三錢水一盞煎七分食後溫服

二十七 經效阿膠丸 治勞嗽并嗽血唾血

卷栢葉　山藥炒　阿膠蛤粉炒　生地黄　防風去芦
雞蘇各一兩　栢子仁炒别研　大薊根　五味子　茯苓
百部洗去心　遠志去心甘草水煑　人参　麥門冬去心各半兩
右為末煉蜜丸如彈子大每服一丸細嚼濃煎小麥湯下

（三十八）**家藏方蠟煎散**治虛勞久嗽痰多氣喘或咯膿血
杏仁去皮尖双仁者炒黄别研　黄明鹿角膠炙如无以阿膠代　甘草炙　人参
麥門冬去心　乾山藥　貝母去心　白茯苓去皮　百合去苗各等分
右㕮咀将杏仁别研拌匀每服二錢水一盞入黄蠟皂角子
大同煎七分食後温服

（三十九）**團参飲子**治憂思喜怒飢飽失宜致臟氣不安咳唾膿
血增寒壯热肌膚瘦減将成癆瘵方見咳嗽門

（三十）**鍾乳補肺湯**治肺氣不足久年咳嗽以致皮毛焦枯唾
血腥臭漸成肺萎方載咳嗽門

通治灸法　若人初得骨蒸勞瘵即便灸之無不效者用細繩一條約五六尺蠟之勿令展縮以病人順脚底貼肉量男左足女右足從大栂指頭齊起從脚板底當脚跟中心向後引繩循脚肚貼肉直上至曲䐐中大横紋截斷又令病人解髮分兩邊令見頭縫自顖門平分至腦後以患身正坐取前所截繩子一頭從鼻端齊引繩向上正循頭縫至腦後貼肉垂下循脊骨引繩向下至繩盡处當脊以黑點記（此不是穴）別取一繩子令病人合口將繩子按口上兩頭至吻却鈎起繩子中心至鼻端根下如人様齊兩吻截斷將此繩展直於前在脊骨上墨點处取中横量勿令高下於繩兩頭以白圈記之（此白圈兩穴乃是灸穴初灸七壯累灸至百壯）此名患門穴灸此訖次令病人平身正坐稍縮臂膊取一繩子遶項向前双垂與鳩尾齊（鳩尾即心岐骨人無心岐骨胷前兩岐間量一寸即是鳩尾）即截斷却背翻繩頭向項後以繩子中停取心正當喉部結骨上其

繩兩頭夾項双垂循脊骨中双繩頭齊會处以墨點記（不是灸穴）別取繩子令其人合口橫量齊兩吻截斷還於脊骨上第二次墨點处掐中橫量繩子兩頭以白圈記之（此是灸穴初灸七壯累至百壯）又將第二次量口繩子掐中當脊直上下竪停中心在第二次墨記上下繩頭尽处以白圈記之（此是灸穴初灸七壯累灸百壯）此縱橫四方凡四穴是名曰四花穴初灸各七壯追瘡愈其疾未効依前法復灸故云累灸至百壯（凡灸時用灸足三里以瀉其火氣）若婦人纏帛裹足以至短小所有灸法第一次患門穴難以量度不若只取膏肓腧灸之（在第四推下兩旁各三寸是穴）次灸四花穴道輒累以此法灸人無有不効者

咳逆

咳逆之證古人以爲噦者是也此證多因病後未得調理或吐利之後胃中虛寒遂成此證亦有胃虛膈熱噦至八九聲相連

收氣不回者亦有噦而心下緊痞眩悸此乃膈間有痰故也當詳其脉證施以治法大率胃实則噫胃虛則噦年高氣虛及婦人産後多有此證皆是病深之候非易治也

（治證）（三十一）丁香散治咳逆噎汗

丁香　柿蒂各一𠀋　甘草炙　良姜各半𠀋

右爲末每服二𠀋用熱湯點服不拘時

（三十二）橘皮乾姜湯治噦

人參一两　通草　桂心　橘皮　乾姜　甘草炙各二两

右㕮咀每服四𠀋水一盞煎六分温服

（三十三）半夏生姜湯治噦欲死

半夏洗一两一分　生姜一两

右水二盞煎八分去滓分作二服

（三十四）沉香降氣湯治病後胃虛咳逆連声不止方見氣門

（三十五）柿蒂湯 治胃膈痞滿咳逆

柿蒂　丁香各一两

右㕮咀每服四錢水一盞姜五片煎服不拘時

（三十六）桂苓白术散 治消痰逆止嗽嗽散痞滿壅塞開堅結痛悶推進飲食調和臟腑

辣桂　乾生姜各一分　茯苓去皮　半夏各一两

白术　陳皮去白　澤瀉各半两

右為末麪糊丸如小豆大生姜湯下二三十丸日三服病在膈上食後在下食前在中不計時候一法更加黃連半两黃蘗二两水丸取効愈妙

（三十七）灸法 治咳逆其法婦人屈乳頭向下盡處骨間是穴丈夫及乳小者以一指為率正男左女右与乳相直間陷中動脉處是穴艾炷如小豆許灸叁壯

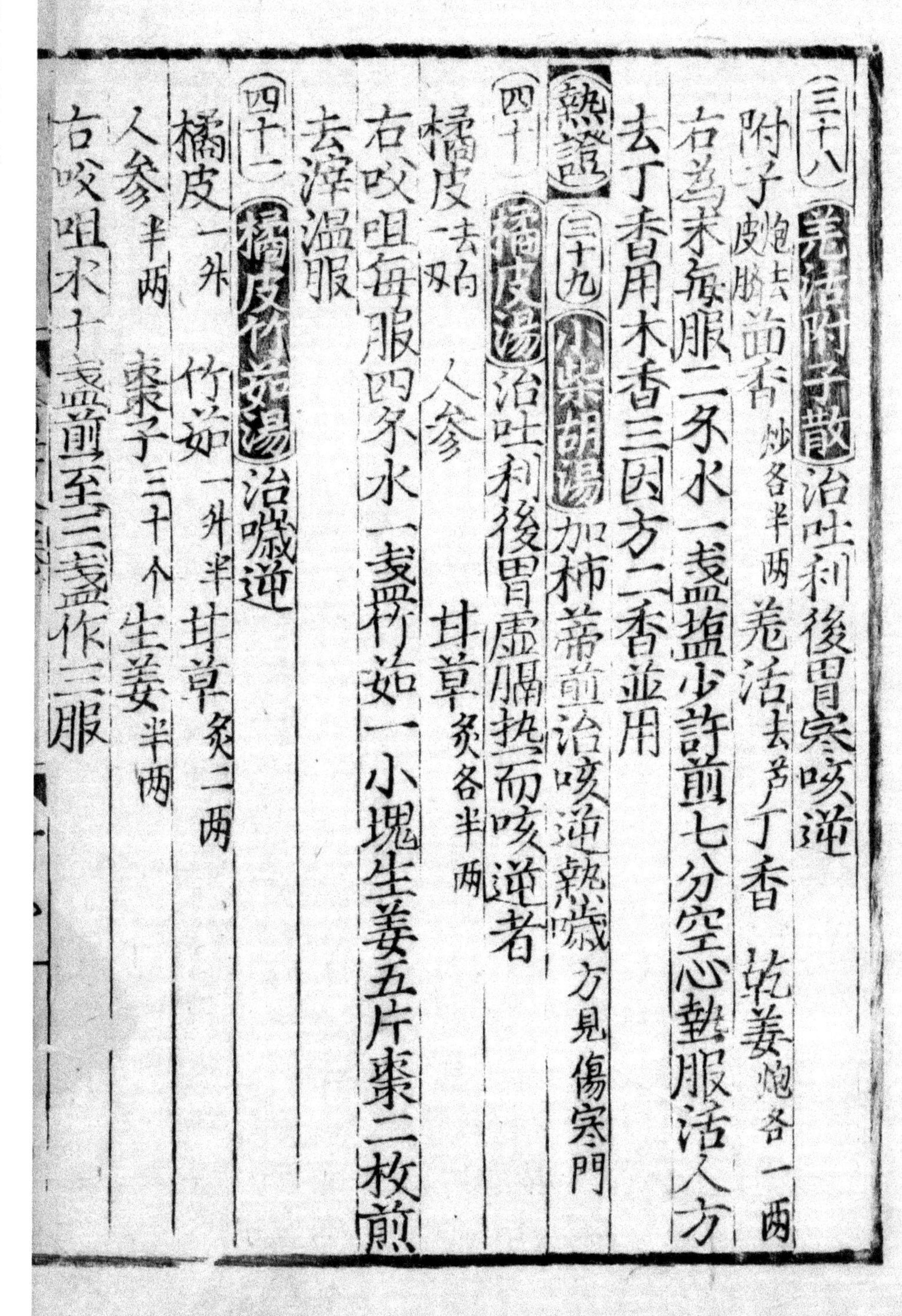
（三十八）羌活附子散　治吐利後胃寒咳逆

附子炮去皮臍　茴香炒各半两　羌活去芦　丁香　乾姜炮各一两

右爲末每服二錢水一盞鹽少許煎七分空心熱服活人方

去丁香用木香　三因方二香並用

熱證

（三十九）小柴胡湯　加柿蒂煎治咳逆熱噦方見傷寒門

（四十）橘皮湯　治吐利後胃虛膈熱而咳逆者

橘皮去白一两　人參　甘草炙各半两

右㕮咀每服四錢水一盞竹茹一小塊生姜五片棗二枚煎

去滓温服

（四十一）橘皮竹茹湯　治噦逆

橘皮一斤　竹茹一斤半　甘草炙二两

人參半两　棗子三十个　生姜半两

右㕮咀水十盞煎至三盞作三服

眩暈

眩暈之證發於卒然之間眼目昏花如屋旋轉起則眩倒雖經云諸風掉眩皆屬於肝肝風上攻而致眩暈然體虛之人或外為風寒暑濕之氣所干內為七情之氣所結鬱而生涎皆能令人一時眩暈目暗口噤頭痛項強臨病之際宜詳以脉證辨之風則脉浮而有汗寒則脉緊而掣痛暑則脉虛而煩悶濕則脉細而重着加以吐逆如氣鬱生涎而暈者多令人眉稜角痛眼不可開寸脉多沉有此為異至若疲勞過度上盛下虛金瘡吐衄便利去血過多及婦人崩傷皆能眩暈各隨所因施以治法

〔風〕（四十二）川芎散 治風眩頭暈

山茱萸一兩　山藥　甘菊花

人參　茯神　小川芎各半兩

右為末每服二錢酒調下不拘時日三服不可悞用野菊花

（四十三）**羚羊角散** 治風邪乘於陽經上注頭目遂入於腦又或痰水結聚胷膈上衝頭目一切眩暈並皆治之

茯神一两　芎藭半两　羚羊角一两　甘草半两　枳殼二錢半

半夏湯洗七次　白芷　防風各半两　附子二錢半

右㕮咀每服四錢水一盞姜三片煎七分不拘時

（寒）（四十四）**三五七散** 治陽虛風寒入腦頭痛目眩耳內蟬鳴應風寒濕痺脚氣緩弱等疾並能治之

天雄炮去皮　細辛洗去土各三两　乾姜炮

山茱萸各五两　防風去芦　山藥炒各七两

右為末每服二錢温酒調下

（四十五）**姜附湯** 治一時為寒氣所中口不能言眩暈欲倒

方見中寒門

暑門

（四十六）消暑丸 治冒暑眩暈煩悶不省用香薷散或生姜湯煎吞下每服七十丸 方見暑門

（四十七）六和湯 治冒暑眩暈嘔噦欲倒 方見泄瀉門

濕門

（四十八）芎术湯 治冒雨中濕眩暈嘔逆頭重不食

川芎　半夏湯洗　白术各一兩　甘草炙半兩

右㕮咀每服四錢水一盞姜七片煎服不拘時

（四十九）芎术除眩湯 治感寒濕頭目眩暈 方載濕門

痰門

（五十）理中丸 治痰迷中脘頭目眩暈 方見寒門

（五十一）順元散 治体虛痰氣不順頭目眩暈 方見痰氣門

（五十二）加味二陳湯 痰暈或因冷食所傷

陳皮　半夏　茯苓各一兩　甘草五錢

丁香　胡椒各三錢

右剉每服四錢姜三片烏梅一枚煎熱服

失血（五十三）芎歸湯　治一切失血過多眩暈不甦

芎藭　當歸去芦酒浸各等分

右㕮咀每服四錢水一盞煎七分温服不拘時虚甚加附子

姜棗煎

眩暈（五十四）沉香磁石圓　治上盛下虚頭目眩暈

葫芦巴炒　川巴戟去心　陽起石煆研　附子炮去皮臍

椒紅炒　山茱萸取肉　山藥炒各一兩　青鹽別研

甘菊花去梗蕚　蔓荊子各半兩　沉香半兩別研　磁石火煆醋淬七次細研水飛一兩

右為末酒煮米糊圓如梧桐子每服七十圓空心鹽湯下倉

卒不能辦此沉香湯下養正丹亦可

熱證（五十五）芎黃湯　治頭目眩暈

大黃　荊芥穗　川芎　防風各等分

右為粗末大作劑料水煎去滓服以利為度

五痺

凡痺疾自有五種筋痺脉痺骨痺皮痺肌痺是也多由体虚之人腠理空疎為風寒濕三氣所侵不能隨時驅散流注經絡久而為痺其為病也寒多則掣痛風多則引注濕多則重著其病在筋者則屈而不能伸應乎肝其證夜卧多驚飲食少小便數其病在脉者則血凝而不流應乎心其證令人痿黄心下鼓氣卒然逆喘不通嗌乾善噫其病在骨者則重而不能舉應乎腎其證手足不遂而多痛心腹脹滿其病在皮者多寒遇寒則急逢热則縱應乎肺其證皮膚無所知覺氣奔喘滿其病在肌肉者多不仁應乎脾其證四肢懈怠發咳嘔吐診其脉大而濇或來急而緊俱為痺之候也治之當辨其所感風寒湿三氣注于何部分其表裏須從偏勝者主以藥餌又有停畜支飲亦令人

痺又當隨證治之至如白虎歷節遍身痛者無非風寒濕三氣乘之巢氏云飲酒當風汗出入水遂成斯疾久而不愈令人骨節蹉跌恐為癲癇之病如有此證治之宜早為貴

合痺

（五十六）**五痺湯** 治風寒濕之氣客留肌體手足緩弱麻痺不仁 方見中風門

（五十七）**芎附散** 治五種痺痛自腿臂間發作不定者

小川芎　附子　黄芪　白朮　柴胡

防風　熟乾地黄　當歸　桂心　甘草各等分

右㕮咀每服四錢水一盞姜三片棗一枚煎空心服

（五十八）**烏頭湯** 治風寒冷濕痺於經絡攣縮不能轉側 方見風門

風濕

（五十九）**木瓜煎** 治風濕攣痺項強不可轉側 方見風門

（六十）**蒼耳散** 治一切風濕痺四肢拘攣

蒼耳子三兩為散水一升煎去滓分三服或為末糊丸梧子

大每服五十丸溫酒下

（六十一）續斷圓 治風濕流注四肢浮腫肌肉麻痺

當歸炒 川續斷 萆薢 川芎七分半 乳香半两

天麻各一两 防風 附子 没藥半两

右為末煉蜜圓如梧桐子每服四十圓溫酒米飲任下

（六十二）黄耆酒 治風濕痺痛筋脉攣急或身体頑麻並皆治之

當歸去芦 雲母粉 茵芋葉 白朮 萆薢

木香不見火 仙靈皮 川續斷 甘草炙 白芎

黄耆去芦 防風去芦 官桂不見火 天麻 石斛去根各一两

右㕮咀用絹袋盛以好酒一斗浸之春五夏三秋七冬十日

每服一盞溫煖服之常令酒氣相續為佳

（寒濕）（六十三）理中湯 加附子天麻四分之一 方見寒門

（六十四）生料五積散 治寒濕麻痺 方見傷寒門

〔六十五〕〔增損續斷圓〕治寒濕之氣痺滯關節麻木疼痛
人參　防風　鹿角膠　白朮炮各七兩　麥門冬
乾地黃各三兩　黃芪　續斷　薏苡仁　山芋
牡丹皮　桂心　山茱萸　白茯苓　石斛各一兩
右為末蜜圓如梧桐子每服五十圓溫酒空心下

〔熱痺〕〔六十六〕〔升麻湯〕主之治熱痺肌肉熱極体上如鼠走唇口
反縱皮色变兼諸風皆治
升麻三兩　茯神去皮　人參　防風
犀角鎊　羚羊角鎊　羌活各二兩　官桂半兩
右為末每服四錢水二盞生姜二片碎竹瀝少許同煎至一
盞溫服不計時候

〔冷痺〕〔六十七〕〔續斷湯〕治手足冷痺腰腿沉重及身躰煩疼背項
拘急加防風等分煎方見風門

痛痺（六十八）茯苓湯 加減治痛痺四肢疼痛拘倦浮腫

赤茯苓去皮 桑白皮各二 防風 官桂

川芎 芍藥 麻黄去節各一兩半

右爲末每服五錢水一盞棗一枚煎至八分去滓溫服以姜粥投之汗泄爲度効矣

血痺（六十九）防風湯 治血痺皮膚不仁

川當歸去蘆洗 赤茯苓去皮 川獨活各兩 防風二兩 赤芍藥

黄芩各一兩 杏仁去皮尖半兩 秦艽去蘆一兩 桂心不見火 甘草各半兩

右㕮咀每服四錢水一盞姜五片煎七分溫服不拘時

痰痺（七十）茯苓湯 治停痰支飲手足麻痺多睡眩冒

半夏湯泡七次 赤茯苓去皮 陳皮各一兩

枳實去穣麸炒 桔梗去蘆 甘草炙各半兩

右㕮咀每服四錢水一盞姜七片煎服不拘時

行痺（七十一）防風湯主之治行痺行走无定

防風　甘草　當歸　赤茯苓去皮　杏仁去皮炒熟

桂已上各一两　黄芩　秦艽　葛根各三分

右為末每服伍分酒水合二盞棗三枚生姜伍片同煎至一盞去滓温服

著痺（七十二）茯苓川芎湯主之治著痺留注不去四肢麻拘攣浮腫

赤茯苓　桑白皮　防風　官桂　川芎

麻黄　芍藥　當歸　甘草炙已上各等分

右為末每服二錢水二盞棗三枚同煎至一盞去滓空心温服如欲吐汗以粥投之

筋痺（七十三）羚羊角湯治筋痺肢節束痛

羚羊角　薄桂　附子　獨活各一兩三錢

白芍藥　防風　川芎各一兩

右剉每服四錢水一戔半姜三片煎温服

白虎歷節風痛痺

七十四 烏藥順氣散 治白虎歷節走注骨節疼痛加木瓜没藥蘇木同煎 方見風門

七十五 羌活湯 治白虎歷節風毒攻注骨節疼痛發作不定

羌活 去芦三兩　附子 炮去皮臍　秦艽　桂心

木香 各不見火　川芎　當歸 去芦　川牛膝 去芦酒浸

桃仁　骨碎補　防風 去叉各　甘草 炙半兩

右㕮咀每服四錢水一盞姜五片煎七分温服不拘時

七十六 虎骨散 治白虎風肢節疼痛發則不可忍

虎骨 酥炙二兩　花蛇 酒浸取肉　天麻　防風 去芦

川牛膝 去芦酒浸　白姜蠶 炒去絲嘴　川當歸 去芦酒浸　乳香 別研

桂心 不見火各二兩　甘草 炙　全蝎 去毒各半兩　射香一錢 別研

右為末每服二錢豆淋酒調服不拘時

七十七 烏頭湯 治歷節風痛不可屈伸

麻黄去節 黄芪 芍藥 烏頭五枚，㕮咀，以蜜二升煎取一升，去烏頭 甘草

各等分，每服四錢，水一盞煎七分，去滓，入蜜再煎一沸，溫服。

七十八 附子八物湯 治白虎歷節身痛如鎚鍛不可忍

附子炮，去皮臍 乾薑炮 芍藥 茯苓

甘草炙 桂心各三兩 白朮四兩 人參三兩

右㕮咀，每服四錢，水一盞煎七分，食前服。一方去桂心，用乾

地黄二兩

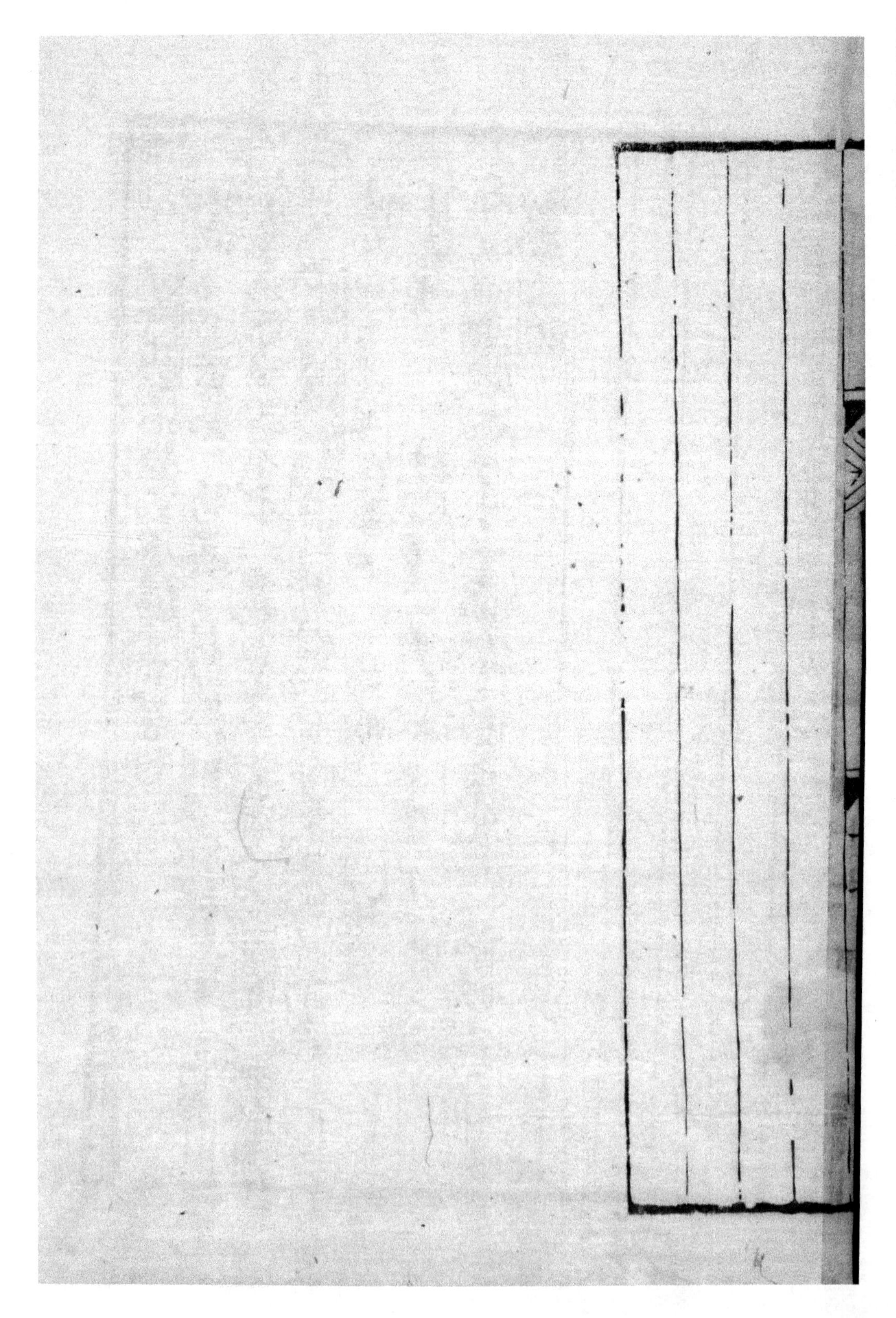

名方類證醫書大全卷十一

鼇峯熊宗立道軒編集

頭痛

頭圓象天故居人身之上乃諸陽之會頭疼之疾非止一端如痛引腦巔陷至泥丸宮者是名真頭痛旦發夕死夕發旦死非藥物之可療今之體氣虛弱者或為風寒之氣所侵邪正相搏伏而不散發為偏正頭疼其脉多浮緊又有胸膈停痰厥而頭痛蓋厥者逆也逆壅而衝於頭也痰厥之脉時伏時見亦固有腎虛而氣厥并新沐之後當風露卧皆能令人頭痛治之當詳其所因風邪則驅散之痰聚則温利之腎虛則補暖之尋常感冒頭痛發熱又宜隨證治之

風〔一〕**菊花散**治風熱上攻頭痛不止

石膏　甘菊花去梗　防風去芦　旋覆花去梗

枳殼去穰麩炒　蔓荊子　甘草炙　川羌活去芦各等分

右㕮咀每服四禾水一盞姜五片煎七分温服

〔二〕**通關散**治感風發熱頭疼鼻塞

撫芎二兩　川芎一兩　川烏一兩半　細辛半兩

白芷　甘草　龍腦薄荷各一兩半

右為末每服二禾葱白茶清調下薄荷湯亦可

〔三〕**都梁圓**治風吹項背頭目昏眩以及腦痛婦人產前產後傷風頭痛並皆治之

香白芷大塊擇白色潔者先以棕刷刷去塵土用沸湯泡洗四五次研用

右為末煉蜜圓如彈子大每服一圓細嚼用荊芥湯點茶下

〔四〕**治頭風方**

香附子炒一斤　烏頭一两炒　甘草二两

右爲末煉蜜圓如彈子大每服一圓茐茶嚼下

〔五〕一字散治頭風

雄黃研細　細辛洗去葉各半两　川烏尖去皮五个生

右爲末每一字姜汁茶芽煎湯食後調服

〔六〕大川芎圓治首風旋暈眩急外合陽氣風寒相搏胃膈痰飲偏正頭疼身拘倦

川芎一斤　天麻四两鄆州者

右爲末煉蜜爲圓每两作拾圓每服一圓細嚼茶酒下

〔七〕葉氏方天香散治久年頭風不得愈者

天南星　半夏湯洗去滑尽　川烏去皮　白芷各等分

右㕮咀每服四錢水一盞煎一半入姜汁半盞煎八分温服

〔八〕治傷風感風一切頭痛

甘菊一兩 細辛半兩 甘草半生半炙 白芷 香附子 羌活
薄荷各二兩 荊芥支二十 茵蔯五分 蒼朮酒浸 川芎各一兩
右爲末每服二分茶清調下婦人產後當歸石膏末調下

九 治丈夫婦人風虛氣虛一切頭痛
茵蔯五兩 麻黃 石膏煅存性各二兩
右爲末每服一錢食後臘茶調下少卧霎時

十 直指方芎芷散 治風壅頭痛
川芎 白芷 荊芥穗 軟石膏煅各等分
右爲末每服一錢食後沸湯調下

十一 藿香散 治躰虛傷風停聚痰飲上厥頭疼或偏或正并
治夾腦諸風
草烏頭炮去皮尖半兩 川烏頭湯洗七次去皮尖一兩 乳香三皂角子大 藿香半兩
右爲末每服二分薄荷煎湯食後調服

十二　芎芷香蘇散　治傷風鼻中清涕自汗頭疼發熱　方見傷寒門

十三　消風散　治傷風及風虛嘔惡頭疼風疹浮虛　方見風門

十四　川芎茶調散　治諸風上攻頭目偏正頭疼　方見中風門

十五　如聖餅子　治風寒伏留陽經氣厥痰飲一切頭痛

防風半兩　南星一兩洗　天麻半兩　乾姜

川芎　甘草炙各一兩　半夏生半兩　川烏去皮一双

右為末滴水丸作餅子每服五餅同荊芥細嚼茶酒任下滄

寮方加細辛

寒　十六　必勝散　治風寒流注陽經以致偏正頭疼久年不愈

此藥最有神効

附子大一隻生去皮臍切為四段以生姜自然汁一大盞浸一宿火炙乾再於姜汁內蘸再炙再蘸以盡為度

高良姜与附子等分

右為末每服二分臘茶清調下食後連進二服忌熱物少時

（十七）人參順氣散治頭疼增寒壯熱四肢疼痛因傷寒所致

麻黄去節一兩半　乾葛　甘草炙　白术

人參　桔梗去芦　香白芷各一兩　白姜炮半兩

右爲末每服二錢水一盞姜三片葱白二寸同煎連進取汗

（十八）葛根葱白湯治感風熱頭疼不止

葛根　芍藥　川芎　葱白一把　乾姜各一兩　知母半兩

右㕮咀以水三升煎至一升半去滓每服一盞

暑

（十九）香薷散加茵陳葱白姜煎熱服治伏暑頭疼方見暑門

濕

（二十）芎术湯治着濕頭重眩暈痛極

附子生去皮臍半兩　白术　川芎　桂心各一分　甘草

右㕮咀每服四錢水一盞姜七片棗一枚同煎食前服

（二十一）小芎辛湯治風寒在腦頭痛眩暈嘔吐不定

川芎一兩　細辛洗去土　白术　甘草炙各半兩

右㕮咀每服四分水一盞姜五片茶芽少許煎服不拘時

虛

(二十二) **芎辛湯** 治氣虛頭疼

生附子　生烏頭各去皮臍　天南星　乾姜

細辛　川芎各一兩　甘草炙七分半

右㕮咀每服四分水一盞姜七片茶芽少許煎服

(二十三) **必効散** 專治氣虛頭痛

右用上春茶末調成膏置瓦盞內覆轉以巴豆四十粒作二次燒煙薰之曬乾用乳鉢研爛為末每服一字別入好茶末食後點服

(二十四) **葫芦巴散** 專治頭痛

葫芦巴　乾姜炮　三稜各等分

右㕮咀每服五分水一大盞空心煎服

(二十五) **加減三五七散** 治風寒入腦太陽頭痛方見中風門

二十六 葱附丸 治氣虛頭痛
附子 一隻炮去皮臍
右爲細末葱涎爲丸如梧桐子每服五十丸空心茶清下
二十七 玉真丸 治腎厥頭痛不可忍其脉舉之則弦按之則緊
生硫黄 二兩別研 石膏 硬者不煆 半夏 湯洗七次 硝石 別研各一兩
右爲末研匀用生姜汁煮糊丸如梧桐子每服四十丸食前姜湯米飲任下虛寒甚者去石膏用鍾乳粉一兩
熱
二十八 川芎散 治偏頭痛神効
甘菊花 石膏 川芎 各三錢
右爲細末每服三錢茶清調下
二十九 治頭痛 不可忍
麻黄 去根節 石膏 各乙兩 何首烏 半兩 乾葛 七錢半
右爲細末每服三錢生姜三片水煎稍熱服

三十 洗心散 治風熱上攻頭目痛甚 方見眼目門

痰 三十一 三生丸 治痰厥頭痛

半夏　白附子　天南星各等分

右為末生姜自然汁浸蒸餅如菉豆大每服四十丸食後
姜湯下

通治 三十二 治偏正遠年近日一切頭疼

右用薄荷汁一蟬殼許令病者仰卧右疼注左鼻左痛注右
鼻兩邊皆痛並注之

三十三 治偏正頭疼

猪牙皂角去皮筋　香白芷　白附子各等分

右為末每服二分食後臘茶清調下右痛右側卧左痛左側
卧兩边皆疼仰卧

三十四 萊菔汁 治偏正頭痛用一蜆殼許仰卧左痛注右右痛

注左或兩鼻孔皆注亦可數十年患皆一服而愈

（三十五）芎烏散 治男子氣厥頭疼婦人氣盛頭疼及產後頭痛悉皆治之

川芎 天台烏藥各等分

右為細末每服二錢臘茶清調服或用葱茶湯調服並食後

（三十六）秘方止痛太陽丹

川烏 天南星

右等分為細末葱白連鬚搗爛調末藥貼於太陽痛處

（三十七）治頭痛不可忍者

玄胡索七枚 青黛二錢 猪牙皂角肥實者刮去皮及子二斤

右為末用水調丸成小餅子如杏仁大用時令病者仰卧以水化開用竹管送入男左女右鼻中覓藥味至喉少酸令病者坐却令咬定銅錢一箇於當門齒上當見涎出成盆即愈

（三十八）治偏正頭疼 用川芎二兩香附子炒四兩共為末以茶

清調服得臘茶清尤好

心痛

心為五臟之主一身之所聽命焉宜處安静不可使有所傷〻之則痛若痛甚手足青過節者是名真心痛旦發夕死夕發旦死非藥物之所能療脉經云脉浮大弦長者死沉細者生凡心痛之疾醫經所載其種有九一曰蟲痛二曰疰痛三曰風痛四曰悸痛五曰食痛六曰飲痛七曰寒痛八曰熱痛九曰來去痛名雖不同其實皆由外感邪氣内傷生冷結聚痰飲停於心胞傷於經絡重則心膈引痛輕則怔忡而已蓋心乃藏血之府憂思勞役太過耗散真血心帝失輔亦能令人怔忡以致膽氣虚怯變生驚悸或因事鬪声卒然戰怯又夢寐之中忽臨警慮精神恍惚如有所見治法宜詳其所因若内外之氣相搏則宜驅

散邪氣温利痰飲心血有所虧損又當補益其榮衛寧其心志壯其膽氣如此調之病無不愈矣

（安鎮）（三十九）妙香散 治男子婦人心氣不足精神恍惚虛煩少睡夜多盜汗常服補益氣血安鎮心神

麝香一錢別研 山藥一兩薑汁炙 人參半兩 木香煨二錢半 茯苓去皮不焙 茯神去皮木 黄耆各一兩 桔梗半兩 甘草炙半兩 遠志一兩去心炒 辰砂三錢別研

右為末每服二錢温酒調服不拘時

（四十）華氏雄朱丸 治丈夫婦人因驚憂失心或思慮過多氣結不散積成痰涎留在心包窒塞心竅以致狂言妄語叫呼奔走

顆塊朱砂一分研 白附子一錢為末 雄黄明淨者三錢

右和勻以猪心血和圓如梧桐子別用朱砂為衣每服三粒用人參菖蒲煎湯下常服一粒能安魂定魄補心益氣

（四十一）**龔氏育神散** 理心氣不寧怔忡健忘夜夢驚恐小便白濁

赤石脂 煆別研細入　白茯苓 去皮　甘草　乾姜 炮　當歸 酒浸

龍骨 煆別研如粉入　白茯神 去木　防風　人参 去芦　白朮

紅芍藥　遠志 去心　紫菀茸　桂心 去皮各等分

右為末每服二錢水一盞姜三片棗一枚煎七分食後服

（四十二）**龍齒湯** 理心下怔忡常懷憂慮夜夢多驚如墮陰地小便或赤或濁

官桂 二兩半　半夏 湯泡二兩　人参 去芦　白茯苓 去皮

甘草 炙　當歸　龍齒 研　桔梗 炒　茯神 去木各一兩

遠志 去心　枳殼 去穰麩炒各一兩半　黄耆 蜜炙一兩

右為末每服三錢水一盞姜三片棗一枚粳米百粒煎服

（四十三）**辰砂遠志圓** 安神鎮心消風化痰

石菖蒲 去毛　遠志 去心　人参　茯神 去木　辰砂 各半兩

川芎　山藥　鉄粉　麥門冬去心　細辛

天麻　半夏麯　南星炒黄　白附子生各一兩

右爲末用生姜五兩取汁入水煑糊圆如菉豆大别以朱砂

爲衣每服三十粒夜卧生姜湯下

（四十四）益榮湯治思慮過制耗傷心血心帝無輔怔忡恍惚夜

多不寐小便白濁

當帰去芦酒浸　黄芪去芦　小草　酸棗仁去殼炒

栢子仁炒　麥門冬去心　茯神去木　白芍藥

紫石英研各一兩　木香不見火　人參　甘草炙各半兩

右㕮咀每服四錢水一盞姜五片棗一枚煎七分不拘時

（四十五）帰脾湯治思慮過度勞傷心脾健忘怔忡

白术　茯神去木　黄耆去芦　龍眼肉　酸棗仁炒各一兩

人參　木香不見火各半兩　甘草炙二錢半

右㕮咀每服四錢水一盞姜五片棗一枚煎七分溫服

（四十六）**八物定志丸** 補益心神安定魂魄治痰去胸中邪熱

人參兩半　菖蒲　遠志去心　茯神去木各乙兩

朱砂乙錢　白朮　麥門冬去心各半兩　牛黃二錢另研細

右細末煉蜜為丸梧子大米飲下三十丸不拘時候

（四十七）**遠志圓** 治因事有驚心神不定夜夢驚魘小便白濁

遠志去心姜汁淹　石菖蒲各二兩　茯神去木

白茯苓去皮　人參　龍齒各一兩

右為末煉蜜圓如梧桐子以辰砂為衣每服七十圓熱湯下

（虛）（四十八）**黃氏人參固本圓** 夫心生血血生氣氣生精精盛則鬚髮不白容貌不衰今人滋補血氣多用性熱之藥殊非其治此方盖用生地黃能生精血用天門冬引入所生之地熟地黃能補精血用麥門冬引入所補之地又以人參能通心氣使五

味併用實補益心血一方又名二黃圓

生地黄洗 熟地黄洗蒸 天門冬去心 麥門冬去心各一兩 人參半兩

右為末煉蜜圓如梧桐子空心溫酒或鹽湯下三十圓

（四十九）平補鎮心丹 治心血不足時或怔忡夜多異夢如墮崖常服安心腎益榮衛

白茯苓去皮 五味子去梗 車前子 茯神去皮 麥門冬 肉桂去皮各一兩二錢半 遠志去心甘草煮 天門冬 山藥洗薑製各一兩半 酸棗仁去皮炒二錢半 熟地黄酒蒸二錢半 人參去蘆五錢 龍齒二兩半 朱砂細研半兩為衣

右為末煉蜜圓如梧桐大每服三十圓空心米飲溫酒任下

（五十）寧志膏 治心氣虛耗神不守舍恐怖驚惕恍惚健忘睡臥不寧夢涉危險一切心疾並皆治之

乳香二分以水盞中研 辰砂研細水飛半兩 酸棗仁炒去皮取末 人參取末各一兩

右和勻煉蜜圓如彈子大每服一圓溫酒棗湯空心化下

五十一 [illegible] 治心血虛寒怔忡不已痰多恍惚

遠志去心甘草煑 當歸去芦 熟地黃酒蒸焙各半两 紫石英煅醋淬七次

官桂去皮不見火 琥珀別研 附子炮去皮臍薑汁煑一夕 酸棗仁去殼炒別研

木香不見火 沉香別研 南星薑汁浸一宿各一两 龍齒半两

右為末煉蜜圓如梧桐子以朱砂為衣每服五十圓棗湯下

五十二 補心神效圓

黃耆蜜炙焙 茯神去木各四两 熟乾地黃三两 遠志去心 人參去芦各四两

栢子仁別研 酸棗仁湯泡七次去殼 五味子各二两 朱砂一两別研

右為末蜜丸如梧桐子每服五十丸米飲溫酒任下盜汗不止麥麸湯下乱夢失精人參龍骨湯下卒暴心痛乳香湯下虛煩發熱麥門冬湯下吐血人參湯下大便下血地榆湯下小便出血茯苓車前子湯下中風不語薄荷生薑湯下風癎涎潮防風湯下

〔五十三〕補心圓　治憂愁思慮過度心血耗散故多驚恐遺精盜汗

紫石英煅研　熟地黄洗　菖蒲　茯神去木

當歸去芦　附子炮去皮臍　黄耆去芦　遠志去心炒

川芎　桂心不見火　龍齒各一兩　人参半兩

右為末蜜丸如梧桐子每服七十丸棗湯下不拘時

〔五十四〕心丹　治男子婦人心氣不足神志不寧一切心疾並治之

遠志去心甘草煮　熟地黄酒洗蒸焙　新羅人参　木鱉仁炒去殼　白术各五兩

朱砂五十兩　當歸去芦酒浸焙　麥門冬去心　石菖蒲　石蓮肉去心炒

黄耆去芦　茯神去木　栢子仁揀淨　茯苓去皮　益智仁各三兩

右加人参等十四味各如法修製剉碎拌匀次將朱砂衮和以夾生絹袋盛貯用麻線緊繫袋口却用瓦鍋一口盛水七分重安銀鑵一箇於鍋内入白沙蜜二十斤將藥袋懸之中心不令着底使蜜浸過藥袋以桑柴火燒令滚沸勿使火歇

煮三日蜜焦黑再換蜜煮候七日足住火取出淘去蜜菜洗淨朱砂令乾入牛心內仍用銀鍋於重湯內蒸如湯乾後以熱水從鍋弦添下候牛心蒸爛取砂再換牛心如前法蒸凡七次其砂已熟即用沸水淘淨焙乾入乳缽玉杵研至十分米粽為丸如豌豆大陰乾每服二十丸食後參湯棗湯麥門冬湯任下

五十五　秘方　治心氣虛損

猪腰子一隻用水兩椀煮至盞半將腰子細切入人參半兩去蘆尾淨當歸半兩並切同煎至八分喫腰子以汁送下末盡腰子同上二味蒸焙乾為末山藥糊為丸如梧桐子每服五十丸多服為佳

五十六　引神歸舍丹　治心氣不足并治心風

附子一个重七分以上者炮去皮臍　大天南星厚去皮取心一兩生用　朱砂一兩水飛

右為末用猪心血并麪糊為圓如梧桐子煎萱草根湯下子午之交各一服止十五圓

（五十七）十四友圓 治心腎虛損神志不寧

白茯苓 白茯神去木 酸棗仁炒 人參各一兩 龍齒二兩別研

肉桂 阿膠蛤粉炒 遠志湯洗去心酒焙 當歸洗 熟地黃

黃耆 栢子仁別研 紫石英別研各一兩 辰砂一分別研

右為末同別研四味細末煉蜜圓如梧桐子每服三十圓食後棗湯下

（五十八）茯苓補心湯 治心氣虛耗不能藏血以致面色黃瘁五心煩熱咳嗽唾血及婦人懷娠惡阻嘔吐亦宜服之

半夏湯洗 前胡各七錢半 紫蘇半兩 白茯苓 人參各七錢半

枳殼麩炒 桔梗 甘草炙 乾葛各半兩 當歸一兩

川芎三分 陳皮半兩 白芍藥二兩 熟地黃一兩半

右㕮咀每服四錢水一盞姜五片棗一枚同煎食前服

（五十九）家藏方靈砂寧志圓治男子婦人大病後傷損榮衛失血過多精氣虛損心神恍惚不得眠睡飲食全減肌体瘦弱

辰砂二兩不夾石者用夾絹袋盛於銀石器內懸於器內用椒紅三兩取井花水調椒紅入於器內可八分別用鍋子注水置朱砂器在內重湯煮令魚眼沸三晝夜為度取出辰砂細研水飛　白朮　鹿茸燎去毛酥炙黃　黃耆蜜炙各三兩　石菖蒲二兩　茯神去木　人參各三兩

右為末次入辰砂研勻用棗肉和杵一二千下圓如梧桐子每服三十圓溫酒米飲空心任下

（六十）葉氏十補湯治諸虛不足安益心腎

白芍藥一兩　當歸酒浸一宿　黃耆蜜炙　生乾地黃洗　茯神去木各半兩　肉桂去皮四錢　北五味三錢　天台烏藥

麥門冬去心 人參 白术各二分半 酸棗仁炒
陳皮去白各二分 木香煨 半夏湯洗七次 沉香不見火各半两
右㕮咀每服五分水一盞姜五片棗二枚煎七分温服

六十一 是斎双補丸 平補精血不燥不熱
熟地黄半斤補血 兎絲子半斤補精
右為末酒糊丸如梧桐子每服七十丸人參湯下氣不順沉香湯下心氣虛茯苓湯下心氣煩燥不得睡酸棗仁湯下腎氣動茴香湯下小便少車前子湯下小便多益智湯下

六十二 兼氏定心湯 理心氣不足榮血衰少精神恍惚夢中失精
人參去芦 白茯苓去皮 茯神去木 黄耆蜜炙焙各三两
白朮 赤石脂研 川芎 厚朴姜製各二两 官桂去皮
紫菀茸 防風各一两 麥門冬去心一两半 甘草炙一两
右㕮咀每服三分水一盞赤小豆七十粒煎七分食後服

六十三 兼氏玉壺圓 治心氣不足大補心腎

大木瓜一个去皮穰作釭子入附子在内須留蓋子蓋之竹釘簽定蒸熟取去竹釘

大附子一个七八多重者用湯浸洗去黑皮剜作竅子

辰砂一两研入附子竅内不尽者留入木瓜内鋪盖附子

一法用人参切片砌定附子於木瓜内又用白磁碗盛木瓜於甑内蒸一七日将於砂鉢内爛研如糊次入乾茯神末拌和圆如梧桐子每服二十圆人参湯下温酒亦可

既济 六十四 降心丹 治心腎不交盜汗遺精及服热藥過多上盛下虚小便赤白常服鎮心益血

熟乾地黄酒洗焙乾三两 朱砂研飛半两 茯苓去皮 人参各二两

當歸去芦三两 茯神一两 肉桂去皮半两 山藥二两

天門冬去心三两 遠志甘草煮去苗骨二两 麥門冬去心二两

右為末煉蜜圆如梧桐子每服二三十丸人参湯下

（六十五）萊氏鎮心爽神湯 治心腎不交上盛下虛心神恍惚睡多驚悸小便頻数遺泄白濁

石菖蒲去毛半兩 甘草炙四分 人參去芦 赤茯苓 酸棗仁

當歸酒浸焙各三分 南星炮一分 陳皮去白 乾山藥 細辛去苗

紫菀去芦 半夏 川芎不焙 五味子 通草

麥門冬〻去心 覆盆子各一分半 栢子仁炒 枸杞子各一分

右㕮咀每服四分水一盞蜜一匙煎〻五分去滓取藥汁〻入麝香少許再煎一二沸温服不拘時

心痛

（六十六）蘇合香丸 治卒暴心痛 方見气門

又方 治心脾卒痛方

右用小烏沉湯一貼入百草霜爛研并塩一捻煎服立愈

（六十七）愈痛散 治急心痛胃痛

五靈脂去石去沙 玄胡索炒去皮 蓬莪朮煨 良薑炒 當歸去芦洗各等分

右爲末每服二分熱醋湯調下不拘時

（六十八）加味七氣湯 治喜怒思憂悲恐驚七氣爲病發則心腹刺痛不可忍及外感風寒婦人血痛並宜服之

半夏湯洗七次五兩　桂心　玄胡索炒去皮各一兩　人參　甘草炙各半兩　乳香三分

右㕮咀每服四分水一盞姜三片煎服不拘時

（六十九）應痛丸 治心氣痛不可忍者

好茶末四兩　揀乳香二兩

右爲細末用臘月兔血和丸如雞頭大每服一丸温醋送下不拘時服

（七十）沉香降氣湯 治七情氣結于中腹心疠痛不可忍每服二錢用枳殼半片煨切蘇葉三片塩少許煎湯并入濃磨沉香水同調下若更未效再加乳香三粒方見氣門

（七十一）分心氣飲 治証同上方見氣門更加枳殻半片木香少許

（七十二）失笑散 治敗血冷氣心痛方見氣門

（七十三）九痛圓 治九種心疼及冷氣攻刺發痛落馬墮車瘀血停滯並宜服之

狼毒半兩炙姜 巴豆去皮心膜炒乾取霜 乾姜炮
人參去芦 吴茱萸湯洗七次炒各一兩 附子炮去皮尖三兩

右為末煉蜜丸如梧桐子每服一丸空心溫酒下卒然心腹疼痛口不能言者服二丸立瘥

（七十四）家藏方郤痛散 治心氣冷痛不可忍者

五靈脂去沙 蒲黃炒各一兩半 當歸去芦洗 肉桂去皮
石菖蒲 木香 胡椒各一兩 川烏炮七分半

右㕮咀每服四分水一盞入塩醋少許煎服

（七十五）二姜圓 治心脾冷痛暖胃消痰

乾姜炮　良姜去皮各等分

右為末麪糊圓如梧桐子每服三十圓食後橘皮湯下

（七十六）氣針圓治風熱疎滯氣寬膈止刺痛方見脹滿門

（七十七）通心飲治証同上

木通　連翹　瞿麥

黄芩　甘草　梔子仁各等分

右剉水煎每服四錢更加枳殼灯心車前子麥門冬尤良

（七十八）没藥散治一切心肚疼痛不可忍者

没藥乳香細研　乳香各三分　川山甲五分炙　木鱉子四分

右為細末每服半分至一分酒大半盞同煎溫服不拘時候

（七十九）香附子散治心脾痛不可忍

良姜　香附子等分

為末入塩少許米飲調下二錢

〔八十〕〔手拈散〕治心脾痛不可忍 方見氣門

〔八十一〕〔神保丸〕治心氣痰痛柿蒂灯心煎湯下 方見氣門

名方類證醫書大全卷十一

名方類證醫書大全卷十二

腰脇痛

夫腎受病則腰滞而痛故經云腰乃腎之府轉搖不能腎將憊矣要知腰痛之疾所感不一有因風寒暑濕傷于腎經發為腰痛者又有墜墮險地閃動腰脇氣血凝滞而痛者其為痛也或引於項脊使及兩脇不可俛仰或腰下如有横木如坐水中多令人面目黧黑腹脇脹滿大抵腰痛之脉皆沉弦又須明沉弦而緊者為寒沉弦而浮者為風沉弦而濡細者為濕沉弦而实者為凝滞各推其所因感邪氣者驅散之凝滞者順其氣而調其血如此治之病無不愈又有腎經虛憊心血耗散不能養其筋脉以致腰痛又當補其心腎筋骨自壯矣

風濕

（一）**獨活寄生湯** 治腎氣虛弱為風濕所乘流注腰膝或攣拳掣痛不可屈伸或緩弱冷痺行步無力並皆治之

獨活三两　細辛　桂心不見火　川芎　防風去芦
牛膝酒浸　白芍藥　人參　熟地黄　秦艽去土
杜仲炒去絲 各二两　當歸　桑寄生如無以續斷代　甘草炙　茯苓各一两

右㕮咀每服四錢水一盞煎七分空心服

（二）**牛膝酒** 治腎傷風毒攻刺腰痛不可忍者

地骨皮　五加皮　薏苡仁各一两　川芎　牛膝
甘草　生地黄十两　海桐皮二两　羌活二两

右㕮咀用絹帛裹藥入無灰酒内冬浸七日夏三五宿每服一盃日三四服長令酒氣不絶一法加炒杜仲一两

（三）**杜仲酒** 治風冷傷腎腰痛不能屈伸

杜仲一斤生姜汁製炒斷絲

右用無灰酒三升浸十日每服二三合日四五服一方爲末用溫酒調一錢空心服

（四）敗毒散加續斷天麻薄荷木瓜等分治風熱濕毒腰痛 方見傷寒門

寒濕（五）朮附湯治濕傷腎經腰重冷痛小便自利

附子 炮去皮臍 白朮 各一兩 杜仲 去皮炒去絲半兩

右㕮咀每服四錢水一盞薑七片煎七分空心溫服

（六）五積散治寒濕傷于腎經腰痛不可俛仰兼氣加茱萸婦人血氣加桃仁 方見傷寒門

氣滯（七）牽牛圓治冷氣流注腰疼不可俛仰

延胡索 破故紙 炒各二兩 黑牽牛 炒二兩

右爲末研煨蒜爲圓如梧桐子每服三十圓葱酒鹽湯任下

（八）人參順氣散治氣滯腰痛加五加皮煎 方見風門

（九）木香流氣飲治氣滯腰痛不可轉側服之立效 方見氣門

（十）舒筋散治血滯腰痛亦治閃剉

玄胡索　當歸　官桂各等為末

右等分每服二錢温酒調下或加牛膝桃仁續断更妙

（十一）熟大黄湯治打撲腰痛惡血蓄瘀痛不可忍

大黄　生姜並切如豆大各半两

右同炒焦黄以水一大盞浸一宿五更去滓頓服天明所下如雞肝即惡物也

（十二）菴蕳丸治墜墮閃肭血氣凝滯腰痛

閃挫

菴蕳子半两　没藥二錢半　乳香二錢半另研

補骨脂炒　威靈仙洗去芦　杜仲去粗皮剉炒令絲断

官桂不見火　川當歸去芦酒潤焙各半两

右爲細末酒糊爲丸如桐子大每服七十丸空心鹽酒鹽湯任下

（十三）小七香圓　治鬱怒憂思或因閃挫攧撲一切氣滯腰痛

方見諸氣門

腎虛

（十四）二至圓　治老人虛弱腎氣傷損腰痛不可屈伸

鹿角　麋角鎊各二兩　附子炮去皮　桂心不見火

補骨脂炒　杜仲去皮炒去絲　鹿茸酒蒸焙各一兩　青鹽別研半兩

右爲末酒糊圓如梧桐子每服七十圓空心嚼胡桃肉鹽酒

鹽湯任下惡熱藥者去附子加肉蓯蓉一兩

（十五）補髓丹　升降水火補益心腎強筋壯骨

杜仲去皮炒黑色　補骨脂各十兩用芝麻五兩同研以芝麻黑色爲度篩去芝麻不用

鹿茸一兩燎去毛酒炙　沒藥一兩別研

右將杜仲補骨脂鹿茸一處爲末入沒藥和勻却用胡桃肉

三十箇湯浸去皮杵爲膏入麪少許酒煮糊圓如梧桐子每

服一百圓溫酒鹽湯任下

（十六）青娥圓治腎經虛冷腰腿重痛常服壯筋補虛

杜仲二斤炒　生姜十兩炒　破故紙一斤半

右爲末用胡桃肉一百二十箇湯浸去皮研成膏入少熟蜜

圓如梧桐子每服五十圓鹽酒姜湯任下

（十七）立安圓治五種腰痛常服補暖腎經壯健腰脚

破故紙　續斷　乾木瓜　牛膝酒浸

杜仲去皮姜製去絲各一兩　萆薢二兩

右爲末蜜圓如梧桐子每服五十圓温酒鹽湯空心任下

（十八）立安散專治腰痛

杜仲去粗皮剉炒令絲斷　橘核取仁炒

右等分爲末每服入鹽少許温酒調服食前

（通治）（十九）薏苡仁丸治腰腳疼痛手足枯痒

薏苡仁一兩　石斛用細者七分半　附子半兩　牛膝

桃仁各一分　生乾地黄二分　細辛　人参
甘草　枳殻　栢子仁　川芎　當歸各半两
右為末煉蜜圓如梧桐子每服四十圓酒呑下空心日三服
（二十）直指方異香散　治腹脇膨脹痞悶噎塞一切氣痞腰脇
刺痛　方見氣門
（脇痛）（二十一）芎藭湯　治脇下疼痛不可忍者
桂枝　川芎　細辛　乾葛　防風各半两
芍藥　枳殻　麻黄　人参　甘草一分
右㕮咀每服五钱水一盞姜三片煎七分温服
（二十二）枳实散　治两脇疼痛
枳实一两　白芍藥炒　雀腦芎　人参各半两
右為末空心姜棗湯調服二钱酒亦可
（二十三）枳殻散　治脇間痛如有物以挿然及気疾也　即婦人渇

胎枳壳散濃煎葱白湯

(二十四)推氣散治右脇疼痛脹滿不食

片子姜黄洗半两 枳殻去穣麩炒 桂心去皮不見火各半两 甘草炙三

右為末每服二夂姜棗湯調下酒亦可

(二十五)枳芎散治左脇刺痛不可忍者

枳实炒 川芎各半两 粉草炙二夂半

右為末每服二夂姜棗湯調下酒亦可

(二十六)直指方分氣紫蘇湯治腹脇疼痛氣促喘急方見喘急門

脚氣

脚氣之疾雖揔之曰氣而古今證治实爲多端故千金論脚氣皆由感風毒所致又經云地之風寒暑湿皆作蒸氣足常履之遂成脚氣古方無脚气之説黄帝時名為厥兩漢之間名為緩

風寒暑之後始謂之脚氣其名雖不同其實一也今之所感未有不由脾腎兩經虛弱坐卧行動之間為風寒暑濕之氣所干流注而成此疾得病之始多不令人便覺會因他病乃始發動或奄然大悶經三二日方乃覺之先從脚起或緩弱疼痛行起忽倒或兩脛腫滿足膝枯細或心中忪悸小腹不仁大小便秘澁或舉体轉筋骨節痠疼或惡聞食氣見食吐逆或胷滿氣急壯熱增寒其為候也不一治之須詳審乃可否則誤以為他疾治之若入腹攻心鮮不致危矣大抵脚氣之證發於外者大同而小異必須以脉辨其風寒暑濕然後施以治法若寒氣中三陽經者患処必冷暑中三陰經者患処必熱又以其脉浮而弦者起於風濡而弱者起於濕洪而數者起於熱遲而濇者起於寒風者汗而愈濕者温而愈熱者下而愈寒者熨而愈又當順四時調理不可拘一春夏疾盛者宜汗利之秋冬以後又須量

人気体虛実微加滋補防其遇寒暄再作此皆嚴氏詳論及此又如无汗走注為風勝攣急掣痛為寒勝腫滿重着為湿勝煩渴热頑為暑勝四氣兼中者但推其多者為勝分其表裏施以治法亦三因至當之説古人得脚気之初多用針灸最忌用热薬蒸泡恐逼邪気入于經絡為難治也今之治脚気者有一方偶合於所患之証服之得愈便以為秘方其後遇病更不審其脉証所因又服以前薬〻証既殊非徒不能愈病適足以重病戒之戒之

（風湿）（二十七）**五積散**治風湿流注兩脚酸疼〻方見傷寒門

（二十八）**香蘇散**加檳榔木瓜名檳蘇散治風湿脚痛踈通気道

紫蘇　香附子各二兩　陳皮　甘草　檳榔　木瓜各一兩

右㕮咀每服四錢水一盞姜葱煎服

（二十九）**活血應痛丸**治風湿客於腎經血脉凝滯腰脚重疼項

背拘攣不得轉側常服活血脉壯筋骨

狗脊去毛四斤　蒼术泔浸一宿去皮六斤　香附子去毛炒七斤半

陳皮去白五斤　没藥別研十二两　草烏頭一斤半　葳灵仙洗二斤

右為末酒糊圓如梧桐子每服二十圓温酒塾水任下

（三十）經効立應散　治风濕脚氣

麻黄去節炒　姜蚕炒断絲各二两　丁香一分　没藥別研　乳香各五分

右為末每一两用酒一椀調服取醉盖覆得汗即愈曾經蒸泡者難愈

（三十一）歐陽康叔家傳方加减至宝丹　專治脚气止疼痛除风湿

石膏水煮三十沸三两　當帰酒浸二两　骨碎補炒净去皮毛四两三五两　檳榔二两

月宝砂五两醋煮乾　白蒺藜炒赤去尖刺三两　紫金皮去骨生用

木瓜生各二两　淮烏三个約一两者炒赤二两　白膠香二两净水煮十數沸冷水中乾

右為末蜜圓如彈子大嚼生姜一塊空心以好酒一盏送下

多以酒助藥力服後一時久用外應散薰蒸淋洗一方除紫金皮木瓜加防风小黑豆一方加赤芍藥一方除紫金皮石膏加白术木香川乌

（三十二）黄耆丸　治腎臟风虚上攻頭面下注腰脚行步艱難一切风痺痛痒不定並皆治之

川練子　川乌炮　赤小豆　杜蒺藜炒去刺　茴香炒

地龍去土炒　防风去芦各一两　乌药　黄芪各二两

右為末酒糊丸如梧桐子每服五十丸温酒塩湯任下

（三十三）經進地仙丹　治腎气虚憊风湿流注脚膝酸疼行步无力

川椒去目及閉口者微炒出汗四两　兎絲子酒浸　覆盆子各二两　白术一两

白附子　羌活　防风去芦各二两　人参一两半　乌药二两

川乌炮一两　附子炮四两　茯苓一两　地龍去土三两　赤小豆

骨碎補去毛各二两　甘草一两　木鱉子去殼二两　萆薢二两　狗脊二两

蓯蓉酒浸焙四两　牛膝去芦酒浸　南星湯洗姜製各三两　黄芪三两半　何首烏二两

右為末酒糊圓如梧桐子每服四十圓空心温酒下

三十四　神翁地仙丹　專治風痺脚氣

天仙子一两　川椒三两去子并合口者　木鱉子四两　白膠香五两黄過別研

五灵脂三两陳黑色好者用好酒浸投水淘去觔濾過晒乾　黑牽牛六两　黑豆八两

草烏五两小而堅实者淨洗用塩在油中并炒令色焦黄折裂候冷以紙布之類揩令淨　赤土九两即土朱

右為末同入白膠香木鱉子末用隔年好醋打麪糊杵千百下圓如梧桐子每服三十圓茶清下病甚者頻進

三十五　加减地仙丹　治風冷邪湿留滯下焦足膝拘攣腫滿疼痛

地龍炒去土　五靈脂去石　烏藥　白膠香別研　五加皮

椒紅去汗　威灵仙　木瓜去穰　赤小豆炒　川烏炮

黑豆炒去皮　天仙藤　蒼术米泔浸去皮炒　木鱉子去殼油各等分

右為末酒糊圓如梧桐子每服七十圓空心塩酒塩湯任下

（三十六）直指万不老地仙丹 治腎臟風毒輕脚壯筋

蓯蓉以酒浸焙 當歸 虎骨酒炙 牛膝 赤小豆
蒺藜炒擣去刺 川椒去目出汗 川芎各一两 萆薢塩水煮乾 血竭
白南星炮 白附子炮 何首烏 黄芪 防風
杜仲姜製 羌活 没藥別研各三分 獨活
木鱉子去油 地龍去土 茴香炒 乳香別研各半两

右為末酒糊圓如梧桐子每服四十圓木瓜陳皮湯下

（三十七）活絡丹 治諸般風邪濕毒之氣停滯經絡流注脚間筋脉攣拳腰腿沉重或發赤腫以及脚筋吊痛上衝心腹一切痛風走注並皆治之

川烏炮去皮臍六两 乳香研二两二钱 草烏炮去皮臍
地龍去土 南星炮各六两 没藥研二两二钱

右為末入研藥和勻酒糊圓如梧桐子每服二十圓空心冷

酒下荊芥湯亦得

〔寒濕〕〔木瓜牛膝圓〕治寒溫四氣下注腰腳緩弱無力腫急疼痛

木瓜大者三四个切開蓋去穰先用秋米漿過鹽焙乾為末却將鹽末入瓜內令滿仍用蓋針定蒸三次爛研為膏

川烏大者去皮尖用无灰酒一升浸薄切以酒煮乾研細為膏三兩　巴戟

青皮　青鹽別研　狗脊燎去毛　牛膝酒浸

萆薢　茴香　海桐皮　羌活各一兩

右為末入青鹽拌勻將前二膏搜和如硬再入酒杵數千下圓如梧桐子每服五十圓空心鹽酒鹽湯任下（三十八）

（三十九）〔家藏方五斤圓〕治筋血不足腰腳緩弱行步艱辛一切寒熱腳氣並皆治之

沒藥別研　川烏頭炮去皮　山茱各四兩　大木瓜一斤　天麻

牛膝去蘆用无灰酒浸一宿控乾切焙　肉蓯蓉酒浸一宿切焙　虎骨塗酥炙黃色各四兩

右將木瓜爛蒸研作糊和藥末如不就更用元浸牛膝酒打

糊搜匀杵一二千下圓如梧桐子每服五十圓溫酒鹽湯下

（四十）**家藏方胡蘆巴圓**治一切寒濕脚氣腿膝疼痛行步無力

葫蘆巴酒浸一宿焙乾　破故紙炒香各四兩

右爲末用大木瓜一枚切頂去穰置藥在内以蒲爲度復用頂蓋之以竹簽簽定蒸熟爛研同前末尽藥末和爲圓如梧桐子每服五十圓空心溫酒下

（四十一）**勝駿丸**治元氣不足爲寒濕之氣所襲腰足攣拳脚面連指走痛無定筋脉不伸行步不隨常服益眞氣壯筋骨

附子一個炮去皮臍　當歸酒浸一宿　天麻　牛膝並酒浸　木香

酸棗仁炒　熟地黃酒浸　防風去叉各二兩　木瓜四兩　羌活二兩

乳香半兩別研　麝香一分別研　全蝎去毒　没藥別研　甘草炙各一兩

右爲末用生地黃三斤研爛如泥入無灰酒四升煮爛如膏以前藥和匀杵令堅每兩作十圓每服一圓細嚼臨睡酒下

如冬月無地黃煉蜜圓如梧桐子每服五十圓鹽湯溫酒任下一方加檳榔萆薢蓯蓉破故紙巴戟各一兩當歸地黃各減一兩

【四氣】【四十二】換腿圓　治足三陰經爲風寒暑濕之氣所乘發爲攣痛緩弱上攻胸脇肩背下注脚膝疼痛足心發熱行步艱辛

薏苡仁　南星炮　石楠葉　石斛去根　檳榔
萆薢炙　川牛膝去苗酒浸　羌活去芦　防風去芦各一兩　木瓜四兩
黃芪去芦蜜炙　當歸去苗酒浸　天麻去芦　續斷各一兩

右爲末酒麪糊圓如梧桐子每服五十圓溫酒鹽湯任下一方加附子肉桂蒼朮各一兩

【四十三】大料神秘左經湯　治風寒暑濕流注三陽經腰足拘攣大小便秘澁喘滿煩悶並皆治之

半夏湯洗七次　乾葛　細辛　麻黃去節　小草即遠志　麥門冬去心

厚朴 薑製炒 茯苓 防巳 枳殼 去穰炒 甘草

桂心 羌活 防風 柴胡 黄芩 白姜 各等分

右㕮咀每服四錢水一盞姜三片棗一枚煎服自汗加牡蠣白术去麻黄〻腫加澤瀉木通甚熱無汗減桂加橘皮前胡升麻腹痛或利去黄芩加芍藥附子大便秘加大黄竹瀝喘満加杏仁桑白皮紫蘇並等分對証加減尤宜審之

四十四 麻黄左經湯 治風寒暑濕流注足太陽經腰足攣痺関節重痛增寒發熱无汗悪寒或自汗悪風頭疼眩暈

麻黄 去節 乾葛 細辛 白术 米泔浸 茯苓

防巳 桂心 不見火 羌活 甘草 炙 防風 各等分

右為末每服四錢水一盞姜三片棗一枚煎空心服自汗去麻黄加肉桂芍薬重着加白朮陳皮无汗減桂加杏仁澤瀉並加等分

四十五　**大黄左經湯**　治風寒暑濕流注足陽明經使腰脚赤腫痛不可行大小便秘或惡聞食氣喘滿自汗

細辛去苗　茯苓　羌活　大黄蒸　甘草炙　前胡
枳殼麸炒　厚朴去皮炒　黄芩　杏仁去皮尖别研各等分

右㕮咀每服四錢水一盞姜三片棗一枚煎七分空心熱服腹痛加芍藥秘結加阿膠喘急加桑白皮紫蘇小便秘結加澤瀉四肢瘡痒浸淫加升麻並等分

四十六　**半夏左經湯**　治足少陽經為風寒暑濕流注發熱腰脇疼痛頭目眩暈嘔吐不食

半夏湯泡七次　乾葛　細辛　白术
麥門冬去心炙　茯苓　桂心不見火　防風
乾姜炮　黄芩　小草　甘草炙　柴胡各等分

右㕮咀每服四錢水一盞姜三片棗一枚煎七分空心服熱

悶加竹瀝喘急加杏仁桑白皮

(四十七)六物附子湯治四氣流注於足太陰經骨節煩疼四肢拘急自汗短氣小便不利手足或時浮腫

附子炮去皮臍 桂心各四两 白术三两

甘草炙二两 防已四两 茯苓三两

右㕮咀每服四錢水一盞姜七片煎服

(四十八)四蒸木瓜圆治肝腎脾虛為風寒暑濕之氣流注經絡脚膝疼痛增寒壯熱或腫或痺發作不時

威靈仙 苦葶藶 黄芪 續斷

蒼术 橘皮 烏藥 茯神各半两

右為末以大木瓜四枚去頂穰填藥在内却用頂盖盖定酒洒蒸熟研為膏圆如梧桐子每服五十圆空心温酒塩湯任下世傳木瓜圆甚多此方為是

（四十九）**四斤圓** 治腎經虛寒下攻腰脚筋脉拘攣掣痛不已優地艱辛脚心隱痛慿風寒濕痺脚氣緩弱並宜服之

宣州木瓜 去瓤 天麻 去芦 蓯蓉 洗淨 牛膝 去芦各焙乾秤一斤

以上四味如前事治了用无灰酒五升浸春秋各五日夏三日冬十日足取出焙乾再入

附子 炮去皮尖二兩 虎骨 塗酥炙一兩

右爲末用浸藥酒打麪糊圓如梧桐子每服五十圓空心煎木瓜酒鹽湯任下常服補虛除濕大壯筋骨

（五十）**加味四斤圓** 治肝腎俱虛精血不足足膝酸疼步履不隨如受風寒濕氣以致脚痛者最宜服之

虎脛骨 二兩酥炙 天麻 宣木瓜 一个去瓤蒸 肉蓯蓉 各酒浸一兩焙

没藥 別研 乳香 別研各半兩 川烏 一兩炮去皮 川牛膝 去芦酒浸一兩半

右爲末入木瓜膏和酒糊杵煉爲圓如梧桐子每服七十圓空心温酒鹽湯任下

【熱毒】（五十一）加味敗毒散　治足三陽經受熱毒氣流注脚踝上焮赤腫痛寒熱如瘧自汗惡風或無汗惡寒

羌活　獨活　前胡　柴胡

枳殼去穰麸炒　桔梗　甘草炙　人參

茯苓　川芎　大黄蒸　蒼术米泔浸各等分

右㕮咀每服四錢水一盞姜三片薄荷一捻煎服皮膚瘙痒加蟬蛻煎

【腎虚】（五十二）木瓜圓　治腎經虚弱下攻腰膝筋脉拘攣腫滿疼痛行履艱難舉動喘促面色黧黑大小便秘澁

熟干地黄洗焙　陳皮去白　烏藥各四兩　赤芍藥一兩

黑牽牛炒三兩　杏仁去皮尖　牛膝酒浸　石楠藤

當歸酒浸　蓯蓉酒浸　續斷　乾木瓜各二兩

右為末酒煮麪糊圓如梧桐子每服五十圓空心温酒下

五十三　養腎散　治腎氣虛損腰脚疼痛

草烏頭生去皮臍　附子炮二兩　全蝎半兩　蒼朮製一兩　天麻三兩

右為末空心豆淋溫酒調下麻痺少時病亦隨去

發散　五十四　檳榔湯　治一切脚痛順氣防壅

檳榔　香附子去毛　陳皮去白　紫蘇葉

木瓜去穰　五加皮　甘草炙各一兩

右㕮咀每服四錢水一盞姜五片煎七分溫服婦人脚氣加當歸半兩室女脚痛加赤芍藥兩半如大便虛秘加枳實熱者加大黃

五十五　歐陽康叔家傳方檳風散　專治寒濕脚氣先用此發散

麻黃不去節　甘草不去皮　淮烏　川萆薢　杏仁不去皮各等分

右㕮咀每服四錢水一盞煎服不可多進

通治　五十六　木瓜散　治脚氣

大腹皮一个 紫蘇 乾木瓜
甘草炙 木香 羌活各一分
右㕮咀分作三服每服水二盞煎至一盞通口服

（五十七）**指方木瓜散** 治脚氣
大腹皮 紫蘇 羌活 木香
茯苓 陳皮 甘草炙各半兩 宣木瓜一兩
右㕮咀每服三錢水一盞姜棗煎服

（五十八）**思仙續斷圓** 治肝腎風虛下注脚膝痛引腰脊一切風毒流注並宜服之
萆薢四兩 防風去芦 薏苡仁 思仙木即杜仲剉炒續斷各五兩
牛膝酒浸 川續斷 羌活各三兩 生地黄 五加皮各一兩
右為末酒三升化青塩三兩木瓜半斤去皮子以塩酒煮木瓜成膏杵圓如梧桐子每服五十圓空心温酒塩湯任下

〔五十九〕夢中神授方　治脚氣神効

右用木鱉子每箇作兩边麩炒〻畢切碎再炒用皮紙滲尽油為度每一两用厚桂一两同為末熱酒調服以得醉為度盖覆得汗即愈

〔六十〕神烏丸　治遠年日近乾湿脚氣

川烏炮去皮臍　虎脛骨酥炙　海桐皮　川萆薢各二两

川牛膝去苗酒浸　肉從蓉酒浸各一两半　金毛狗脊燎去毛半斤

右為末用木瓜膏為丸如梧桐子每服七十丸空心温酒下

〔六十一〕洗法

每夜用鹽塗擦腿膝至足甲淹少時却用熱湯泡洗昔有人得脚氣諸方不效後常用此法再不發

〔六十二〕歐陽康叔家傳方外應散　治脚氣用此熏蒸淋洗

石楠葉　矮樟葉　西江杉片　藿香　紫金皮　藁本

獨活　大參　白芷　紫蘇　羌活各等分

右剉碎加大椒五六十粒葱一握用水二斗煎七分置盆内令病者以足加其上用厚衣盖覆薰蒸痛處候温熱可下手時却令他人淋洗

（秘結）（歐陽康叔家傳方通真圓）專治脚氣秘結者用此通利

萆薢　破故紙　黑牽牛各等分　淮烏半两用巴豆一两煮熟去巴豆

右爲末麪糊圓如梧桐子每服十圓空心塩湯下如利數行欲止之以冷水洗手即止　（六十三）

（腫痛）（六十四）（大腹皮散）治諸證脚氣腫痛小便不利

檳榔　荆芥穗　烏藥　陳皮　紫蘇葉各一两

蘿蔔子炒半两　沉香不見火　桑白皮炙　枳殼去穰麩炒各一两半

大腹皮三两　乾宣木瓜去穰二两半　紫蘇子炒一两

右㕮咀每服四錢水一盞姜五片煎服不拘時

六十五　歐陽康叔家傳方透骨丹　專治脚氣

川烏一两煨　羌活二两　白茯苓二两　乳香别研　檳榔

木瓜　川芎各一两　木香两半　沉香五分

右爲末麪糊圓如梧桐子每服六十圓姜湯下

六十六　沉香大腹皮散　治濕氣鬱滯經絡以成脚氣腫滿疼痛

筋脉不利

大腹子二两連皮　沉香　桑白皮炒　檳榔　茴香炒

白茯苓去皮　木通　荆芥穗　紫蘇子炒　蘇葉各一两

乾木瓜二两去穰　枳殼二两半去穰麩炒　甘草炒　陳皮去白　烏藥各一两

右㕮咀每服五錢水一盞姜五片乾蘿蔔五大片同煎七分

温服如无蘿蔔用蘿蔔子一錢微炒搗碎同煎如覓大乾燥

即服加減神功圓

六十七　脚氣止痛方　用萆麻子七粒去殻研爛如泥同蘇合香

圓打和貼脚心其痛即止

（六十八）又方 用草烏一味以麴酒糟搗爛貼痛处即止如无麴糟生姜汁調草烏末亦可

（六十九）家藏方趂痛散 治湿攻注腰脚疼痛行步少力

杜仲 炒断絲一两半　延胡索　萆薢

没藥　當歸 洗焙　肉桂 去皮各一两

右為末每服三錢空心温酒調下

（痿弱）歐陽康叔家傳方黒虎丹 治脚氣筋骨軟弱步履不隨

白术　五加皮　肉桂 各半两　檳榔　黒小豆 半升

川烏　黄芪　白茯苓　赤芍藥　杜仲 各两半

附子　熟地黄　烏藥　生蒼术　羗活

當歸　川牛膝　虎脛骨　白蒺藜 各一两

右為末麫糊圓如梧桐子每服五十圓空心鹽酒下

（七十）

七十一 五獸三圓丹 治因氣血耗損肝腎不足兩脚痿弱

鹿茸酥炙 麒麟竭即血竭也 虎脛骨鮮片酥炙 牛膝去苗酒浸

狗脊赤草根也燎去毛各等分 右修事為末即五獸丹料也

辰砂一兩為末 附子大者一箇去皮臍剜旋中心空入辰砂於内

宣木瓜一个剜去心仍薄去皮入上附子於内以旋附子末盖附子

口正坐於銀煨罐中重湯蒸十分爛附子斷白為度即三圓丹也

右用三圓丹研膏調五獸末子為圓如雞頭大木瓜酒或降

氣湯任下

氣冲心腹 七十二 脚氣入腹衝心疼痛腫滿大小便秘

沉香　木香　羌活　白芍藥

檳榔各五分　甘草　撫芎　青皮

枳殼各二分　紫蘇葉　木瓜各二分半　真蘇子六分

右㕮咀每服四分姜三片同煎溫服

（七十三）十全丹 治脚氣上攻心腹足心隱痛小腹不仁關節攣痺疼痛無時煩渴引飲大小便或秘或利

石斛酒浸 狗脊火去毛 萆薢 蓯蓉 熟地黃
牛膝酒浸 地仙子 遠志去心炒 茯苓 杜仲去皮炒各等分

右為末煉蜜圓如梧桐子每服五十圓溫酒鹽湯任下

（七十四）烏藥平氣湯 治脚氣上攻頭目昏眩脚膝酸疼行步艱苦諸氣不和喘滿迫促並皆治之

茯神去木 甘草炙 白芷 當歸 白朮 川芎
五味子 紫蘇子 烏藥 乾木瓜 人參各等分

右㕮咀每服四錢水一盞姜五片棗二枚煎七分溫服

（七十五）茱萸丸 治脚氣入腹腹內不仁喘急欲死

吳茱萸湯洗 木瓜去瓤切片日乾各等分

右為末酒糊丸如梧桐子每服五十圓至百圓酒飲任下

七十六　八味丸　治腎經虛寒脚氣入腹腹脹疼痛上氣喘急此藥最能治之方見諸虛門

清理　木通散　治因脚氣之疾服補藥太過小便不通淋閉脹滿

梔子仁炒　赤芍藥　赤茯苓　甘草生各一兩　當歸半兩

右㕮咀每服三錢水一盞煎七分溫服

七十七

七十八　歐陽康叔家傳方搜風散　脚氣愈後可常服之

白芷　川芎　茯苓　甘草

芍藥　當歸各兩半　陳皮　厚朴

枳殼　白朮二兩　乾薑炮　麻黃去根節三兩

桔梗兩半　蒼朮十一兩酒浸去皮　肉桂半兩

右㕮咀每服三錢水一盞姜四片煎服

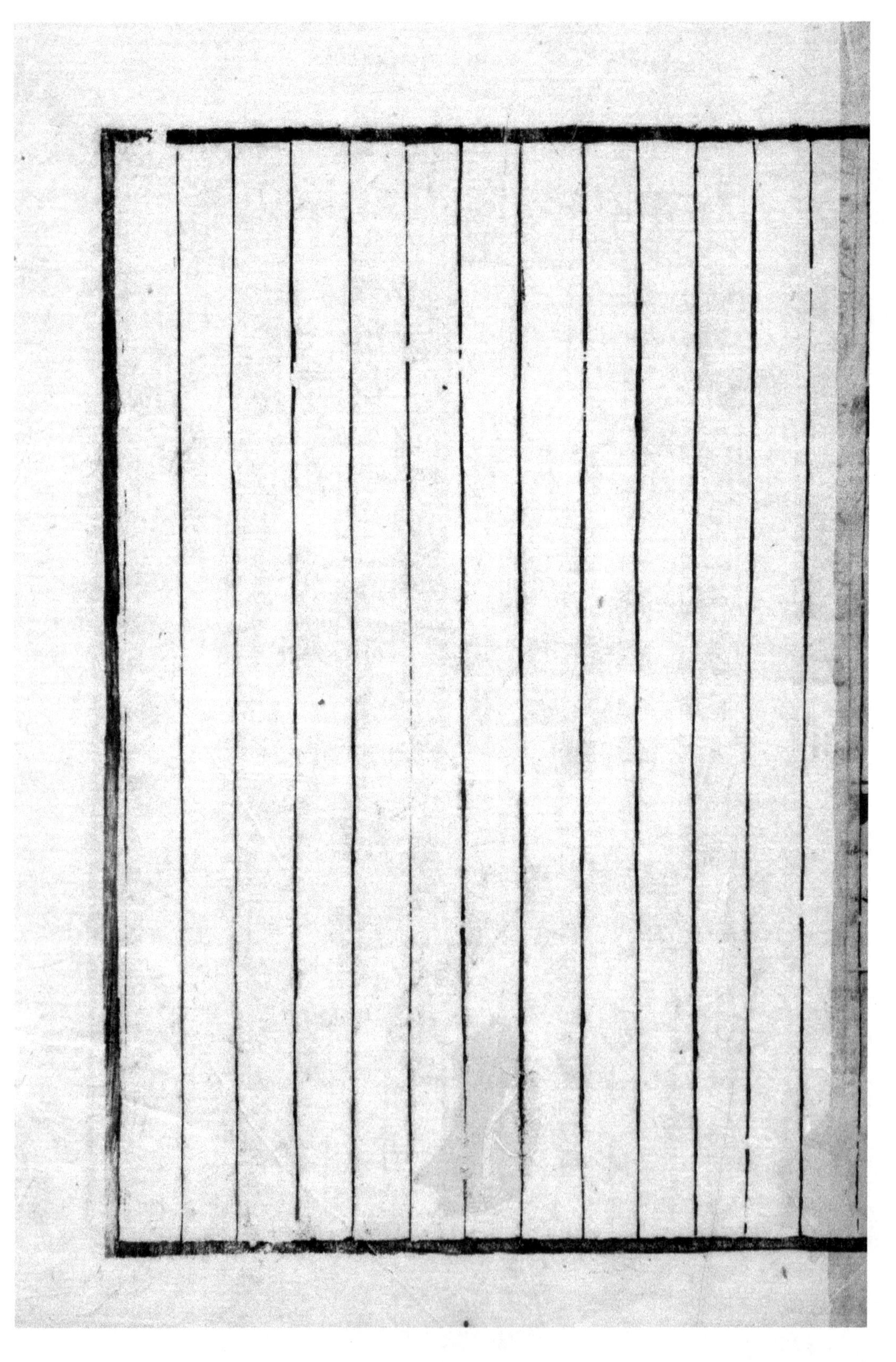

名方類證　六

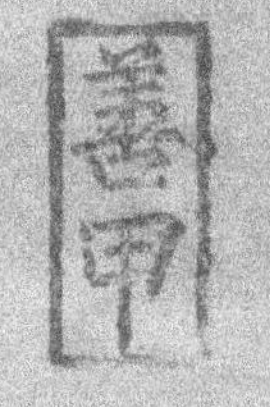

名方類證醫書大全卷十三

五疸

黄疸之疾諸書所載其證雖繁究其方治不過五疸一曰黄汗二曰黄疸三曰穀疸四曰酒疸五曰女勞疸是也黄汗之證身体俱腫汗出不渴狀如風水汗出染衣黄如蘗汁此由脾胃有熱喜自汗汗出入水中洗浴故汗秘热結其汗黄也黄疸之證食已即飢遍身皮膚及爪甲面目小便俱黄卧時身体又帶赤帶青者必發寒熱此由酒食過度臟腑热極水穀相併積於脾胃復爲風濕所搏結滯不散热氣薰蒸所致若發於陰部其人必嘔發於陽部必振寒而後热穀疸之證食畢即頭眩心中怫鬱不安而遍体發黄此由脾胃有热大飢過爲飲食所傷胃氣

衝蒸所致也酒疸之證身目發黄心中懊痛足脛滿小便黄面發赤斑此由飢中飲酒大醉當風入水所致女勞疸者其證身目皆黄發熱惡寒小腹滿急小便不利此由過於勞傷又於極熱之中房事之後入水所致如多渴而腹脹者難治大槩五種之病多是脾胃經有熱而後發黄治法各當究其所因分利爲先解毒次之又有時氣傷寒傷風伏暑解散未盡亦令人發黄如疸狀口淡怔忡耳鳴脚弱微寒微熱小便白濁又當作虚證治之不可妄投凉藥愈傷血氣臨病之際辨之可也

風（一）艾煎丸 治因傷風瘀熱不解發爲風疸舉身黄小便或黄或白寒熱好卧不欲動其脉陽浮陰弱

生艾二月採一束研爛熬成膏子　大黄　黄連

括樓根　凝水石　苦參　葶藶炒各等分

右爲末以艾膏和得所爲丸梧子大初服六七丸漸加至二十

十九有熱者加苦參渴加括樓根小便少加葶藶小便多加
凝水石小便白加黃連大便難加大黃並加一倍

（寒）（一）**麻黃湯** 治傷寒不解發為黃疸其脉緊以汗解之
麻黃三兩用水酒五升煎至二升每服一盞溫服汗出愈

（暑）**加減五苓散** 治飲酒伏暑鬱發為疸煩渴引飲小便不利
茵陳　赤茯苓去皮　猪苓去皮　白朮　澤瀉各等分
右㕮咀每服四錢水一盞煎八分溫服不拘時有用局方五
苓散加茵陳亦可　（三）

（濕）（四）**礬石散** 治濕疸得之一身盡痛發熱面色黑黃七八
日後壯熱在裏有血下如豚肝狀小腹滿者急下之其脉沉細
礬石枯　滑石各等分
右為末每服二錢麥粥飲調下日三服食前便利如血者效

（時行）（五）**茵陳湯** 治時行瘀熱在裏鬱蒸不散通身發黃

茵陳二兩 大黃一兩 梔子仁三分

右㕮咀每服四錢水一盞煎八分溫服不拘時

（六）黃連散治大小便秘澀壅熱累功

黃連二兩 川大黃二兩好醋拌炒 黃芩 炙甘草各一兩

右為極細末每服二錢食後溫水調下日三服

（黃汗）

（七）苦酒湯治身躰洪腫發熱自汗如蘗汁其脉沉

黃芪五兩 芍藥 桂心去粗皮各三兩

右剉每服四錢苦酒三合水一盞半煎至七分去滓溫服初服必心煩以苦酒阻故也六七日稍愈

（八）黃芪散治黃汗

黃芪去蘆蜜炙 赤芍藥 茵陳各二兩 石膏四兩

麥門冬去心 豆豉各一兩 甘草炙半兩

右㕮咀每服四錢水一盞姜五片煎八分溫服不拘時

黄疸　九　小半夏湯　治黄疸小便黄腹滿脹喘者不可除熱熱去必噦

半夏一味剉每三錢姜十片煎温服

十　單方　治黄疸身眼黄如金色不可使婦人雞犬見修合

東引桃根細切如筋一把

以水一大升煎至一升小空心温服三日後其黄漸退百日平復可時時飲一琖清酒則眼中易散忌食麪猪魚肉

十一　茵陳散　治黄疸

瓜蔞一个　石膏一两　甘草炙半两　茵陳

木通　梔子仁酪一　大黄炒半两

右㕮咀每服四錢水一盞姜五片葱白一莖煎服不拘時

十二　搐鼻瓜蔕散　治黄疸遍身如金色累效

瓜蔕二条　母丁香一条　黍米四十九个　赤小豆半条

右爲極細末每夜兩鼻孔內嗃便睡明日取下黃水便服黃

連散

穀疸 十三 穀疸丸 專治穀疸

苦參三两 龍膽草一两 牛膽一个

右爲末用牛膽汁入少煉蜜爲圓如梧桐子每服五十圓空心熱水或生姜甘草煎湯送下兼服紅圓子亦可

酒疸 十四 白术湯 治酒疸因下後變爲黑疸目青面黑心中如啖韮狀大便黑皮膚不仁其脉微而数

桂心 白术各一两 枳實去白麩炒 豆豉

乾葛 杏仁 甘草各半两

右㕮咀每服四錢水一盞煎七分食前服

十五 當歸白术湯 治酒疸發黃結聚飲癖心胸堅滿不進飲食小便黃赤其脉弦濇

茯苓三兩　當歸一兩　白朮三兩　黃芩一兩
半夏湯洗七次二兩半　茵陳一兩　甘草炙
枳實麩炒去白　杏仁麩炒去皮尖　前胡各二兩
右㕮咀每服四錢水一盞煎七分食後溫服
（十六）葛根湯治酒疸
枳實麩炒去白　梔子仁　豆豉各一兩　葛根二兩　甘草炙半兩
右㕮咀每服四錢水一盞煎八分溫服不拘時
（十七）酒蒸黃連丸治酒疸方見積熱門
女勞疸（十八）滑石散治女勞疸
滑石二兩半　白礬一兩枯　得效方無白礬有石膏煅
右爲末每服二錢用大麥粥飲調下以小便出黃水爲度
積疸（十九）金黃丸治酒積食積諸積面黃疸積硬塊
荆三稜　牽牛各二兩半　巴豆四十九粒出油

黍米粉　香附子各半　澤瀉二分半

右爲末用梔子煎湯和丸如菉豆大每服三九至五九

熱疸（二十）一清散治熱疸發熱

柴胡三两　赤茯苓二两　桑白皮　川芎一两　甘草半两

㕮散每服四錢姜棗煎服

虚疸（二十一）秦艽飲治五疸口淡耳鳴脚弱發寒熱小便白濁

秦艽去芦　當歸去芦酒浸　芍藥　白术

官桂去皮不見火　茯苓去皮　熟地黄酒蒸　陳皮

小草　川芎各一两　半夏湯洗七次　甘草炙各半两

右㕮咀每服四錢水一盞姜五片煎至七分去滓温服不拘時

（二十二）養榮湯治証同上方見虚損門

諸淋

淋閉之疾其證有五氣石血膏勞是也氣淋爲病小便澁常有餘瀝石淋爲病莖中痛尿不得卒出膏淋爲病尿似膏出勞淋爲病勞倦即發痛引氣衝血淋爲病遇熱即發甚則溺血候其鼻頭色黄者小便難也大槩此證多由心腎不交積蘊熱毒或酒後房勞或七情欝結或飲冷逐熱發散不動結于下焦小腸膀胱受之則爲癃閉淋閉其所爲病皆一類也又有温病後餘熱不散當風取凉亦能令人淋閉故治法當以清心爲先滑利次之臨證用藥更須詳審

熱淋（二十三）八正散 治大人小兒心經藴熱臟腑秘結小便赤澁癃閉不通及熱淋血淋並宜服之

車前子　瞿麥　萹蓄　滑石

甘草　山梔子仁　木通　大黄麪裹煨各一斤

右㕮咀每服三錢水一盞入灯心煎至七分食後温服

（二十四）清心蓮子飲治上盛下虚心火炎上口苦咽乾煩渴微熱小便赤澁或欲成淋並宜服之

黄芩半兩　黄耆蜜炙　石蓮肉去心　白茯苓　車前子　人參各七錢半　麥門冬去心　甘草炙　地骨皮各半兩

右㕮咀每服三錢水一盞麥門冬十个煎發熱加柴胡薄荷

（二十五）五苓散治伏熱小便赤痛如淋方載中暑門

（二十六）石韋散治腎氣不足膀胱有熱水道不通淋瀝不出臍腹急痛蓄作有時勞倦即發或尿如豆汁或出砂石並皆治之

芍藥　白术　滑石　葵子　當歸去芦　瞿麥各三兩　石韋去毛　木通各二兩　甘草炙　王不留行各一兩

右爲末每服二錢空心小麥湯調服

（二十七）導赤散治心虚藴熱小便赤澁或成淋痛

生乾地黄　木通　甘草各等分

右㕮咀每服三錢水一盞竹葉少許煎六分温服不拘時

（二十八）火府丹　治心經藴热小便赤少及五淋澁痛

木通　黄芩各一两　生乾地黄二两

右為末煉蜜杵圓如梧桐子每服五十粒木通煎湯下

冷淋（二十九）生附散　治冷淋小便秘澁数起不通竅中腫痛

附子去皮臍生用　滑石各半两　瞿麥　木通　半夏湯洗七次各三分

右為末每服二錢水一盞薑七片灯心二十莖蜜半匙煎服

血淋（三十）髮灰散　治小便尿血并治肺疽心衂吐血

右用髮燒灰每用二錢以米醋二合湯一盞調服

（三十一）葉氏治血淋方

阿膠二两麸炒　木猪苓　赤茯苓　滑石

澤瀉　車前子各一两

右㕮咀每服三錢水一盞煎七分五更時服

三十二 **琥珀飲** 治尿血

右用琥珀為細末每服二錢灯心薄荷煎湯下

三十三 **立效散** 治下焦結熱小便淋閉作痛有時尿血

甘草炙三兩 瞿麥穗一兩 山梔子去皮炒半兩

右㕮咀每服五錢水一盞姜三片葱三个灯心三十莖煎服

三十四 **小薊飲子** 治下焦結熱尿血成淋

生地黃洗四兩 小薊根 通草 滑石 山梔子仁

蒲黃炒 淡竹葉 當歸酒浸去芦 藕節 甘草炙各半兩

右㕮咀每服四錢水一盞煎八分空心温服

三十五 **鹿角膠圓** 治房室勞傷小便尿血

鹿角膠半兩 没藥别研 油頭髮灰各三錢

右為末用茆根汁打糊圓如梧桐子每服五十圓塩湯下

氣淋

三十六 **沉香散** 治氣淋多因五内鬱結氣不舒行陰滯於

陽而致壅滯小腹脹滿便尿不通大便分泄小便方利

沉香　石韋　滑石　王不留行　當歸各半兩

葵子　白芍藥各三分　甘草　陳皮各一分

右為末每服二錢大麥湯調下

沙石淋

三十七　石燕丸　治小便滲痛不可忍出沙石然後方通

石燕燒紅水淬三次　滑石　石韋　瞿麥

等分為末糊丸梧子大每服五十丸瞿麥灯心湯下日三

膏淋

三十八　鹿角霜丸　治膏淋多因憂思失志濁氣干清小便淋閉黯如膏脂疲劇筋力或傷寒濕多有此證

鹿角霜　白茯苓　秋石各等分

右為末麪糊圓如梧桐子每服五十圓空心米湯下

三十九　海金砂散　治膏淋

海金砂　滑石各一兩　甘草一分

右爲末每服一匕麥門冬湯下灯心湯亦可

勞淋 鹿角膏丸 鹿角霜丸 並治勞傷疲徤而後發方並見前

通治（四十）**五淋散** 治膀胱有热水道不通淋瀝不宣臍腹急痛或尿如豆汁便如沙石淋膏尿血並宜服之

山茵陳二兩去根 淡竹葉四兩 木通去節 滑石 赤茯苓去皮各半斤

甘草炙六兩 山梔子仁炒十四兩 赤芍藥六兩

右㕮咀每服三錢水一盞煎服一方加當歸除木通滑石

（四十一）**秘方** 治血淋諸熱淋疾

山茵陳 淡竹葉 山梔子 滑石

甘草 木通 猪苓 瞿麥各半兩

右爲剉每服五錢水一盞半灯心少許同煎去滓空心服如大便秘澁加大黄两半同煎

（四十二）**地膚子湯** 治諸病後体虛觸热〻結下焦遂成淋疾小

便赤澁數起少出莖痛如刺或尿出血

猪苓去皮　地膚子一兩　知母　黄芩　海藻洗

通草　瞿麥去梗葉　枳實麩炒　升麻　葵子各半兩

右㕮咀每服四錢水一盞姜五片煎七分溫服不拘時

（四十三）**通草湯**治諸淋

王不留行　葵子　通草　茆根　蒲黄炒

當歸去芦洗　桃膠　瞿麥　滑石各一兩　甘草炙半兩

右㕮咀每服四錢水一盞姜五片煎服不拘時

（四十四）**五淋散**治腎氣不足膀胱有热水道不通淋瀝不出或尿如豆汁或如沙石或冷淋如膏或热沸便血並皆治之

赤茯苓六兩　赤芍藥　山梔子仁各十兩

當歸去芦　甘草生用各五兩

右㕮咀每服二錢水一盞煎八分空心服

消渴

人身之有腎由樹木之有根根腎受病先必形体憔悴雖加以滋養不能潤澤故患消渴者皆是腎經受病由壯盛之時不自保養快情恣慾飲酒無度食脯炙及丹石等藥遂使腎水枯竭心火燔熾三焦猛烈五臟乾燥由是渴利生焉醫經所載有消渴内消強中三證消渴者多渴而利内消者由熱中所作小便多於所進飲食而反不渴虛極短氣強中者虛陽強大不交而精氣自泄大槩消渴之疾上盛下虛心脉多浮腎脉必弱故經云脉洪大陰不足陽有餘則為熱中即消中也又云腎實則消而不渴小便自利名曰消腎即内消也其治宜抑損心火攝養腎水消渴之人津液枯渴服剛劑過多防發癰疽之疾尤忌房事并飲酒鹹食實麪之物切不可用金石之藥臨證慎之

消渴

(四十五) 五苓散 治伏暑發渴引飲无度 方載中暑門

(四十六) 清心蓮子飲 治心經蘊熱作渴小便赤澁 方載五淋門

(四十七) 猪肚天花圓 治三消渴疾

黄連 去鬚淨二兩童子小便浸三宿焙干　白扁豆 炒二兩

辰砂 別研　鉄艷粉 別研各一兩　牡砺 煅　知母　苦參

天花粉 各半兩　芦薈 一分　金箔　銀箔 各二十片

右為末取生瓜蔞根汁和蜜圓如梧桐子每服五十圓空心麥門冬湯下

(四十八) 大黄甘草飲子 治男子婦人一切消渴不能止者

大豆 五升先煮三沸出淘苦水再煮　大黄 一兩半　甘草 大麄者四兩長四指打碎

右三味用井水一桶將前藥同煮三五時如稠糊水少更添豆軟盛於盆中放冷令病人食豆渴食湯汁無時候食盡如止渴燥罷不止再煮前藥不三次病悉去矣

（四十九）硃砂黄連圓　治心虚蘊熱或因飲酒過多發為消渴

硃砂一两別研　宣連三两　生地黄二两

右為末煉蜜圓如梧桐子每服五十圓灯心棗子煎湯送下

（五十）真珠圓　治心虚蘊熱或内積七情酣飲過多皆致煩渴引飲無度小便或利或不利

知母一两一法一分　川連去毛一两一法一两　苦參一两　玄參一法无

鐵胤粉一两一分研　牡砺煅一两一分　朱砂二两別研　麥門冬去心

天花粉各半两　金箔　銀箔各二百片一法白扁豆黄芪去皮一两

右為末煉蜜入生瓜蔞根汁少許圓如梧桐子以金銀箔為衣每服三十圓瓜蔞根麥門冬煎湯任下

（五十一）秘法益元散　白虎湯　五苓散去桂　合和煎或和為末大

治消渴方並見暑門

（消中）

（五十二）加味錢氏白术散　治消中消穀善飢

人參　白术　白茯苓　甘草炙　枳殼去穰麸炒
藿香葉一两　乾葛二两　木香三分　北五味子　柴胡各半两
右㕮咀每服三錢水一盞煎服

強中

五十三　黄連猪肚圓　治強中消渴

黄連去鬚　粱米　瓜蔞根　茯神各四两
知母　麥門冬去心各二两
右為末用大猪肚一箇洗淨入藥末於内以麻線縫合口置甑中炊極爛取出藥別研以猪肚爲膏再入蜜搜和前藥杵數千下圓如梧桐子每服五十圓參湯下一方加人參熟地黄乾葛除知母粱米用小麥

五十四　鹿茸圓　治失志傷腎腎虛消渴小便無度

鹿茸三分去毛炙　麥門冬二两去心　熟地黄　黄耆　五味子
雞膍胵麸炒　從蓉酒浸　山茱萸　破故紙炒　茯苓

地骨皮各五 人參三分 牛膝酒浸 玄參各五分

右為末蜜圓如梧桐子每服三十圓米湯下

五十五 葛根圓 治消渴消腎

葛根三兩 栝樓三兩 鉛丹二兩 附子一兩炮去皮臍

右四味搗羅為細末煉蜜圓桐子大每服十丸日進三服治

日飲碩水者春夏去附子

五十六 從蓉圓 止消渴補心腎

黃耆鹽湯浸 從蓉酒浸 巴戟酒浸 澤瀉 龍骨

菟絲子酒浸 磁石煅碎 牛膝酒浸 桂心 萆薢

鹿茸酥炙去毛 山藥炒 熟地黃 附子炮去皮臍六錢重者一个

遠志去心炒 破故紙炒 五味子 杜仲去皮去絲姜汁製炒

石斛 覆盆子 山茱萸 茯苓各等分

右為末蜜圓如梧桐子每服五十圓空心米飲下

（五十七）**八味圓** 治心腎不交消渴引飲方載痰氣門一方除附子加五味子名腎氣丸

（五十八）**加減腎氣圓** 治腎水不足心火上炎口舌乾燥多渴引飲肢体消瘦並宜服之

山茱萸取肉　白茯苓　牡丹皮　熟地黄酒蒸　沉香不見火

五味子　澤瀉　鹿角鎊　山藥炒各　官桂不見火半兩

右為末煉蜜圓如梧桐子每服七十圓塩湯米飲任下弱甚者加附子一兩兼進黄芪湯

（通治）（五十九）**黄耆六一湯** 治男子婦人諸虚不足胷中煩悸時常消渴或先渴而欲發瘡或病癰疽而後渴者並宜服之

黄耆去芦蜜塗炙六兩　甘草炙一兩

右㕮咀每服三錢水一盞棗一枚煎七分温服不拘時

（六十）**玄兎丹** 治腎水枯竭心火上炎消渴引飲方載諸虚門

（六十一）地黄飲子 治消渴咽乾面赤煩躁

人參去芦 生乾地黄洗 熟乾地黄 黄耆蜜炙

天門冬去心 麥門冬去心 澤瀉 石斛去根炒

枇杷葉去毛炒 枳殻去穣麸炒 甘草炙各等分

右㕮咀每服三錢水一盞煎七分食後溫服

（六十二）烏梅五味子湯 專治消渴生津液

五味子 巴戟酒浸去心 百藥煎 烏梅 甘草各等分

右㕮咀每服四錢水一盞空心煎服

（六十三）茯苓圓 治三消渴疾累有奇效

五倍子去穣炒一两 蓮肉一两 龍骨煆两半 左顧牡蠣火煆二两

右用茯苓二两爲末煮糊圓如梧桐子每服五十圓空心鹽

湯下仍兼服靈砂黒錫丹

（六十四）六神湯 治三消渴疾

枇杷葉　瓜蔞根　乾葛　蓮房　甘草　黄耆各等分

右㕮咀每服四錢水一盞空心煎服小便不利加茯苓

〔預方〕〔六十五〕**忍冬圓** 治渴疾既愈之後須預防發癰疽之患用忍冬草不以多少根莖花葉皆可用罝餅内用無灰好酒浸以糠火煨一宿取出曬乾入甘草少許碾為細末以所浸酒打麪糊圓如梧桐子每服一百圓不拘時酒飲任下一方用忍冬草水浸煎服

〔丹石毒〕〔六十六〕**罌粟湯** 治先前服丹石毒而發渴不止

罌粟子煑粥入蜜飲之

〔六十七〕**三黄丸** 治證同上 方見積熱門

赤白濁

人之五臟六腑俱各有精然腎為藏精之府而聽命於心貴於

水火升降精氣內持若調攝失宜思慮不節嗜慾過度水火不交精元失守由是而爲赤白濁之患赤濁者心虛有熱多因思慮而得之白濁者腎虛有寒過於嗜慾而得之其狀漩面如油光彩不定漩脚澄下凝如膏糊治法當以赤白究其病源心虛者當清心調氣腎寒者温補下元仍須清上使水火既濟陰陽叶和精氣自固矣凡思慮過度不特傷心亦能病脾脾生虛熱而腎不足故土邪干水亦能令人便下渾濁史載之云夏則土燥而水濁冬則土堅而水清醫多峻補其疾愈甚只宜以平和之藥療之水火既濟脾土自堅其流清矣

心濁　**道赤散**　治心虛蘊熱小便赤澁遂成赤濁方載諸淋門

六十九　**心腎丸**　治水火不既濟心下怔忡夜多盜汗便赤夢遺

熟地黄洗焙　牛膝去苗酒浸　蓯蓉酒浸各二兩　白茯神去木

人參去芦　遠志去苗甘草煮搥去骨　附子炮去皮臍

鹿茸酒浸炙去毛　山藥炒　五味子去枝　當歸去芦酒浸

黄耆蜜炒　龍骨火煅　兎絲子酒浸並研成餅三两

右為末用浸藥酒煮糊丸如梧桐子每服七十丸棗湯下

〔七十〕猪苓圓　治年壯氣盛慾動所願不得意淫於外夢遺白濁

右用半夏一两破如豆大用猪苓末四两先將一半炒半夏黄色不令焦地上出去火毒半日取半夏為末糊圓如梧桐子候乾更用前猪苓末二两炒藥微裂同於沙甑内藏之空心温酒鹽湯下四五十圓

〔七十一〕清心蓮子飲　心虚有熱小便赤濁有沙膜　方載五淋門

〔七十二〕瑞蓮丸　治思慮傷心小便赤濁

白茯苓去皮　石蓮肉炒去心　龍骨生用　天門冬洗去心

麥門冬洗去心　遠志洗去心甘草煮　栢子仁炒別研　紫石英火煆七次研細

當歸去芦酒浸　酸棗仁炒去殼　龍齒各一两　乳香半两別研

右為末煉蜜丸如梧桐子以硃砂為衣每服七十丸空心溫酒棗湯任下

七十三 直指方蓮子六一湯 治心經虛熱小便赤濁

石蓮肉 連心六兩 甘草 炙一兩

右為末每服二錢灯心煎湯調服

七十四 治心經伏暑小便赤濁

人參 白朮 赤茯苓 去皮 香薷

澤瀉 木猪苓 去皮 蓮肉 去心 麥門冬 去心各等分

右㕮咀每服四錢水一盞煎服

七十五 葉氏育神散 治夜夢驚恐小便白濁 方載心痛門

七十六 益志膏 治心臟虛虧神志不守恐怖恍惚健忘赤白濁

方見心痛門

七十七 葉氏定心湯 理心氣不足榮血衰少夢寐多驚心神不

守夢中遺精白濁不已方載心痛門

（七十八）葉氏鎮心爽神湯 理心氣不足夜夢多驚小便白濁遺精方見心痛門

脾濁

（七十九）羊脛炭丸 治思慮傷脾脾不攝精遂致白濁

厚朴去皮取肉薑汁製爲細末二兩　羊脛炭火煆過通紅窨殺研如粉一兩

右二味煑麪糊丸如梧桐子每服百丸空心米飲下

腎濁

（八十）五子圓 治小便頻數時有白濁

菟絲子酒蒸　家韭子炒　益智子去皮　茴香炒　蛇床子去皮炒各等分

右爲末酒糊圓如梧桐子每服七十圓米飲鹽湯任下一方用川椒爲衣恐麻人咽喉加入前藥內亦可

（八十一）固精丸 治嗜慾過度勞傷腎經精元不固夢遺白濁

肉蓯蓉酒浸切炒　陽起石火煆細研　鹿茸去毛酥炙　韭子炒　鹿角

赤石脂火煆七次　川巴戟去心　白茯苓　附子炮去皮臍　龍骨生用各等分

右為末酒糊丸如梧桐子每服七十丸空心鹽酒鹽湯任下

（八十二）益志湯 治腎經虛寒遺精白濁四肢煩倦時發蒸熱

鹿茸（去毛酥炙） 巴戟（去心） 枸杞子 熟乾地黃（酒浸）

蓯蓉（酒浸） 牛膝（酒浸） 附子（炮去皮臍） 桂心（不見火）

山茱萸 白芍藥 甘草（炙） 防風（各等分）

右㕮咀每服四錢水一盞薑五片鹽少許同煎空心服

（八十三）安中散 治三焦虛寒短氣煩悶小便白濁精血不禁

熟地黃 巴戟（去心） 龍骨（各二兩半） 遠志（去心炒）

茯苓（各二兩） 蛇床子（炒四兩半） 天雄（炮去皮臍） 五味子

山藥（各三兩半） 蓯蓉（酒浸） 續斷（各四兩） 兔絲子（酒浸四兩半）

右為末每服二錢溫酒調下

（八十四）家藏方萆薢分清飲 治真元不足下焦虛寒小便白濁

頻數無度漩面如油光彩不定漩脚澄下凝如膏糊

益智仁　川萆薢　石菖蒲　烏藥各等分

右㕮咀每服四钱水一盞入鹽一捻煎七分食前溫服一方加茯苓甘草

（八十五）〔萆薢丸〕治膀胱腎冷小便白濁滑数方見虛勞門

（通治）〔桑螵蛸散〕治男子小便日數十次稠如米泔或亦或白心神恍惚瘦悴減食此證多因房勞過度耗傷真氣得之

桑螵蛸鹽水炙　遠志甘草水煮去苗　菖蒲鹽炒　龍骨煆研

人參去芦　茯神去木　當歸酒洗去芦　鱉甲醋炙各等分

右爲末每服二錢臨睡時人參湯下

（八十七）〔秘傳玉鎖丹〕治心腎俱虛小便白濁淋瀝不已漩面如膏夜夢遺精虛煩盜汗

茯苓去皮四两　龍骨二两　五倍子十六两

右爲末水煮麪糊圓如梧桐子每服四十粒空心鹽湯下

八十八 固眞丹 治元臟久虛小便白濁婦人赤白帶崩漏下血並宜服之

蒼术四兩 用茴香一兩鹽一兩同炒令术黃爲度

蒼术四兩 用川烏一兩炮裂去皮尖切片子并川練子一兩和皮核剉同炒令术黃爲度

蒼术四兩 用紅椒一兩去目并合口者以破故紙一兩同炒令术黃爲度

蒼术四兩 用好酒好醋各半升一處同煮三五沸漉却取术焙乾

右同爲末同煮藥酒醋打麪糊圓如梧桐子每服三十圓男子溫酒鹽湯空心下婦人醋湯下

八十九 十四友丸 補諸虛不足收斂心氣治怔忡不寧精神昏鍵赤白濁甚 方見心痛門

九十 治小便白濁出髓條

酸棗仁炒 白术 人參 白茯苓

破故紙炒 益智淨洗 大茴香 左顧牡蠣煅各等分

右爲末加青塩酒爲圓如梧桐子每服三十圓温酒米飲下

九十一　**蠟苓丸** 治赤白濁

黄蠟　白茯苓 爲末等分

溶蠟和茯苓末丸如彈子大棗湯嚼下無時

九十二　**直指方煉塩散** 治漏精白濁

雪白塩 入磁瓶内按实以瓦盖定黄泥封火煆一日取出頓陰地上一夜用瓷器收貯　白茯苓　山藥 炒各一兩

右爲末入塩一兩研匀用棗肉和蜜圓如梧桐子每服三十圓空心棗湯下

九十三　**茯兎丸** 治思慮太過心腎虛損眞陽不固溺有餘瀝小便白濁夢寐頻泄

菟絲子 五兩　白茯苓 三兩　石蓮肉 二兩

右爲末酒糊丸如梧桐子每服三十丸空心塩湯下

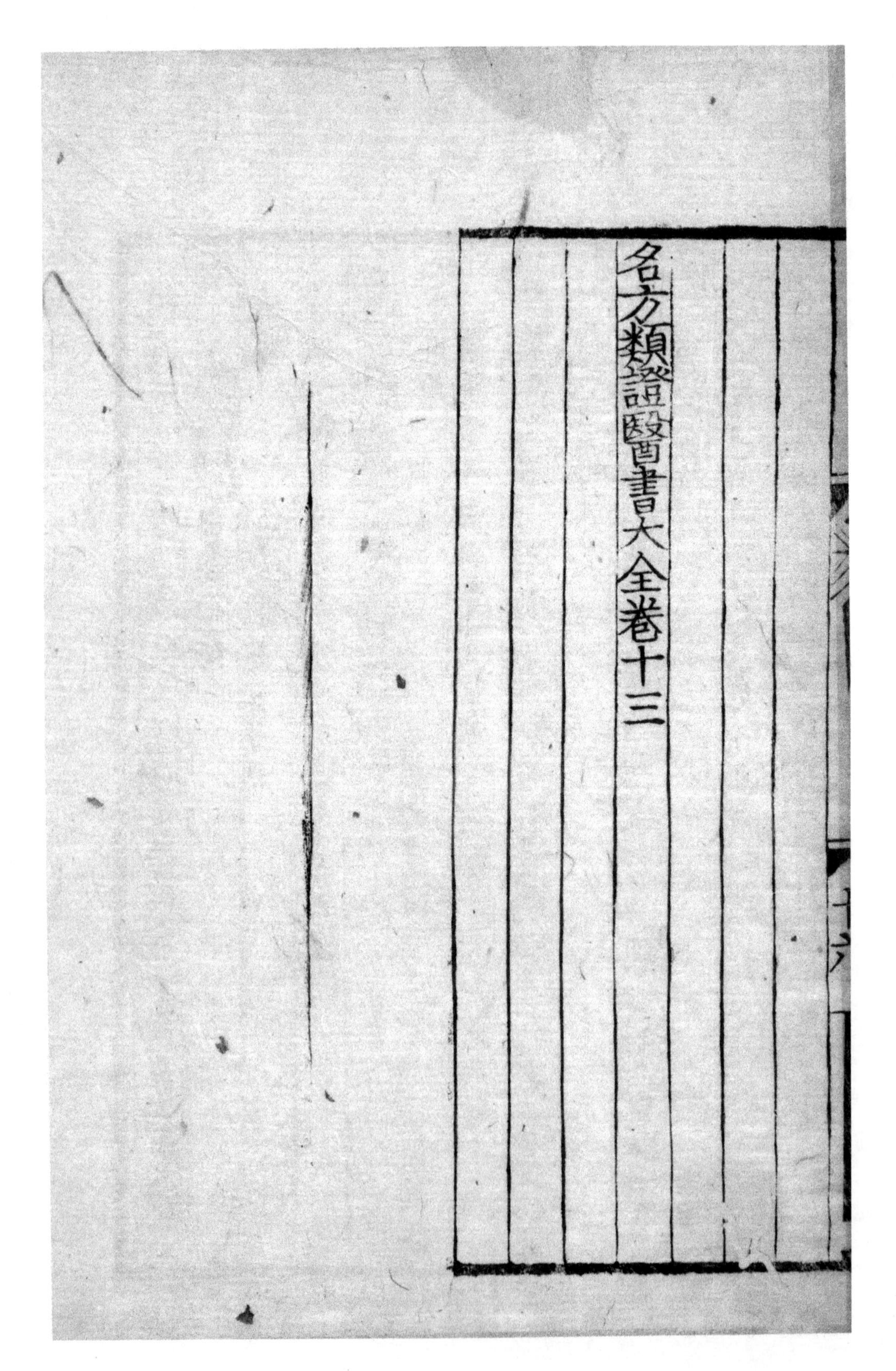

名方類證醫書大全卷十三

名方類證醫書大全卷十四

水腫

岐伯所謂水腫有膚脹鼓脹腸覃石瘕者是也名雖不一皆聚水所致故人身之脾屬土五行論之雖曰尅制腎水然非土則又不能防其汎濫水腫之疾究其所因皆由脾土有虧不能防制以致腎水浸漬脾土凝而不流遂成此疾其爲證也發見之初褁裹微腫有若卧蚕纔起之狀微而至大以手按之則隨手而起如褁水其內上則喘急咳嗽下則足膝胕腫面目虛浮外腎或腫小便不利治療之法當辨其陰陽脉證若陰水為病者脉來沉遲色多青白不煩不渴小便澁少而清大腑多泄陽水爲病者脉來沉數色多黃赤或煩或渴小便赤澁大腑多秘腰

已上腫者宜發汗腰已下腫者宜利小便然後實其脾土土盛自能攝養腎水其腫自消虛弱者又當溫補下元尤宜節飲食絕生冷戒房事否則愈而復作凡腫證甚者肌肉崩潰足脛流水又若唇黑缺盆平臍凸背平足平五者皆是五臟有損非可療之病又有内挾七情之氣停滯涎飲腹滿脇脹名爲氣分及少血熱生瘡變爲腫痛名爲熱腫又當隨證施以治不可一途而取要知此證脉浮大者生沉細者死臨證施治宜詳審焉

（陰水）（一）**實脾散**治陰水發腫用此先實脾土

厚朴去皮薑炒　白朮　木瓜去穰　木香不見火　乾薑炮各一兩

草果仁　大腹子　附子　白茯苓去皮　甘草炙半兩

右㕮咀每服四錢水一盞姜五片棗一枚煎服不拘時

（二）**煨腎散**治腎經積水流注經絡腿膝攣急四肢腫痛

甘遂半兩生　木香一兩

右為末每服一匁以豶猪腰子一隻批開去筋膜糝藥在內淹匀用薄荷裹定外用紙四五重再裹以水蘸濕於火內煨熟臨卧細嚼溫酒送下當下黃水是其效也

陽水（三）**疎鑿飲子** 治水氣通身浮腫喘呼氣急煩燥多渴大小便不利服熱藥不得者

羌活去芦　商陸　澤瀉　赤小豆炒　檳榔
秦艽去芦　木通　大腹皮　椒目　茯苓皮各等分

右㕮咀每服四匁水一盞姜五片煎七分溫服不拘時

（四）**鴨頭圓** 治水腫面赤煩渴肢躰俱腫喘急不安小便澁

甜葶藶炒　猪苓去皮　漢防已各一兩

右為末取綠鴨頭血為圓如梧桐子每服七十圓木通湯下

（五）**神助散** 舊名葶藶散 治十腫水氣面目四肢浮腫以手按之隨手而起咳嗽喘急不得安卧小便赤澁大便不利

澤瀉一兩 椒目半兩 黑牽牛一兩炒取末 猪苓二兩去皮 葶藶三兩炒別研

右㕮咀每服三錢葱白三莖漿水一盞煎至一半入酒半盞調藥絕早向東立服如人行十里久又以漿水葱白煮稀粥候葱爛入酒五合量人所飲多少須啜一升許自早至午當利小便三四升或大便微利喘定腫減隔日再服必須善爲將理忌鹽麪房事

（六）十棗圓治水氣四肢浮腫上氣喘急大小便不通

甘遂 大戟 芫花各等分

右用棗子煮熟去皮核以肉杵爛如膏圓如梧桐子清晨熱湯送下四十圓以利去黃水爲度否則次早再服

（七）家藏方消腫圓治水气腹脹頭面四肢陰囊皆腫喘急咳嗽睡卧不安小便赤澁

淡豉二兩爛好者研 巴豆一兩水半升煮令干去心并出油 京三稜煨

大戟 新者　杏仁 燒存性研各半兩　五靈脂 去沙石一分

右爲末以生麪水調搜和杵千百下圓如菉豆大每服五圓煎桑白皮湯送下大便祕者加至十圓喘急者加杏仁去皮尖煎湯送下忌甘草鹽醬

八 **麻黄甘草湯** 治水腫從腰以上俱腫以此湯發汗

麻黄 去根節四兩　甘草二兩

右㕮咀每服三錢水一盞煮麻黄再沸後入甘草煎七分取汗愼風老人虛人不可輕用

九 **大戟散** 治水腫腹大如鼓或遍身皆腫

大戟　白牽牛 頭末　木香 各等分

右為細末每服三錢以猪腰一對批開摻藥在内燒熟空心食之如食左腰子塌左臂右腰子塌右臂如腫不能全去於腹遶臍塗甘遂末飲甘草水少許其腫尽去

（十）三仁圓 治水腫喘急大小便不通

郁李仁　杏仁泡去皮尖　薏苡仁各一兩

右爲末米糊丸如梧桐子每服四十圓不拘時米飲下

（氣腫）（十一）杏蘇飲 治上氣喘嗽面目浮腫

紫蘇葉二兩　五味子　大腹皮　烏梅肉

杏仁去皮尖各兩半　陳皮　桔梗　麻黄去節

桑白皮炒　阿膠炒各七錢半　紫菀　甘草炒各一兩

右㕮咀每服三錢水一盞姜五片煎服

（十二）直指方郁李仁丸 治水氣乘肺動痰作喘身微腫

葶藶隔紙炒　杏仁去皮尖　防已　郁李仁炒

真蘇子　陳皮　赤茯苓各半兩

右爲末煉蜜丸如梧桐子每服四十丸食後紫蘇湯下

（十三）葶藶丸 治肺氣咳嗽面目浮腫喘促不安小便赤澁

甜葶藶隔紙一兩炒令紫色　漢防己二兩　木通一兩
杏仁二兩去皮尖取仁　麩炒黃二兩　貝母煨令黃一兩
右為末棗肉丸如梧桐子每服五十丸煎桑白皮湯下

十四　分氣補心湯　治心氣鬱結發為四肢浮腫上氣喘急
大腹皮炒　香附子炒去毛　白茯苓　桔梗各一兩
木通　甘草炙　川芎　前胡去苗
青皮炒　枳殼去白麩炒　白朮各三分　細辛去苗　木香各半兩
右㕮咀每服四錢水一盞薑三片棗一枚同煎食前服

十五　木香分氣圓　治一切氣逆心胸滿悶腹脇脹急咳嗽冷痰氣不升降並皆治之　方載氣門

虛證　十六　當歸散　水腫之疾多由腎水不能攝養心火心火遂不能滋養脾土故土不制水水氣盈溢氣脉閉塞滲透經絡發為浮腫之證心腹堅脹喘滿不安

木香煨　赤茯苓　當歸洗　桂心　木通
赤芍藥　牡丹皮　檳榔　陳皮　白朮各等分
右㕮咀，每服三錢，水一盞，紫蘇五葉，木瓜一片，煎八分，溫服。

（十七）復元丹　治脾腎俱虛，發爲水腫，四肢虛浮，心腹堅脹，小便不通，兩目下腫。
附子炮，一兩　南木香煨　茴香炒　川椒炒出汗
獨活　厚朴去皮，姜製　白朮炒　陳皮　吳茱萸炒
桂心各一兩　澤瀉一兩半　肉豆蔻煨　檳榔各半兩
右爲末，糊圓如梧桐子，每服五十圓，紫蘇湯下，不拘時。

（十八）加味腎氣丸　治脾腎虛損，腰重腳腫，小便不利。
白茯苓去皮，一兩　附子炮，二兩　澤瀉　官桂不見火　川牛膝去芦，酒浸
車前子酒蒸　山藥炒　山茱萸取肉　熟地黃　牡丹皮去木，各一兩
右爲末，煉蜜丸如梧桐子，每服七十丸，空心米飲下。

十九　加味腎氣丸　治腎虛腰重脚腫小便不利

附子炮二兩　白茯苓去皮　澤瀉　山茱萸取肉

山藥炒　車前子酒蒸　牡丹皮去木各一兩　官桂不見火

川牛膝去芦酒浸　熟地黃各半兩　與前方分兩不同

右為細末煉蜜為丸如梧桐子大每服七十丸空心米飲呑

熱證

二十　牽牛丸　治一切濕熱腫滿等疾

黑牽牛　黄芩　大黃　大椒　滑石各等分

右為細末酒煮麪糊和丸如桐子大每服五丸至七丸生姜湯下食後虛實加減

二十一　赤小豆湯　治血氣俱熱遂生瘡疥變為腫滿或煩或渴

赤小豆炒　當歸去芦炒　商陸　澤瀉　桑白皮炙

連翹仁　赤芍藥　漢防己　木猪苓去皮　澤漆各半兩

右㕮咀每服四錢水一盞薑三片煎八分溫服熱甚加犀角

四氣 二十二 五皮散 治風濕客於脾經氣血凝滯以致面目虛浮四肢腫滿心腹膨脹上氣促急

五加皮 地骨皮 生薑皮 大腹皮 茯苓皮各等分

右㕮咀每服三錢水一盞煎至八分熱服不拘時切忌生冷油膩堅硬等物澹寮去五加皮地骨皮用陳皮桑白皮

二十三 牽牛湯 治感四時之氣腹中有濕熱足脛微腫中滿氣急咳嗽小便不利

牽牛頭末一兩 厚朴去皮薑汁製炒五分末

右每服二錢薑棗湯調下或為丸薑棗湯每服三十丸亦可

二十四 葶藶丸 治脾經受濕流注四肢足脛浮腫小便澁少

赤茯苓 桑白皮炙各三分 黑牽牛生取頭末 澤瀉 白朮

漢防己 川羌活 苦葶藶炒研 郁李仁去皮研 陳皮去白各半兩

右為末煉蜜圓如梧桐子每服五十圓溫水送下不拘時

〔二十五〕**葶藶木香散** 治濕熱內外餘熱水腫腹脹小便赤澁大便滑洩

葶藶　猪苓去皮　茯苓去皮　白术各一分　滑石三兩　木香半錢　木通　澤瀉　甘草各半兩　辣桂一分

右為末每服三錢白湯調下食前此藥下水濕消腫腹止洩瀉利小便若小便不得通利而反轉泄者此乃濕熱痞閉極深而攻之不開是能反為注泄此正氣已衰而多難救也慎不可攻之而无益耳

〔二十六〕**大橘皮湯** 治濕熱內攻心腹脹滿并水腫小便不利大便滑泄並宜服之

橘皮一兩半去白　木香二錢半　滑石六兩　檳榔三錢　白术半兩　茯苓一兩去皮　猪苓去皮　澤瀉　肉桂各半兩　甘草二錢

右㕮咀每服四錢水一盞姜五片煎六分溫服

通治 二十七 楮實子丸 治水氣鼓脹潔淨府

楮實子 一斗五升熬成膏 白丁香 一兩 茯苓 二兩

右為末用楮實子膏為丸梧子大服至小便清利及腹脹消為度後服中治調養藥疏啓其中五補七宣即其理也

二十八 消腫圓 治水腫喘滿小便不利

滑石 木通 白朮 黑牽牛 炒

通脫木 茯苓 茯神 去木 半夏 湯洗七次

陳皮 各一分 木香 半分 瞿麥穗 丁香 各半兩

右為末酒糊圓如梧桐子每服五十圓灯心麥門冬湯下

二十九 禹餘粮圓 治十種水氣凡脚膝腫痛上氣喘滿小便不利但是水氣並皆治之

蛇含石 大者三兩以鐵銚盛入炭火中煅藥與銚子一樣通紅用鉗出銚子以藥淬醋中候冷研極細

真針砂 五兩先以水淘淨空干更以鐵銚子炒干却入

禹餘粮 一兩處用水醋二升就銚內煮令醋干為

度却就用銚子同二藥入一秤炭火中煅令通赤鉗出銚子傾藥於淨磚地上候冷研令極細

禹餘粮三兩同入鉗沙內製

以上三物爲上其次量人虛實入下項藥治水多是取轉

推此方三物既非大戟甘遂芫花之比又有下項藥扶持故虛老人可服

木香　牛膝酒浸　蓬朮炮　白蒺藜　桂心　川芎

白豆蔻　土茴香炒　京三稜炮　羌活　茯苓　乾薑炮

青皮去白　附子炮　當歸酒浸一夕各半兩虛人老人全用半兩實壯人者隨意減之

右爲末拌勻以湯浸蒸餅挨去水和藥再搗極勻丸如梧桐子每服五十丸空心溫酒下最忌食鹽否則發疾愈甚

三十　葶藶丸　治一切水痼氣通身腫滿不可當者

人參一兩　苦葶藶四兩於鍋內鋪紙上炒黃色爲度

右二味同爲細末用棗肉和丸如桐子大每服十五丸煎桑白皮湯下日進三服空心食前此藥恐君子不信試驗之

〔三十一〕**直指方蘿蔔子飲** 治水病浮腫

蘿蔔子生用 赤茯苓去皮各半兩 牽牛末炒 葶藶炒

甘草炙各四錢 半夏製 川芎 檳榔 青木香

辣桂 青皮 陳皮 白芷 商陸各三錢

右㕮咀每服三錢水一盞姜四片煎服

〔三十二〕**茯苓散** 治諸般氣腫水腫

芫花醋拌炒 澤瀉 郁李仁 甜葶藶

漢防已 藁本各三錢 陳皮去白 白茯苓

白檳榔 瞿麥各半兩 滑石 大戟各七錢半

右為末每服二錢桑白皮煎湯空心調下取下碧綠水如爛羊脂為度忌塩食百日

〔三十三〕**川活散** 治水氣浮腫冷熱通治

川羌活 蘿葍子炒 各等分為末酒調下

脹滿

脹滿之疾古方以為鼓脹穀脹是也雖見之方治而其論自三因嚴氏始詳大抵脹滿之證多是脾胃素弱或病後失調外為風寒暑濕之氣所侵內為慮七情之氣所傷及過飡生冷飲漿之類并傷脾胃以致五臟傳紐陰陽之氣不得升降痰飲結聚中焦遂成脹滿之疾其為證也或腸鳴氣走漉漉有聲或兩脇攣皆痛通上下或頭疼嘔逆胷滿不食大小便為之不利其脉浮者易治脉虛小者為難至如積聚之證亦由膨脹而始又當以脉証辨之從五積治法更有水疸水氣脚氣及婦人血膨皆能令人脹滿又當各以類求之

【氣脹】〔三十四〕【平肝飲子】治喜怒不節肝氣不平邪乘脾胃心腹脹滿頭暈嘔逆脉來浮弦

防風去苗　桂枝不見火　枳殼去穰麸炒　赤芍藥
桔梗去芦各一两炒　木香不見火　人参　檳榔
當歸去芦酒浸　川芎　陳皮　甘草炙各半两
右㕮咀每服四錢水一盞姜五片煎服不拘時

（三十五）**紫蘇子湯** 治憂思過度致傷脾胃心腹膨脹喘促煩悶腸鳴氣走漉漉有聲大小便不利脉虚緊而濇
紫蘇子一两　大腹皮　草菓仁　半夏湯洗七次
厚朴去皮姜炒　木香不見火　陳皮　木通
白术　枳實去穰麸炒　人参　甘草炙各半两
右㕮咀每服四錢水一盞姜五片棗一枚煎服不拘時

（三十六）**五膈寬中散** 治七氣沉滯飲食不下氣滿膨脹方見氣門

（三十七）**藿香正氣散** 調榮衛利三焦行痞滯消膨脹方見氣門

（三十八）**煑附丸** 治男子婦人氣虚膨脹或胸膈停痰或滯積氣

小便亦白濁並宜服之
香附子去毛一斤 老姜不去皮六兩 鹽二兩各上三件安砂瓶內熬三晝夜焙干 茯神去皮木
白茯苓去皮各四兩 北茴香淨炒一兩 大椒去目及閉口者炒出汗二兩
右爲末陳米糊丸如梧桐子每服五十圓空心煎紫蘇湯下
小便多者研碎茴香濃煎湯下

（三十九）**木香順氣湯** 治濁氣在上則生䐜脹
木香三分 厚朴四分薑製 青皮去白 陳皮
益智仁 白茯苓去皮 澤瀉 乾生姜
半夏湯洗 吴茱萸湯洗各二分 當歸五分 升麻
柴胡各一兩 草豆蔻麪裹燒去皮三分 蒼术泔浸三分
右㕮咀都作一服水二大盞煎至一盞去滓温服食前忌生
冷及硬物息怒

（四十）**木香分氣丸** 善治脾胃不和心腹脹滿兩脇膨脹胃膈注

痛痰嗽喘息刺心乾嘔咽喉不利飲食不化並皆治之有効

木香　檳榔　青皮去白　陳皮去白極

蓬莪茂炮　乾生姜　當歸　姜黃

玄胡　白术　枳殼麸炒　荆三棱濕紙裹煨香

赤茯苓　肉豆蔻　秋冬加丁香炒各等分

右爲細末白麪糊爲丸小豆大每服三五十丸生姜湯下忌生冷馬齒莧

（四十一）調中順氣丸　治三焦痞滞水飲停積脇下虚滿或時時刺痛

木香　白豆蔻仁　青皮去白　陳皮去白

京三棱炮各一兩　大腹子　半夏湯洗七次各二兩

縮砂仁半兩　檳榔炮一兩　沉香半兩

右爲細末水糊爲丸如桐子大每服三十丸陳皮湯下

（四十二）沉香降氣湯 治氣不升降胷膈痞悶心腹脹滿
方見諸氣門

食脹

（四十三）強中湯 治食啖生冷過飲寒漿有傷脾胃遂成腹脹心下痞滿有妨飲食甚則腹痛

干姜炮　白术各一两　青皮去白　陳皮去白　人参
丁香各三两　草果仁　附子炮去皮臍　厚朴姜炒　甘草炙各半两

右㕮咀每服四錢水一盞姜五片棗二枚煎七分溫服不拘時嘔者加半夏或食麪脹滿加蘿蔔子各半两

（四十四）桂香丸 治大人小兒過食雜菓傷脾令人腹脹氣急

肉桂不見火一两　麝香別研一錢

右爲末用飯丸如菉豆大大人十五丸小兒七丸熟水送下

（四十五）異香散 治脾氣不和飲食難化腹脇脹滿 方見氣門

（四十六）楠木湯 治飲食過飽所傷腹脹

右以楠木煎濃湯飲之

【熱脹】【枳实湯】治腹脹發熱大便秘結脉多洪数此名熱脹

枳实去穰麸炒半两　厚朴一两姜炒　大黄酒蒸　桂心不見火　甘草炙各三分

右㕮咀每服四钱水一盏姜棗煎服嘔者加半夏一分（四十七）

（四十八）【是齋推气丸】治三焦痞塞气不升降胷膈脹滿大便秘澁小便赤小並宜服之

檳榔　陳皮　黄芩　大黄　枳實　黑牽牛生用各等分

右為末煉蜜圓如梧桐子每服五七十丸臨卧以温熟水下更量虚实加减

（四十九）【中滿分消丸】治中滿鼓脹气脹水气脹大熱脹不治寒脹

人参去芦　白术　姜黄　黄芩去腐刮炒各半两

炙甘草　猪苓去黑皮各一钱　黄連去須刮炒半两　白茯苓去皮

縮砂仁　乾生姜各二钱　枳实麸炒黄　半夏湯洗七次各五钱

厚朴姜製乙兩　知母四兩剉炒　澤瀉三兩　陳皮半兩

右細碾茯苓澤瀉生姜各〻為末另秤外共為細末秤入上三味和匀水浸蒸餅為丸如桐子大每服一百丸熱白湯送下寒因熱用故焙熱服之食遠量人虛實加減

寒脹　五十　朴附湯　治老人中寒下虛心腹膨脹不喜飲食

附子炮去皮臍　厚朴姜製炒各等分

右㕮咀每服四錢水一盞姜七片棗二枚煎至八分溫服不拘時加少木香尤佳

五十二　大半夏湯　治肝氣大盛勝尅於脾脾不運化結聚涎沫居臟氣胃冷中虛遂成脹滿之病其脉多弦遲

半夏湯洗七次　桂心各五兩　附子炮去皮臍　枳實麩炒　茯苓　甘草炙

厚朴姜炒　當歸　人參各二兩　川椒炒出汗去合口者八百粒

右㕮咀每服四錢水一盞姜五片棗二枚空心煎服

〔五十二〕通氣圓 治諸氣痞塞關膈不通腹脹如鼓大便虛祕又治腎氣小腸氣等功效心速

青皮水蛭炒去水蛭 莪朮虻虫炒去虻虫 三稜乾漆炒去漆 檳榔班猫炒去猫 茱萸牽牛炒去牛 乾姜硇砂炒去砂 附子盐炒去盐 赤芍藥川椒炒去椒 胡椒茴香炒去香 石菖蒲桃仁炒去仁

右各剉與所註藥炒熟去水蛭等並不用只以青皮等十件為末酒糊圓如梧桐子每服五丸至七丸空心紫蘇湯下

〔五十三〕附子粳米湯 治喜怒憂思擾亂臟氣胸腹脹滿腸鳴走氣嘔吐不食

半夏湯洗七次 粳米各二分 乾姜炮 甘草各二分炙 大附子一枚去皮臍人畧炮

右㕮咀每服四分水一盞棗二枚煎七分食前服

〔五十四〕厚朴橘皮圓 治傷冷溏泄腹肚脹滿其狀如覆栲栳喘滿痛急氣不得舒

厚朴去皮薑製三兩　枳殼麩炒　乾薑炮　良姜各一兩二分

青皮　陳皮各去白　肉桂去皮　全蝎去尾足毒斟酌分兩

右末醋糊丸如梧桐子每服三十丸生姜橘皮湯紫蘇湯下

（五十五）气針丸　專治氣滯膨脹

全蝎去毒并足　木香不見火　丁香　胡椒

肉豆蔻煨各一兩　片子姜黄　青皮去白各二兩

右末用蘿蔔子炒去殼取淨四兩爛研和藥用酒同姜汁各少許煮糊圓如梧桐子每服五十丸煎紫蘇陳皮湯送下

蠱脹

（五十六）四炒圓　治氣血凝滯腹內蠱脹

枳殼四兩去穰切作兩指面大塊分四处一兩用蒼术一兩同炒黃去蒼术一兩用蘿蔔子一兩炒黃去蘿蔔子一兩用干漆一兩炒黃去干漆一兩用茴香一兩同炒去茴香止用枳殼為細末

右用元炒蒼术四味同水二椀煎至一椀去滓煮麵糊圓如梧桐子每服五十丸食後米飲下

〔五十七〕三稜煎丸　治心腹堅脹脇下緊硬胸中痞塞喘滿短氣常服順氣寬中消積滯除膨脹

京三稜生細剉半斤搗為末以酒三升于銀石器內熬成膏　青皮去白　蘿蔔子炒
神麯炒各二兩　麥蘖炒三兩　硇砂飛研二兩　乾漆炒　杏仁湯去皮尖炒各三兩

右為末以三稜膏丸如梧桐子每服二十丸食後溫米飲下

〔五十八〕治氣鼓脇下痛引及背

青皮去白　川楝子巴炒去巴　三稜煨　莪朮煨
木通巴炒去巴　陳皮　甘草　檳榔各等分

右㕮咀每服四錢水一盞橘皮橘葉同煎溫服

〔通治〕〔五十九〕赤茯苓丸　治脾濕太過四肢腫滿腹脹喘逆氣不宣通小便赤澁

葶藶四兩　防己二兩　赤茯苓乙兩　木香半兩

右為細末棗肉為丸桐子大每服三十丸煎桑白皮湯送下

六十　**大正元散**　治脾胃怯弱為風寒濕氣所傷遂致心腹脹滿有妨飲食

厚朴姜炒　藿香葉　半夏湯泡七次　陳皮　乾薑炮

白术各一两　甘草炙　檳榔　桂枝不見火　枳殼去穰各半两

右㕮咀每服四錢水一盞薑五片棗二枚煎七分溫服

六十一　**挑[illegible]氣寶圓**　治腰脇俱病如抱一甕肌膚堅硬按之如鼓兩脚腫滿曲膝仰卧不能屈伸自頭至頸中瘠瘦露骨一切氣積食積并脚氣走注大便秘結寒熱往來狀如傷寒並宜服之

黑牽牛二两　大黃一两半　檳榔　青皮去白各一两　木香

羌活　川芎　陳皮　茴香炒　當歸各半两

右為末用皂角膏圓如梧桐子每服一百圓生姜灯心湯下

六十二　**木香流氣飲**　治諸氣痞帶不通腹內脹滿

六十三　**經驗調氣方**　治証同上並見氣門　皆能通利胸膈膨脹

積聚

五積六聚者五臟六腑之有所積聚也其為病諸書所載皆以内為喜怒憂愛思七情之氣尅制五臟結而不散乃成積聚之證故憂傷肺者以所勝傳之肝遇夏則脾土旺傳尅不行故成肝積名曰肥氣其狀在左脇下大如覆杯似有頭足診其脉弦而細其色青兩脇下痛引小腹男子為積疝女子為瘕聚失志傷腎者以所勝傳心遇秋則金肺旺傳尅不行故成心積名曰伏梁其狀起於臍下大如臂猶梁之横架於胷膈間診其脉沉細而芤其色赤腹熱心煩面赤咽乾令人食少羸瘦甚則吐血怒傷肝者以所勝傳脾遇冬則腎水旺傳尅不行故成脾積名曰痞氣其狀見於胃脘大如覆杯痞塞不通診其脉浮大而長其色黄遇飢則減遇飽則見腹常滿而足腫兼以嘔泄久則肉削

令人四肢不收喜傷心者以所勝傳肺遇春則肝木旺傳尅不行故成肺積名曰息賁其狀覆在右脇下大如杯椽喘息奔隘診其脉浮而毛其色白氣逆背痛目喜閙而膚寒皮中時痛如刺或如風縁思傷脾者以所勝傳腎遇夏則心火旺傳尅不行故成腎積名曰奔豚其狀發於小腹或湊心下上下無時有若奔走之狀診其脉沉而急其色黑飢則見飽則減小腹裏急腰痛骨冷眼昏口乾久則令人骨痿少氣至如六聚之在六腑其痛上下亦無常処在上則格在下則脹旁攻兩脇如有坏塊易於轉動此其與五積爲異耳雖曰氣之積聚而成此證余村度之必是因氣結聚痰飲或是積聚之物而後能堅硬如此發萌之初早能辨其脉証投以藥餌或以導引之法尤云庶幾若其見形於皮膚之下藥入腸胃薰蒸之所不及誠爲難治之證凡積聚之脉實強者生沉小者死

心積（六十四）伏梁圓　治心積起於臍上至心大如臂久不已病煩身體髀股皆腫環臍而痛其脉沉而芤

茯苓　厚朴　人參　枳殼去穣麩炒

白术　半夏湯洗　三稜煨各等分

右爲末煑麪糊圓如梧桐子米飲下二十圓作散酒調亦可

（六十五）溫白圓　治心腹積聚久癥癖塊大如杯椀心脇脹滿如有所礙十種水腫八種痞塞翻胃吐逆並皆治之

川烏二兩半炮去皮臍　皂莢去皮子炙半兩　巴豆去皮心膜出油炒　厚朴去皮姜製

吴茱萸湯洗炒　紫菀去苗土　茯苓去皮　人參去芦　桔梗　菖蒲

柴胡去芦　乾薑炮　肉桂去皮　蜀椒去目及閉口炒出汗　黃連各半兩

右爲末入巴豆令勻煉蜜圓如梧桐子每服五圓薑湯下

肝積（六十六）肥氣圓　治肝之積在左脇下如覆杯有頭足如龜鱉狀久不愈發咳逆嘔其脉弦而細

當歸頭　蒼朮各一兩半　青皮炒一兩　蛇含石三分煅醋淬

莪朮　三稜　鐵孕粉各三兩右三稜莪朮同入醋煮一伏時久

右為末醋煮米糊圓如菉豆大每服四十圓當歸浸酒下

脾積

六十七　廣氣圓　治脾積在胃脘覆大如盤久不愈病四肢不收黃癉飲食不為肌膚心痛徹背背痛徹心其脈浮大而長

大烏頭一分炮去皮尖　附子半兩炮　赤石脂煅醋淬

川椒炒出汗　乾薑各二分炮　桂心半兩

右為末蜜圓如梧桐子朱砂為衣每服十圓米湯下

六十八　家藏方木香檳榔圓　治脾積氣塊腹脇走痛口吐清水

木香一兩　檳榔七枚　乾漆炒令烟盡　硇砂各半兩別研

肉豆蔻五枚　胡椒四十九粒炒　肉桂去皮一兩

右為末次入硇砂和勻煉蜜圓如梧桐子每服七圓橘皮湯下

六十九　五香蠲痛圓　冷物所傷脾胃久積成癖方見氣門

（七十）（勝紅圓）治脾積氣滯胸膈滿悶氣促不安嘔吐清水丈夫酒積婦人脾血積氣小兒食積並皆治之

陳皮　青皮　三稜　莪朮二味同用醋煮

乾薑炮　良薑各一兩　香附子炒去毛二兩

右為末醋糊圓如梧桐子每服三十圓姜湯下

（肺積）（七十一）（息賁湯）治肺積在右脇下大如覆杯久不愈病洒洒寒熱氣逆喘咳發為肺癰其脉浮而毛

半夏湯洗七次　吳茱萸湯洗　桂心　人參

甘草炙　桑白皮炙　葶藶各二兩半

右㕮咀每服四錢水盞半薑七片棗二枚煎食前服

（腎積）（七十二）（奔豚湯）治腎積發於小腹上至心如豚奔走之狀上下無時久不愈病喘逆骨痿少氣其脉沉而滑

甘李根皮焙乾　乾葛各一兩一分　當歸　川芎

白芍藥　甘草炙　黄芩各二两　半夏湯洗十次四两

右㕮咀每服四钱水一盞半煎七分服

六聚　七十三　散聚湯　治久氣積聚狀如癥瘕隨氣上下發作有時心腹絞痛攻刺腰脇小腹䐜脹大小便不利

半夏湯洗七次　檳榔　當歸各三分　陳皮去白

杏仁去皮尖麩炒　桂心各二两　茯苓　甘草炙

附子炮去皮　川芎　枳殼去白麩炒　厚朴姜製　吴茱萸湯泡洗各一两

右㕮咀每服四钱水一盞煎服大便不利加大黄

七十四　大七氣湯　治五積六聚狀如癥瘕隨氣上下發作有時心腹㽲痛上氣窒塞小腹脹滿大小便不利

益智仁　陳皮去白　京三棱　蓬术　香附子炒去毛

桔梗去芦　肉桂不見火　藿香葉各一两半　甘草炙三分　青皮一两

右㕮咀每服五钱水二盞煎一盞去滓食前温服

痃癖 七十五 磨積圓 治腸胃虛寒氣癖於肓膜之外流于兩脇氣逆喘急久敗榮衛凝滯潰為癰膿多致不救

胡椒 一百五十粒 木香 不見火二錢半 全蝎 去毒十个

右為末粟米飲為圓如菉豆大每服二十圓橘皮湯下

通治 消飲丸 治一切積聚痃癖氣塊及大小結胷痛不能抑按

天南星 半夏 芫花 自然銅 各等分生用

右為末醋煮麪糊為丸如桐子每服五七丸食前溫水下

七十七 姜合圓 療中脘積聚痰氣留膈結痞 方見翻胃門

七十八 硇砂圓 治一切積聚痰飲心脇引痛

硇砂 京三稜 別末 乾薑 香白芷

巴豆 去油各半兩 大黃 別末 乾漆 各一兩 木香

青皮 胡椒 各一分 檳榔 肉豆蔻 各一个

右為末醽醋二升煮巴豆五七沸後下三稜大黃末同煎三

五沸入硇砂同煎成膏却入別藥和勻杵圓如菉豆大每服五圓姜湯下

七十九 枳殼散 治五種積氣三焦痞塞胸膈滿悶嘔吐痰逆口苦吞酸常服順氣寬中除痃癖消積聚

枳殼　京三稜　陳皮　益智仁　莪术

檳榔　肉桂各一兩　乾姜　厚朴　青皮

肉豆蔻　甘草　木香各半兩

右㕮咀每服三錢水一盞姜棗同煎七分熱服不拘時

八十 香稜丸 治一切積聚破痰癖消癥塊

蓬术細剉一兩用去殼巴豆三十粒同炒巴豆令黄色去巴不用　青皮去白　丁香　川練子炒　茴香炒

京三稜酒浸一夕　枳殼去白麩炒　木香不見火各半兩

右爲末醋煮麪糊圓如梧桐子以朱砂爲衣每服二十圓姜

鹽湯下溫酒亦可不拘時

（八十一）**妙應丸** 治老人一切虛寒痃癖積塊攻脹疼痛

黑附子一枚各七錢重去皮臍剜作罐子
硇砂三錢用水一盞化在盞中火上熬干秤
木香不見火七錢半 破故紙炒 蓽撥各一两

右將飛過硇砂末分在附子甕內却用所剜附子末蓋口以水和白麪裹約半指厚慢火內煨令黃熟去麪同木香等為末却將元裹附子麪黃麪為末醋調煮粥圓如菉豆大每服二十圓食後生姜湯下

（八十二）**積气丸** 治陰陽不和藏府虛弱寒冷之气留滯於內使气積不散胷膈支滿食即气噎心腹膨脹气刺气急宿食不化心腹引痛噫气吞酸停飲浸漬惡心嘔逆癖塊疼痛藏府不調飲食不進往來寒熱漸覺瘦弱

巴豆一百箇去皮心膜出油取霜三分　桃仁去皮尖炒另研一分半
附子炮去皮　木香　乾漆炒焦　鱉甲醋炙黄各半分
三稜煨　肉桂　硇砂各二兩　大黄煨一兩
米醋五升以硇砂大黄同用慢火熬成膏
朱砂　麝香另研各二分半
右爲末以醋膏爲丸梧子大每服十丸炒生姜湯温下或木香湯亦得食後臨卧服量虚實加減丸數忌生冷

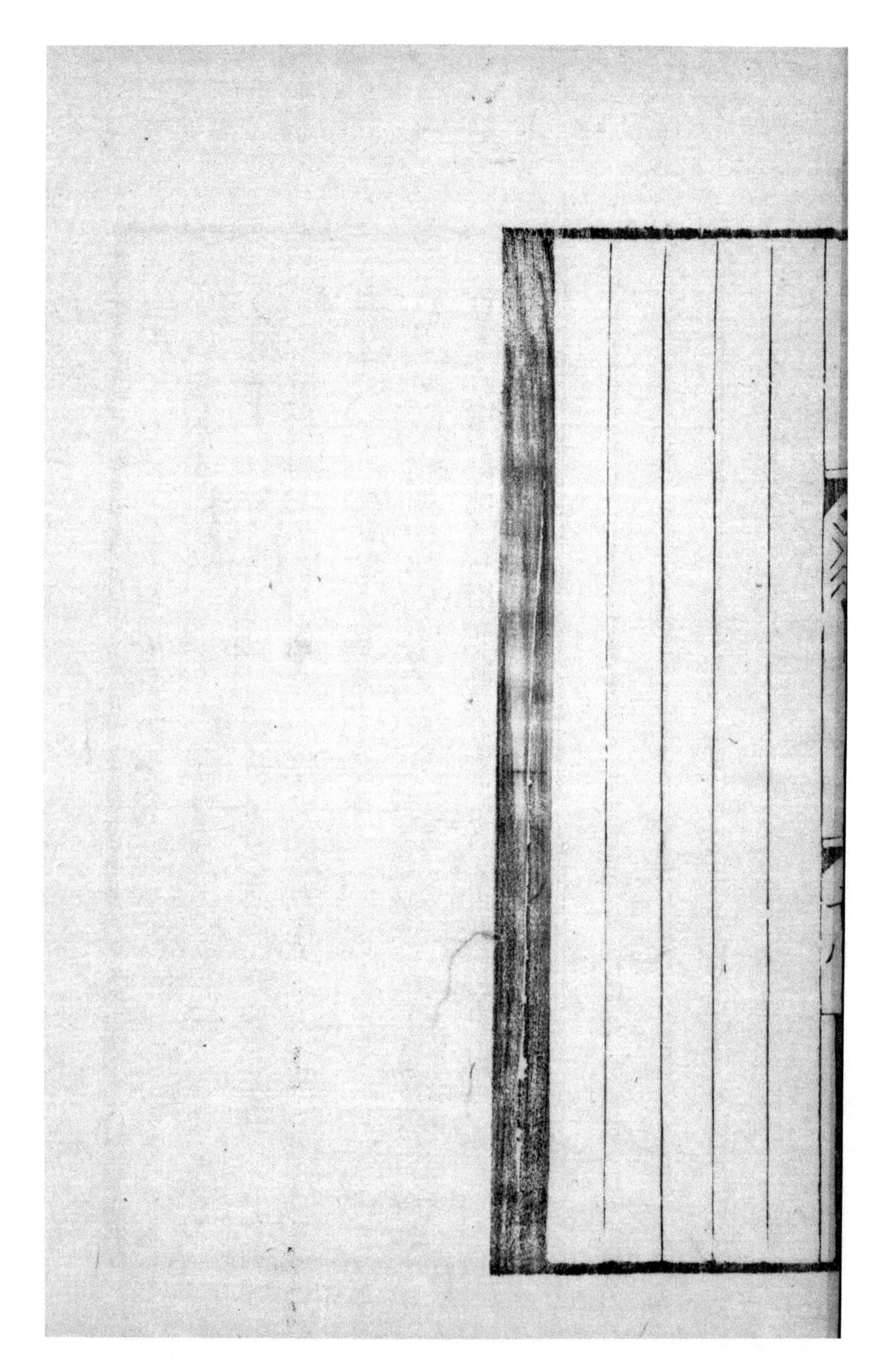

名方類證醫書大全卷十五

宿食

人之有身藉五穀以生故胃以納之脾以尅化之脾胃喜暖不宜以生冷傷之躰虛者不善調養飢飽失時或過飡飲食并一切生冷之物脾胃怯弱不能尅化停蓄胃脘遂成宿滯輕則吞酸嘔惡胸滿噎噫或泄或利其臭如抱壞雞子或米穀不化甚則積聚結而為癥瘕之病治之須究其原又須量人氣躰虛實病證淺深投以藥餌病之淺者則消化之甚者必須推利而後調補脾胃或有因挾寒暑之氣而泄者又當以脈證辨而料理

（一）**丁香脾積圓** 治食積心腹膨脹不得尅化 方載諸氣門

（二）**感應圓** 治男子婦人小兒停積宿食冷物不能尅化有

傷脾胃或泄瀉臭如抱壞雞子或下利膿血並宜服此通利

百草霜用村家鍋底上者細研二两　杏仁去皮尖取仁要肥者二百四十枚

巴豆七十粒去皮心膜出油研細如粉　肉豆蔻去皮二十个　川乾姜炮一两

南木香去芦二两半　丁香一两半

右除巴豆粉百草霜杏仁三味外餘四味杵爲細末与前三味同拌研令細用蠟匱先將蠟六两鎔化作汁以重綿濾滓更以好酒一升於銀石器內煮蠟鎔滚数沸傾出候酒冷其蠟自浮於上取蠟秤用凡春夏修合用清油一两秋冬用清油一两半於銚內熬令香熟次下酒煮蠟四两同化作汁就鍋內乘热拌和前項藥末成劑分作小鋌子以油單紙裹之旋圓服餌每服三十圓空心姜湯下

（三）紅圓子　壯脾胃消宿食去膨脹方見脾胃門

（四）五香圓　治宿食留飲積聚中脘噫臭吞酸心腹刺痛

巴豆去皮心膜別研　縮砂仁　胡椒　烏梅去核　丁香

右件各一百箇為細末炊餅糊為圓如菉豆大每服五七圓熱水臨臥送下

〔五〕黑圓　治中脘有宿食不消吞酸惡心口吐清水或心腹刺痛飧泄如痢

烏梅肉七十箇　百草霜三分　杏仁去皮尖別研三七枚

巴豆去殼并油三枚　半夏湯洗七次九枚　縮砂仁二三七枚

右為末和勻黃蠟糊圓如黍米大每服二十圓薑湯下

〔六〕如意圓　治氣虛積冷停食不消心下堅痞噫宿腐氣及霍乱吐瀉米穀不消一切食癥之疾並皆治之

枳殼去白　檳榔　陳皮　乾姜　黃連去須　蓬朮

三稜　半夏湯洗七次各二兩　巴豆三七粒連殼用同前藥醋煑

右除巴豆外剉如豆大用好醋煑乾去巴豆余藥焙為細末

薄糊圓如菉豆大每服十圓加至十五圓用茶清姜湯任下

食後溫服孕婦不宜服之

（七）**阿魏圓**治脾胃怯弱過食肉麪生菓之物停滯中焦不能尅化以致腹脹刺痛嘔悪不食或利或秘悉皆主之

阿魏酒浸化　官桂不見火　蓬朮炒　麥蘖炒

神麯炒　青皮去白　蘿蔔子炒　白朮

乾姜炮各半兩　百草霜三分　巴豆去殼油三七个

右為末和勻用薄糊圓如菉豆大每服二十圓不拘时姜湯送下麪傷用麪湯下生菓湯用麝香湯下

（八）**混元鄧山房神效感應圓**常服消宿食除積滯不動臟腑

黑角沉不見火　木香　檀香　全丁香　陳皮

青皮　黃連　砂仁　香附子去黑毛見白

半夏水浸去面衣　三稜濕紙裹煨　蓬朮十分大者濕紙裹煨

巳上藥各一兩淨研爲細末

肥烏梅有肉者 一百文重　巴豆 三百粒搥出油去皮膜心

右用甆器一隻盛巴豆上以烏梅肉蓋之却用陳米醋浸過与烏梅肉平於甑上蒸至極熟以巴豆紅色爲度却擂二件令極爛次用糯米粽和前件諸藥搜勻擣千百杵以黑色爲度衆手圓如蘿葡子大每服一十圓宿食不消陳皮湯下氣滯茴香湯下酒後嘔吐淡姜湯下

九　**丁香爛飯丸** 治食傷大陰又治卒心胷痛

丁香 一兩　丁香皮 三兩　炙甘草 三兩　甘松 三兩去土秤

縮砂仁 三兩　益智仁 三兩　京三稜 炮一兩　廣茂 一兩炮

香附子 半兩　木香 一兩

右爲細末湯浸蒸餅爲丸如菉豆大每服三十丸白湯送下或細嚼亦可不拘時候

（十）消痞丸 治一切心下痞悶及積年久不愈初因飲食傷者

黃連去須炒六錢　黃芩刮黃色　薑黃　白朮各一兩

人參四錢　甘草炙二錢　縮砂仁三錢　枳實麩炒黃色五錢

橘皮四錢　乾生薑二錢　半夏湯洗七次　神麯炒黃色各五錢

一方加澤瀉　厚朴各三錢　豬苓二錢半

右為細末湯浸蒸餅為丸如桐子大每服五七十丸至百丸

白湯送下食後

（十一）木香枳朮丸 治破滯氣消飲食開胃進食

木香一兩　枳實炒二兩　白朮二兩

右為細末荷葉燒飯為丸如桐子大五十丸溫水送下

（十二）三稜煎丸 治胸中痞塞喘滿氣短常服順氣寬中消積

滯 方見脹滿門

（十三）枳朮湯 治宿食不消 方見脹滿門

自汗

心之所藏在內者爲血發於外者爲汗盖汗乃心之液而自汗之證未有不由心腎俱虛而得之者故陰虛陽必湊發熱而自汗陽虛陰必乘發厥而自汗此固陰陽偏勝所致又有傷風中暑病濕兼以驚怖房室勞極歷節腸癰痰飲產蓐等病亦能令人自汗如睡中不覺汗出者是名盜汗亦心虛所致其脉多微而濇濡而虛治之宜歛心氣益腎水使陰陽調和水火升降其汗自止自汗之證若兼以他病又當各類求之

〔傷風〕〔十四〕**桂枝湯** 治傷風脉浮自汗惡風 方見傷寒門

〔風濕〕〔十五〕**朮附湯** 治風濕相摶不嘔不渴時或自汗 方見濕門

〔十六〕**防已黃耆湯** 治風濕相摶時自汗出或身熱或無熱 方載濕門

（體虚）【牡砺散】治諸虚不足及大病後体虚津液不固体常自汗

黄耆去苗土　麻黄根淨洗　牡砺米泔浸去土火煆通赤各一兩

右㕮咀每服三錢水一盞小麥百餘粒同煎八分不拘時服

（十八）【黄耆建中湯】男子婦人血氣不足常自汗方見諸虚門

（十九）【黄耆湯】治喜怒驚恐房室虚勞致陰陽偏虚或發厥自汗或盗汗不止並宜服之

黄耆去芦蜜炙兩半　白茯苓去皮　熟地黄酒蒸　肉桂不見火

天門冬去心　麻黄根　龍骨各一兩　五味子

小麥炒　防風去芦　當歸去芦酒浸　甘草炙各半兩

右㕮咀每服四錢水一盞姜五片煎七分溫服不拘時發厥自汗加熟附子發熱自汗加石斛

（二十）【撫芎湯】治自汗頭眩痰逆惡心

撫芎　白术去油罯炒　橘紅各一兩　甘草炙半兩

右㕮咀每服四錢水一盞姜七片煎至八分溫服

盜汗

三十一 **麥煎散** 治榮衛不調夜多盜汗四肢煩疼肌肉消瘦

知母 石膏 甘草炙 滑石 白茯苓各半 人參

地骨皮淨洗 赤芍藥 葶藶 杏仁去皮麩炒 麻黃不去根一兩半

右為末每服一錢浮麥煎湯調服

二十二 **防風散** 治盜汗

川芎一分 人參半分 防風二分

二十三 **白朮散** 治盜汗極效

右為末每服一錢臨卧米飲調下

白朮不拘多少用浮麥一升水一斗煮乾如白朮尚硬又用水一二升煮取出切作片焙乾去麥不用研為末别用浮麥湯每服一二錢不以時

二十四 **茯苓湯** 治虛汗盜汗

白茯苓為末煎烏梅陳艾湯調下二錢服神効

（二十五）（大建中湯）治虛熱盜汗百節痛肢躰倦口苦舌澀氣短

黄芪炙　遠志去心甘草煮　當歸　澤瀉各三兩

白芍藥　龍骨　人參各二兩　甘草炙一兩

右剉散每四錢水二琖姜五片煎溫服一方有桂枝

（虛脫）（二十六）（耆附湯）治氣虛陽弱虛汗不止肢体倦怠

黄耆去芦蜜炙　附子炮去皮臍各等分

右㕮咀每服四錢水一盞姜十片煎八分食前溫服

（二十七）（正元散）治下元氣虛心腹脹滿夜當自汗　方載諸虛門

（二十八）（三建湯）治真氣不足上盛下虛面赤自汗小便頻數

方載諸虛門　如汗不收加肉桂黄耆

（通治）（二十九）（溫粉）止汗

右用川芎白芷藁本各一分為末入米粉三分以帛包撲周

身則汗止

三十　紅粉　止汗

麻黃根　牡礪火煅各一兩　赤石脂　龍骨各半兩

右為末以絹袋盛如撲粉用

虛煩

虛煩之疾非止一端究其大槩多是体虛者攝養有乖榮衛不調使陰陽二氣有所偏勝或陰虛而陽盛或陰盛而陽虛素問云陽虛則外寒陰虛則內热陽盛則外热陰盛則內寒此固不易之論而今虛煩之病多是陰虛生內热所致如虛勞之人腎水有虧心火內蒸其煩必躁吐瀉之後津液枯竭煩而有渴惟傷寒及大病後虛煩之證却无霍乱臨病之際又宜審之治法宜用以平和之藥清心实下未可峻用補藥又若婦人產後去

血過多虛煩發熱又當各以類求

〔病後〕

三十一 竹葉石膏湯 治大病後表裏俱虛內无津液煩渴心躁及諸虛煩熱与傷寒相似但不惡寒身不疼痛不可汗下宜服之方見傷寒門

三十二 溫膽湯 治大病後虛煩不得睡卧及心膽虛怯觸事易驚短氣悸乏或復自汗並宜服之

橘紅一两 甘草炙 茯苓三分 半夏湯洗七次 枳實炮洗炒各一两

右㕮咀每服四錢水一盞半薑七片棗一枚竹茹一塊如錢大煎至六分空心熱服

三十三 人參竹葉湯 治汗下後表裏虛煩不可攻者

竹葉二把 人參 甘草炙各二两

半夏二两半 石膏 麥門冬各五两

右㕮咀每服四錢水盞半姜五片粳米一撮煎熱去滓空心

服濟生方除石膏加茯苓小麥二味

三十四 橘皮湯 治動氣在下不可發汗發之反无汗心中大煩骨節疼痛目眩惡寒食返嘔逆穀不得入宜服此藥

橘皮二兩半 甘草炙半兩 人參一分 竹茹半兩

右㕮咀每服四錢水一盞姜三片棗一枚煎七分空心溫服

活人書加生姜一兩棗子八枚作六味

三十五 地仙散 治大病後煩熱不安及一切虛勞煩熱並宜服之

地骨皮去木二兩 防風去芦一兩 甘草炙半兩

右㕮咀每服四錢水一盞姜五片煎八分溫服不拘時又方加人參雞蘇各半兩

心氣虛

三十六 小草湯 治虛勞憂思過度遺精白濁虛煩不安

小草 黃耆去芦 當歸去芦酒浸 麥門冬去心

石斛去根 酸棗仁炒去殼各二兩 人參 甘草炙各半兩

右㕮咀每服四錢水一盞薑五片煎八分温服不拘時

（三十七）辰砂妙香散　治心氣不足精神恍惚虚煩　方見心痛門

（胃熱）

（三十八）人參竹茹湯　治胃口有热嘔吐咳逆虚煩不安

人參半两　半夏一两　竹茹一團　一方加橘紅一两

右作六服用水一盞半姜七片竹茹一團煎温服

健忘

健忘者陡然而忘其返也雖曰此證皆由憂思過度損其心胞以致神舍不清遇事多忘然過思傷脾亦能令人健忘治之須兼理心脾神凝意定其証自除

（三十九）寧志膏　治心神恍惚一時健忘　方載心痛門

（四十）定志圓　治心氣不定恍惚多忘常服安神定志

遠志二两去苗心　人參三两去芦　菖蒲二两　白茯苓去皮三两

右為末煉蜜圓如梧桐子以朱砂為衣每服二十圓米飲下

（四十一）**壽星圓**治因事驚心神不守舍以致爭多健忘或發迷心竅妄語如有所見

天南星一斤先用炭火三十斤燒一地坑通紅去炭以酒五升傾坑內候滲酒盡下南星在坑內以盆覆坑周回用炭擁定勿令走氣次日取出為末　朱砂別研二兩　琥珀別研一兩

右各研用生姜汁煮麪糊為圓如梧桐子每服三十圓加至五十圓煎石菖蒲人參湯食後送下

（四十二）**歸脾湯**治思慮過制勞傷心脾健忘怔忡

白朮　茯神去木　黃耆去芦　龍眼肉　酸棗仁炒去殼各一兩

人參　木香不見火各半兩　甘草炙二錢半

右㕮咀每服四錢水一盞姜五片棗一枚同煎溫服不拘時

（四十三）**朱雀圓**治心神不定事多健忘心火不降腎水不升

茯神二兩去皮　沉香半兩並為細末

右煉蜜圓如小豆大每服三十圓食後人參湯下

癲癇

癲癇之疾諸方所載並作一證治之愚謂癲與癇雖以一槩而論故癲者全歸於心癇者歸乎五臟所謂癲者神不守舍狂言妄語如有所見動經年歲不得即愈若心經有損是為真病如心經蓄熱則當清心除熱如痰迷心竅使然又當下痰而寧其心志婦人因血氣迷心或因產後惡露上衝而語言錯乱神志不守者各當隨其証治所謂五癇者馬癇羊癇雞癇猪癇牛癇是也其為証也卒然之際旋暈顛倒口眼相引手足搐搦背脊強直口吐涎沫食頃乃甦原其所因五臟之間或為七情之氣鬱結或為六淫之邪氣所傷閉塞諸經一時痰涎壅併心膈致有此證馬癇作馬嘶者應乎心羊癇作羊呌者應乎脾雞癇作

雞声者應乎胃猪癇作猪吽者應乎腎牛癇作牛吼者應乎肺此又以五行合五臟而言須詳考其因施以治法大抵當以祛痰順氣為先然後辨其有無風寒暑濕之氣方可補其五臟又有在母腹中受驚及幼小時有所感觸而成此證又當辨之

（癲狂）

（四十四）牛黄清心圓　治心氣不足神志不定驚恐悸怖虛煩少睡常發狂癲言語錯乱　方載中風門

（四十五）歸神圓　治心氣不足作事多忘癲癇乱語並皆治之　方載心痛門

（四十六）金露圓　治痰迷心竅恍惚狂言婦人痰血上衝或歌或笑言語狂乱並皆治之

生乾地黄焙　貝母去心各一兩　巴豆去心膜醋煮三十沸焙干取一兩過其數无妨

黄連洗焙二兩　桔梗去芦　柴胡去芦　呉茱萸湯洗七次　防風去芦

紫菀去苗　菖蒲米泔浸一夕　乾姜炮　白茯苓去皮　蜀椒去目出汗

厚朴去皮薑炙　枳殼去白麩炒　鱉甲米醋煮黄　人參去蘆　甘草炙

甘松淨洗一兩　草烏頭炮二兩　各用芎藭去土　桂心不見火各一　一方用甘遂

右為末，以麩糊圓如梧桐子，每服五圓。心中痰患，薑湯下；心

痛，酸石榴皮湯下；口瘡，蜜湯下；頭痛，石膏湯、葱茶下；一切脾

氣，橘皮湯下；水瀉氣瀉，陳皮湯下；赤白痢，甘草乾薑湯下；胃

膈噎悶，通草湯下；婦人血氣，當歸酒下；疝氣、嵐氣、小腸氣及

下墜，附子湯下；傷冷腹痛、酒食所傷、酒疸、黄疸、結氣、痞塞，鶴

膝，並用鹽湯、鹽酒下。

（四十七）〔抱膽丸〕治男子婦人一切癲癇風狂，或因驚恐怖畏所致

者，及婦人產後血虛，驚氣入心，并室女經脉通行，驚邪蘊結。

水銀二兩　朱砂一兩　黒鉛一兩半　乳香一兩

右將黒鉛入銚子內，下水銀結成砂子，次下朱砂、滴乳，乘熱

用木椰搥研勻，丸如雞頭大。每服一丸，空心井花水吞下。病

者得睡切莫驚動竟来即安再一丸可除根

四十八　鬱金散　治顛狂可畏多因驚恐得之涎留心竅經年不愈

鬱金七兩真西川来者　蚌粉炒　明礬三兩

右爲末糊丸梧子大每服五十丸湯水下初服覺心胸間有物脫去神氣洒然再服稍甦多服大能去痰安平必矣

風癇

四十九　碧霞丹　治痰涎壅塞牙關緊急目睛上視時作搐搦并五種癇疾並皆治之

石綠細研九度飛過十兩　附子尖七十个　烏頭尖七十个　蝎梢七十个

右爲末入石綠令勻麪糊圓如雞頭大每服用薄荷汁半盞化下一圓更以酒半合溫服之須臾吐出痰涎然後隨證治之如牙關緊急斡開灌之

五十　六珍丹　治風癇卒然暈倒或作牛吼馬嘶雞鳴羊叫猪嘷等声腑臟相引氣爭掣縱吐沫流涎久而方蘇

通明雄黃　巢子雌黃　末鑽真珠各一兩

鉛二兩熬成屑　丹砂半兩　水銀一兩半

右為末研令極細蜜和杵二三万下方圓如梧桐子每服五圓姜棗湯吞下

（五十一）家藏方五癇丸　治癲癇發作不問久年新日並宜服之

全蝎一分去毒炒　半夏二兩湯洗七次　雄黃一分半別研　蜈蚣半条去頭足炙

天南星炮一兩　烏蛇一兩酒浸一夕去皮骨焙干　麝香二分別研　白礬一兩

白附子半兩炮　皂角四兩搥碎水半升揉汁与白礬一同熬干研

白姜蚕一兩半炒去絲　朱砂一分別研

右為末姜汁煮麪糊圓如梧桐子每服三十圓姜湯下

（五十二）家藏方虎睛丸　治癇疾發作涎潮搐搦精神恍惚時作譫語

犀角屑　虎睛一對微炒　大黃　遠志去心　梔子仁各一兩

右為末煉蜜圓如菉豆大每服二十圓温酒食後送下

五十三 控涎丹 治諸癇久不愈者頑涎結聚變生諸證並宜治之

生川烏去皮　半夏　姜蚕三味不炒剉碎生姜汁浸一夕各半兩

全蝎十个去毒　鉄粉三𠀋　甘遂二𠀋半

右為末姜汁打糊圓如菉豆大朱砂為衣每服十五圓食後用姜湯下忌甘草

心恙

五十四 一醉散 治心恙

無灰酒二椀　真麻油四兩

右和匀用楊柳枝二十條逐條攪一二百下換遍柳條候油酒相入如膏煎至七分碗狂者強灌之令熟睡或吐或不吐覔来即安

五十五 遂心丸

大猪心一枚取血　朱砂一兩末　青靛花一匙

右先將靛花同猪心血一処同研次以朱砂末共丸梧子大

每服二十丸空茶酒下甚者不過三服

（五十六）[illegible]神聖含冊治心風大効方見心痛門

陰㿗

陰㿗之證其種有四一曰腸㿗二曰氣㿗三曰外腎浮脹四曰水㿗是也究其所因皆是腎經虛寒或為勞役所傷或為風濕之氣所侵結而不散久則腎氣虛憊而成此證外腎腫脹者偏有小大或堅硬如石或臍腹絞痛甚則膚囊腫脹成瘡時出黃水病而至此未易治也腸㿗亦然惟氣㿗水㿗關元灸之可愈又有小兒自生以來外腎偏墜者此又宿疾不必醫療可也

（五十七）茱萸內消圓治腎虛為邪氣所搏結成寒疝伏留不去陰囊偏墜痛連膀胱小腸氣刺奔豚痃癖疼〻不可忍者並皆治之方載諸氣門

五十八　麝香大戟圓　治陰㿗腫脹并小腸氣

葫芦巴四兩炒　大戟去皮炒黄半兩　麝香一分別研　川練子　茴香舶上者各六兩

木香　附子炮去皮尖　訶子炮去核酒浸蒸焙　檳榔剉去底細切不見火各分

右為末獨留川練子以好酒一升葱白七枚長四寸煑川練子去核取肉和藥杵圓如梧桐子空心姜酒下十圓

五十九　橘核圓　治四種㿗病卵核腫脹有小大或堅硬如石痛引臍腹甚則膚囊腫脹成瘡時出黄水或成癰潰爛

橘核炒　海藻　昆布　海帶各洗

川練子取肉炒　桃仁麩炒各一兩　厚朴去皮姜汁炒　木通

枳實麩炒　玄胡索炒去皮　桂心不見火　木香不見火各半兩

右為末酒糊圓如梧桐子每服七十丸空心塩酒塩湯任下虚寒甚者加熟川烏一兩堅脹久不消者加硇砂一分醋煑旋入

六十　牡丹散　治小兒外腎偏墜

防風去芦　牡丹皮去木各等分

右為末每服二錢温酒調服如不飲酒鹽湯點亦可

(六十一)竹皮湯療交接勞後陰囊腫脹痛入腹中刮竹青皮一升以水三升煮一半去滓分服立愈

(六十二)三茱丸治小腸氣并外腎腫痛方見氣門

痼冷

人之一身貴乎陰陽升降平和無偏若有偏勝是即為病痼冷之證皆以人身真陽耗散脾胃虚弱加以飡啖冷物有傷其脾腎痼結其冷於臟府不散以致手足厥逆畏冷增寒飲食不化嘔吐涎沫或大腑洞泄或小便頻数其為証也尤多治之須暖下元兼理脾胃若又有脾虚而畏寒者令人咳嗽又當於咳嗽門求之

（六十三）當附湯治一切沉寒痼冷諸証方載中寒門

（六十四）沉香蓽澄茄散治內挾積冷臍腹弦急痛引腰背面色痿黃臟府自利小便滑数小腸一切氣痛並治之

附子炮去皮臍　蓽澄茄　沉香　胡芦巴炒　肉桂去皮

補骨脂炒　茴香炒　巴戟天去心　木香

川練子炮去核各四两　川烏炮去皮臍半两　桃仁去皮尖双仁炒二两

右㕮咀每服三錢水一盞入塩少許煎八分空心热服

（六十五）三建湯除痼冷扶元氣方載自汗門

（六十六）洞陽丹治陽虛陰盛手足厥冷暴吐大下脉細羸瘦傷寒陰証悉皆治之

附子炮去皮臍　鍾乳粉各二两　天雄炮去皮三两　川烏炮去皮四两

陽起石火煅　朱砂火煅别研各一两

右為末酒煮神麯糊圓如梧桐子每服五十丸空心塩湯下

（六十七）椒附圓 治内挾積冷臍腹弦急痛引腰背時有盜汗小便滑数心腹脹滿方見諸虚門

（六十八）附子茴香散 治氣虚積冷心腹絞痛

肉豆蔻煨 茴香炒 白朮炒 木香 人參 白茯苓 乾姜炮各一兩 附子大者一枚炮去皮臍 丁香 甘草炙各半兩

右㕮咀每服三錢水一盞鹽少許煎七分空心服

（六十九）紫沉煎圓 治虚寒積冷伏滯陰氣心腹膨脹兩脇疼痛

巴豆霜一分酒半升先入銀石器内煑之 硫黄滴水研極細 青皮 胡椒 硇砂各一兩酒半升煑去石入巴豆酒内熬如稀糊入沉香煎項藥作一処熬成膏 人参 丁香 阿魏酒半升研化尽 没藥擣碎酒半升化尽入匕酒 檳榔 官桂不見火各一兩 乾姜三分 良姜一兩水煑六七沸日乾 沉香一兩使煉蜜一斤別貯 朱砂半兩別研 木香不見火一兩

右為末次入硫黄朱砂二味研匀入前膏於臼内杵三千下圓如梧桐子每服三十丸陳皮湯下

七十 雄朱丹 治宿寒癖冷飲食嘔逆久則羸弱變為痨瘵

朱砂　雄黃各二两

以上用沙合一个先以牡丹皮二两内外薰黃入藥於内以釅醋和臘茶作餅盖定合口以赤石脂固濟合縫又用赤石脂泥裹合子一重再用黃泥紙筋又裹一重先以草火燒令乾次以炭火五斤漸漸添至一秤候火力稍消取出掘地坑一尺埋一宿去火毒取出研入後藥

附子炮製為末　胡椒　赤石脂　官桂　丁香

蓽撥　木香　沉香　白朮各一两　乳香半两与前砂脂同研

右為末入前藥研勻以清酒二升三分煎去二分入附子末煮糊圓如梧桐子每服十元空心温酒鹽湯任下

積熱

積熱者熱毒蘊積於其内也夫人固有体氣素实一時感觸熱毒之氣或欝積臟腑之間或在心肺之内令人口苦咽乾涎唾稠粘眼澁多淚口舌生瘡大小便秘結又有陰盛血衰三焦已燥服餌酒炙之物并丹石之藥愈助其熱結滞於内亦能令人変生諸証治之須詳其脉證若在心膈者清之結于臟腑者蕩滌之更量人氣体虚實輕重用藥

心熱

（七十二）洗心散 治風壅痰滞心經積熱口苦唇燥眼澁多淚大便秘結小便赤澁

白朮一两半 麻黄和節 當歸去苗洗 荆芥穗

芍藥 甘草炙 大黄面裹煨去面切焙各八两

右為末每服二钱水一盞生姜薄荷各少許同煎温服

（七十三）八正散 治大人小兒心經蘊熱咽乾口燥煩悶

方載五淋門

（七十三）碧雪　治一切積熱口舌生瘡心煩喉閉

芒消　青黛　寒水石　石膏煅各研

朴消　消石　甘草　馬牙硝各等分

右將甘草湯入諸藥再煎用柳木篦不住手攪令消溶入青黛和勻傾砂盆內候冷結凝成霜研為末每用少許含化嚥津如喉閉不能嚥下用竹筒吹藥入喉中

肝熱（七十四）消毒犀角飲　治大人小兒內蘊邪熱痰涎壅盛或腮項結核遍生瘡癤已出未出並宜服之

防風去蘆八兩　鼠粘子炒十四兩　荆芥穗　甘草炙各十六兩

右㕮咀每服三錢水一盞煎七分食後溫服

胃熱（七十五）龍腦雞蘇圓　治煩渴涼上膈解酒毒除邪熱并治咳嗽唾血鼻衄吐血諸淋下血胃熱口臭肺熱喉腥脾疸口甜膽疸口苦並宜服之

柴胡銀川者二兩和木通以湯半升浸一二宿取汁後入膏
生乾地黃六兩末 黃耆去芦二兩 麥門冬去心四兩
阿膠炒 蒲黃炒各二兩 甘草炙一兩半 人參去芦二兩
木通二兩同柴胡浸 雞蘇淨葉一斤即薄荷
右除別研藥外並擣為末將好蜜二斤先煉一二沸然後下
生乾地黃末不住手攪令勻取木通柴胡汁慢火熬成膏勿
令焦然後將其餘藥末同和為圓如豌豆大每服二十元嚼
破熟水下虛寒煩熱消渴驚悸人參湯下咳嗽唾血鼻衄吐
血麥門冬煎湯下諸淋用車前子煎湯下
(七上六)甘露飲 治胃中客熱牙宣齦腫咽膈乾燥吐氣腥臭或
胃經受濕伏熱在裏身黃如疸亦能治之
枳殼去白麸炒 石斛去芦 甘草炙 枇杷葉刷去毛 干熟地黃
黃芩 麥門冬去心 天門冬去心 生地黃 茵蔯各等分

右㕮咀每服三錢水一盞煎七分食後温服

肺熱 七十七 潤肺湯 發明內 治大腸燥結不通

升麻　當歸尾　生甘草　煨大黄　桃仁

麻黄　熟地黄各一錢　生地黄二錢　紅花三分

右件剉如麻豆大都作一服水三盞先伴藥温煎至一盞熱服食前以通利爲度

腎熱 七十八 滋腎丸 發明內 治不渴小便閉邪熱在血分也

黄蘗三兩細剉酒拌陰干　知母二两酒浸陰干　肉桂一錢半

右上二味氣俱陰以同腎氣故能補而瀉下焦火也桂与火邪同体故曰寒因热用凡諸病在下焦皆不渴也熟水爲丸百沸湯下

風熱 七十九 荆黄湯 治風热結滯或生瘡癤

荆芥四两　大黄一两

右㕮咀每服三錢水一盞煎六分空心服

（八十）**涼膈散**治大人小兒臟腑積热口舌生瘡痰实不利煩燥多渴腸胃秘澁便溺不利一切風热並皆治之

連翹二斤半　甘草炙　川大黄　朴消各二十两

薄荷葉去梗　黄芩　山梔子仁各十两

右㕮咀每服三錢水一盞入竹葉七片蜜少許同煎食後服

（八十一）**清氣散**治風壅痰涎上膈煩热

枳殼　川芎　柴胡　前胡　茯苓　甘草

獨活　羌活　青皮　白朮　人參各等分

右爲末每服二錢水一盞荊芥一穗煎七分服

（八十二）**神芎丸**治心經積热風痰壅滯頭目赤腫或有瘡癤咽膈不利大小便閉澁一切風热之證並宜服之

大黄生　黄芩各二两　牽牛生　滑石各四两

黃連　薄荷葉　川芎各半两

右為末滴水圓如梧桐子每服五十圓溫水食後下

〔通治〕〔八十三〕〔三黃丸〕治丈夫婦人三焦積熱咽喉腫閉心膈煩躁小便赤澁大便秘結並宜服之

黃連去芦鬚　黃芩去芦　大黃煨各十两

右為末煉蜜圓如梧桐子每服四十圓熟水吞下一方用腦麝為衣圓如大豆夜間唅化一两圓亦好

〔八十四〕〔龍腦飲〕治蘊積邪熱咽喉腫痛心煩鼻衄及痰熱咳嗽中暑煩燥傷寒餘毒發熱並宜服之

縮砂仁　苽蔞根各三两　藿香葉二兩四錢　石膏四两

甘草蜜炙十六两　大梔子仁微炒十二两

右為末每服一錢用新水入蜜調下傷寒餘毒潮熱虛汗除蜜入竹青煎服

（八十五）薄荷煎 治口舌生瘡痰涎壅塞咽喉腫痛

薄荷末一斤取頭末二兩半 縮砂仁半兩取末二分 腦子半分別研

川芎半兩取末一分 甘草半兩取末一分半

右為末入腦子和匀煉蜜成劑任意嚥嚼和劑方無腦子有

桔梗

（八十六）酒蒸黃連丸 治膈熱解酒毒厚腸胃

黃連半斤淨用酒二升浸以瓦器甑上累蒸至爛取出曬下

右為末滴水圓如梧桐子每服五十圓食前溫水吞下

（八十七）玄明粉 以朴消煎過澄濾五七遍至夜於星月下露至天明自然結作青白塊子用藥罐子按實於炭火內從慢至緊自然成汁煎沸直候不響再加頂火一煅便取出於淨地上倒下用盆合蓋了以去火毒然後研為細末每二斤入甘草生熟二兩為末一處攪匀臨睡斟量用之或一錢二錢以

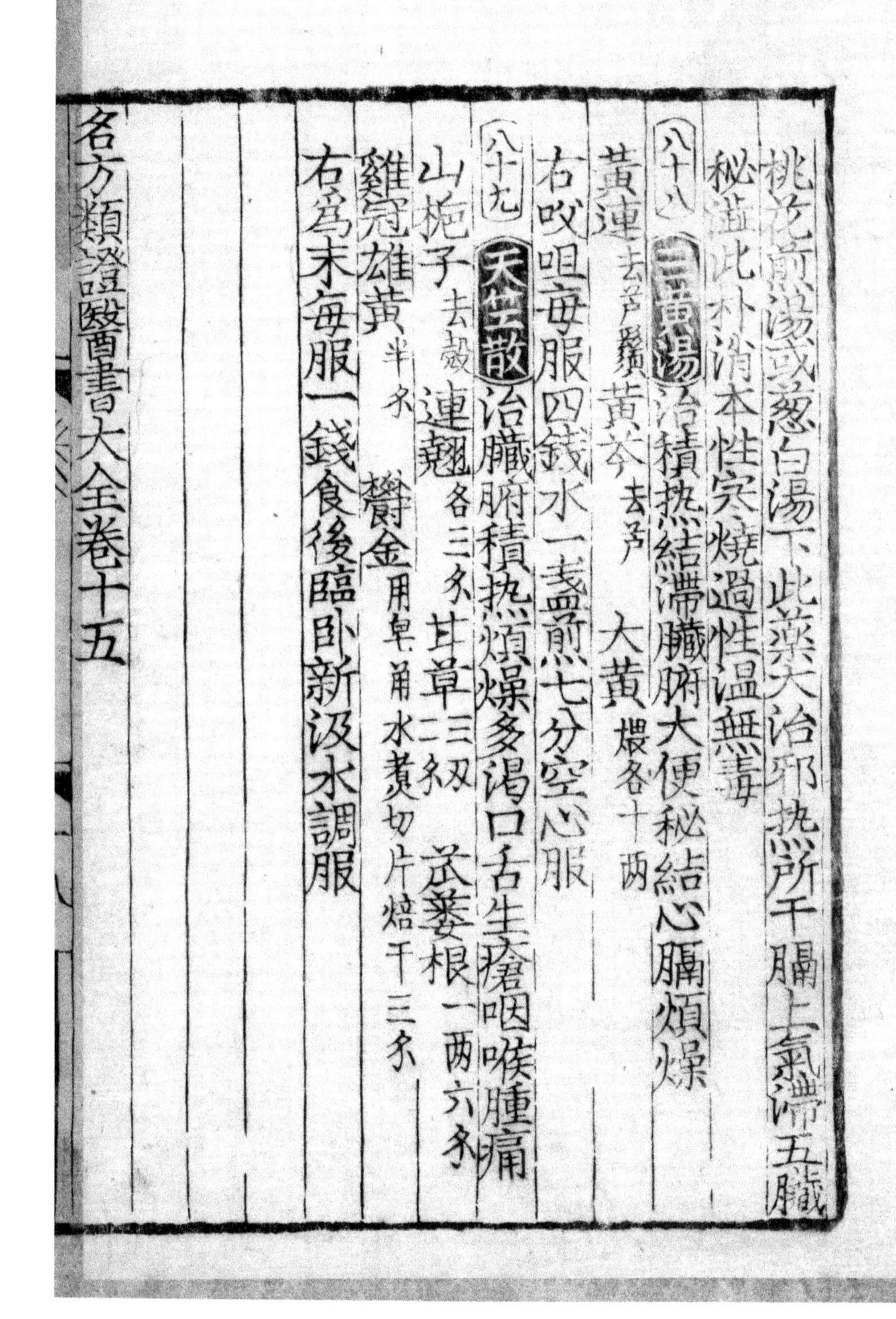

桃花煎湯或葱白湯下此藥大治邪热所干腸上氣滞五臟秘澁此朴消本性寒燒過性温無毒

八十八　三黃湯　治積热結滞臟腑大便秘結心膈煩燥

黃連去芦鬚　黃芩去芦　大黃煨各十兩

右㕮咀每服四钱水一盞煎七分空心服

八十九　天竺散　治臟腑積热煩燥多渇口舌生瘡咽喉腫痛

山梔子去殼　連翹各三钱　甘草三兩二钱　栝蔞根一兩六钱

雞冠雄黃半钱　鬱金用皂角水煮切片焙干三钱

右為末每服一钱食後臨卧新汲水調服

名方類證醫書大全卷十五

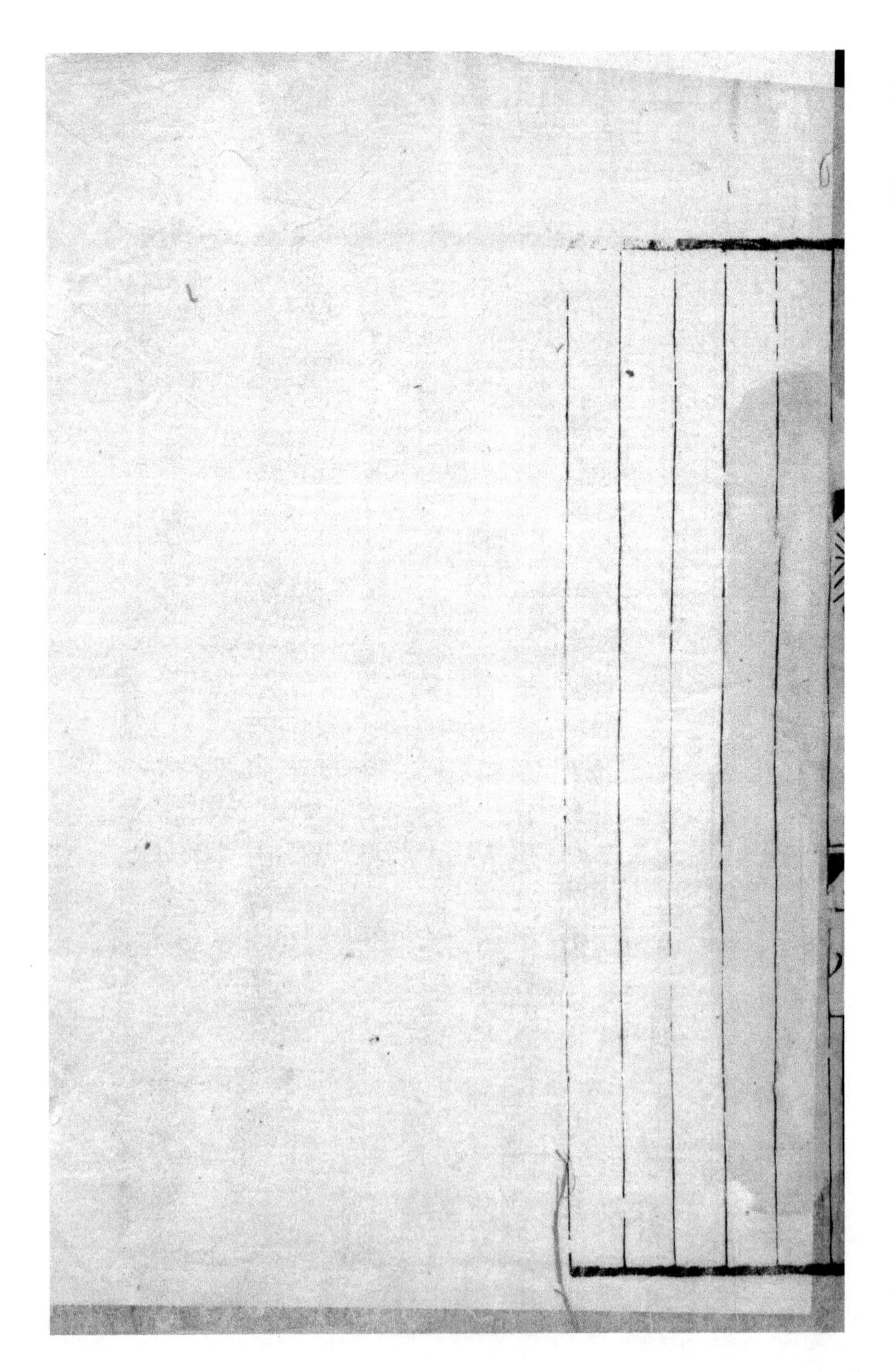

名方類證　七

名方類證醫書大全卷十六

鼇峯熊宗立道軒編集

失血 附 吐血衄血咳血論

人身之血猶水行地中百川皆理則無壅決之患一身之間榮衛失調七情四氣相干氣血逆亂然後變生吐血咳血諸證夫血之妄行固由積熱所致然其證多端難以一槩而論有因飲食過飽負重傷胃而吐者有思慮傷心并積熱而吐血衄血者有勞傷心肺又為七情所干而咳血吐血者心主血肝藏之而脾為之統過思傷脾亦能令人吐血治之須究其因傷胃者調胃安血勞心者補益其心志熱則清之氣鬱則順之傷脾則安之吐血之脉宜沉細不喜浮數吐而不咳者易治唾中帶紅綫

者難醫為其有所損故也病之淺者惟有早灸膏肓而已致若肺生疽瘡從高墜下一應傷折皆能吐血傷寒汗後不解鬱結經絡隨氣湧泄吐血衄血又當從各類求之

吐血

〔一〕茯苓補心湯 治心虛為邪氣所傷吐血 方載心痛門

〔二〕枇杷葉散 治暑毒攻心嘔吐鮮血 方載中暑門

〔三〕赤芍藥湯 治瘀血蓄胃心下脹滿食入即嘔名曰血嘔

赤芍藥二兩 半夏一兩半 陳皮一兩

右㕮咀每服四錢水一盞薑七片煎七分溫服不拘時

〔四〕王醫師固榮散 治吐血便血

白芷半兩 真蒲黃炒一兩 甘草炙三分 地榆去芦一兩

右㕮咀每服二錢溫酒調服如氣壯人加石膏半兩

〔五〕歸脾湯 治思慮傷脾不能統攝心血以致妄行或吐血下血 方載健忘門

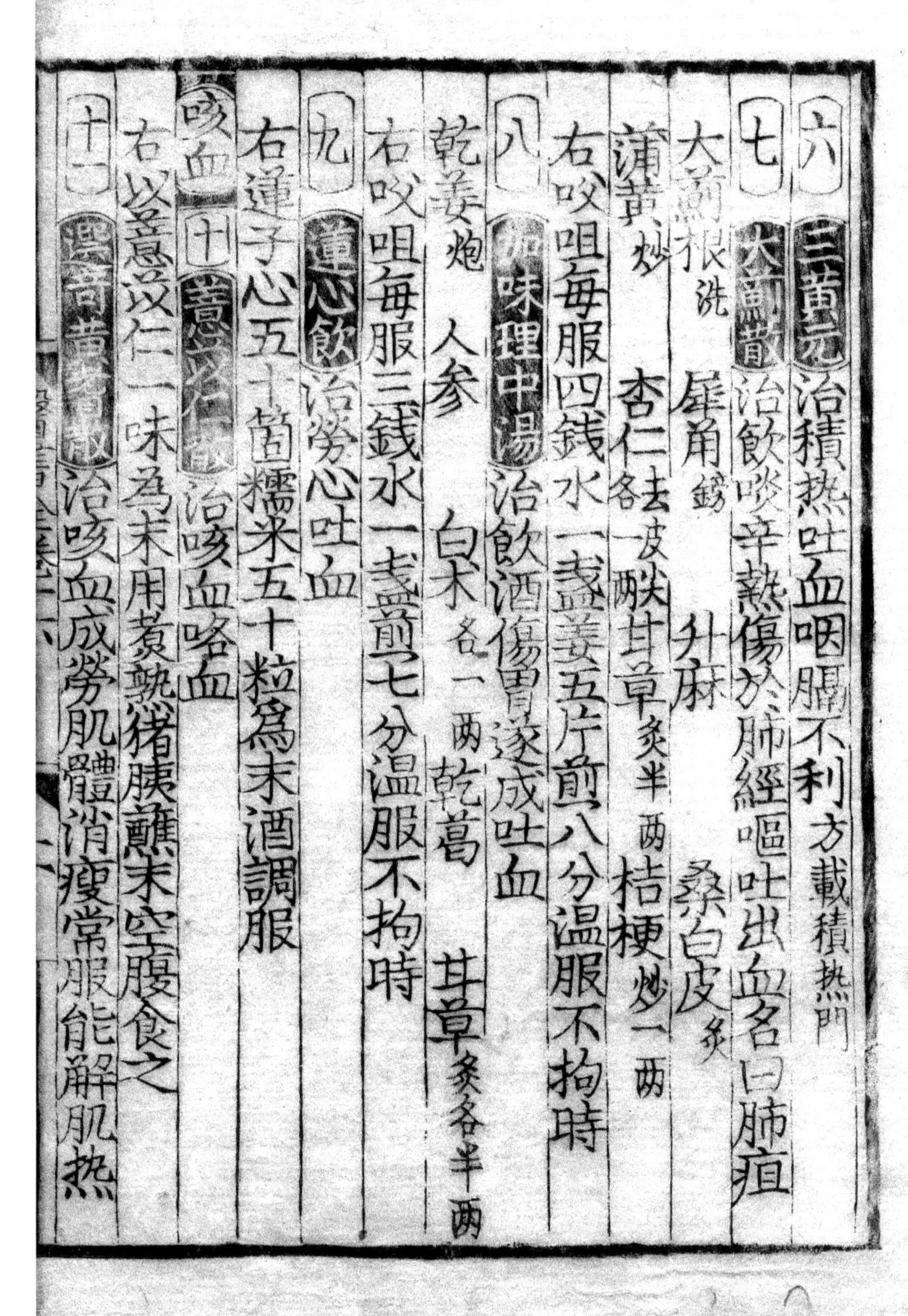

六 三黃丸 治積熱吐血咽膈不利 方載積熱門

七 大薊散 治飲啖辛熱傷於肺經嘔吐出血名曰肺疽

大薊根洗 犀角鎊 升麻 桑白皮炙

蒲黃炒 杏仁去皮尖各一兩 甘草炙半兩 桔梗炒一兩

右㕮咀每服四錢水一盞姜五片煎八分溫服不拘時

八 加味理中湯 治飲酒傷胃遂成吐血

乾姜炮 人參 白朮各一兩 乾葛 甘草炙各半兩

右㕮咀每服三錢水一盞煎七分溫服不拘時

九 蓮心飲 治勞心吐血

右蓮子心五十個糯米五十粒為末酒調服

咳血

十 薏苡仁散 治咳血咯血

右以薏苡仁一味為末用煮熟豬胰蘸末空腹食之

十一 遇奇黃芪散 治咳血成勞肌體消瘦常服能解肌熱

黄耆蜜炙　麥門冬去心　熟地黄　桔梗炒
白芍藥各一　甘草炙一分
右㕮咀每服四錢水一盞姜三片煎七分温服

（十二）雞蘇散　治勞傷肺經唾内有血咽喉不利
雞蘇葉　黄耆去蘆　生地黄洗　阿膠蛤粉炒　貝母去心
白茅根各一　桔梗去蘆　麥門冬去心　蒲黄炒　甘草炙各半兩
右㕮咀每服四錢水一盞姜三片煎七分温服不拘時

（十三）是齋白术散　治積熱吐血咳血若因飲食過度負重傷胃而吐血者最宜服之惟忌食熱麵煎煿一切發風之物
白术三兩　人參去蘆　白茯苓去皮　黄耆蜜浸各一兩
山藥　百合去心各三分　甘草炙　前胡去蘆　柴胡去蘆各半兩
右㕮咀每服三錢水一盞姜三片棗一枚煎六分温服

（衄血）（十四）治鼻衄用局方四物湯加側栢葉煎服

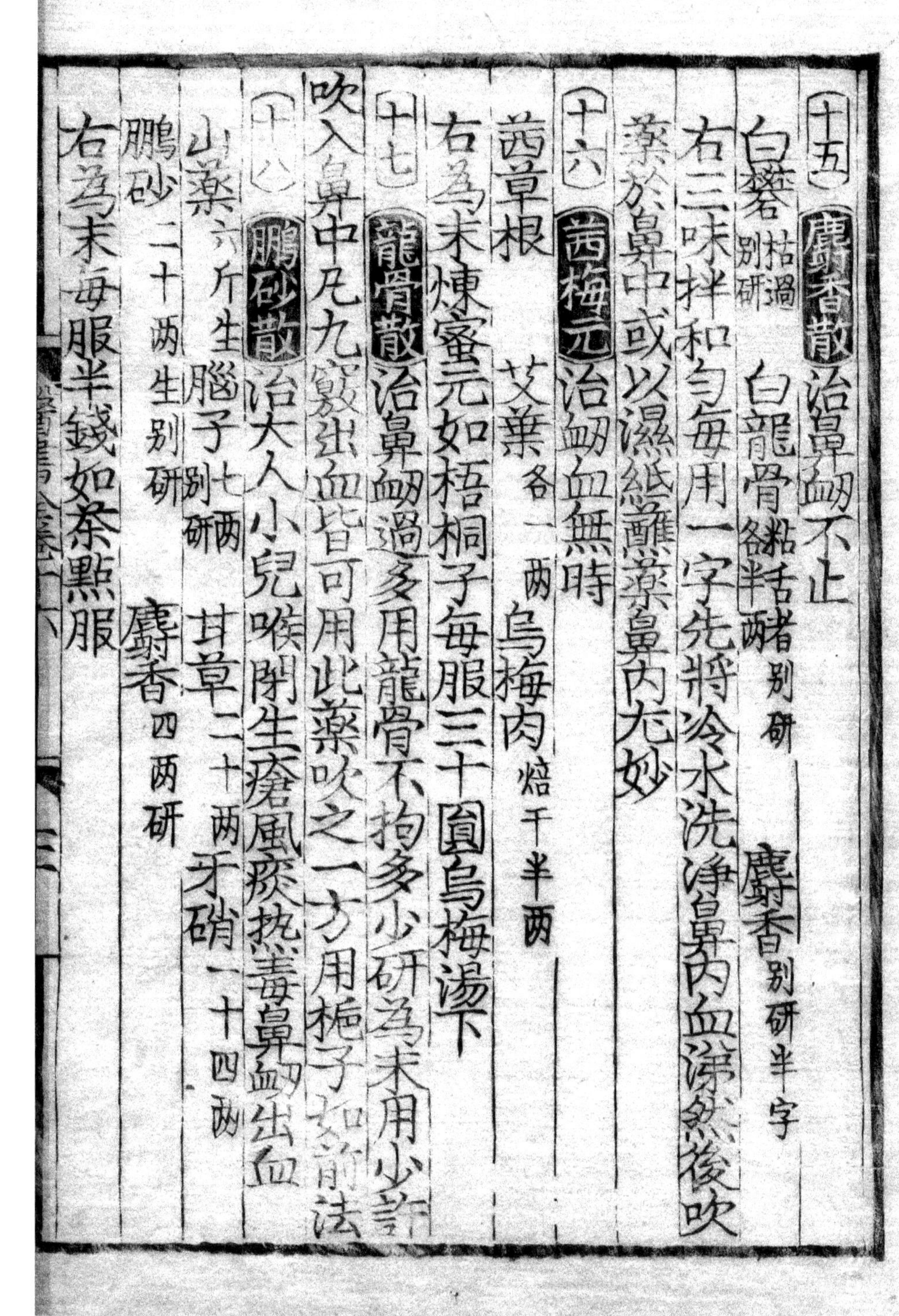
〔十五〕麝香散 治鼻衄不止
白礬 枯過 別研　白龍骨 粘舌者 各半兩 別研　麝香 別研半字
右二味拌和勻每用一字先將冷水洗淨鼻內血涕然後吹
藥於鼻中或以濕紙蘸藥鼻內尤妙
〔十六〕茜梅元 治衄血無時
茜草根　艾葉 各一兩　烏梅肉 焙干半兩
右為末煉蜜元如梧桐子每服三十圓烏梅湯下
〔十七〕龍骨散 治鼻衄過多用龍骨不拘多少研為末用少許
吹入鼻中凡九竅出血皆可用此藥吹之一方用梔子如前法
〔十八〕鵬砂散 治大人小兒喉閉生瘡風痰熱毒鼻衄出血
山藥 六斤生　腦子 七兩別研　甘草 二十兩　牙硝 一十四兩
鵬砂 二十兩生別研　麝香 四兩研
右為末每服半錢如茶點服

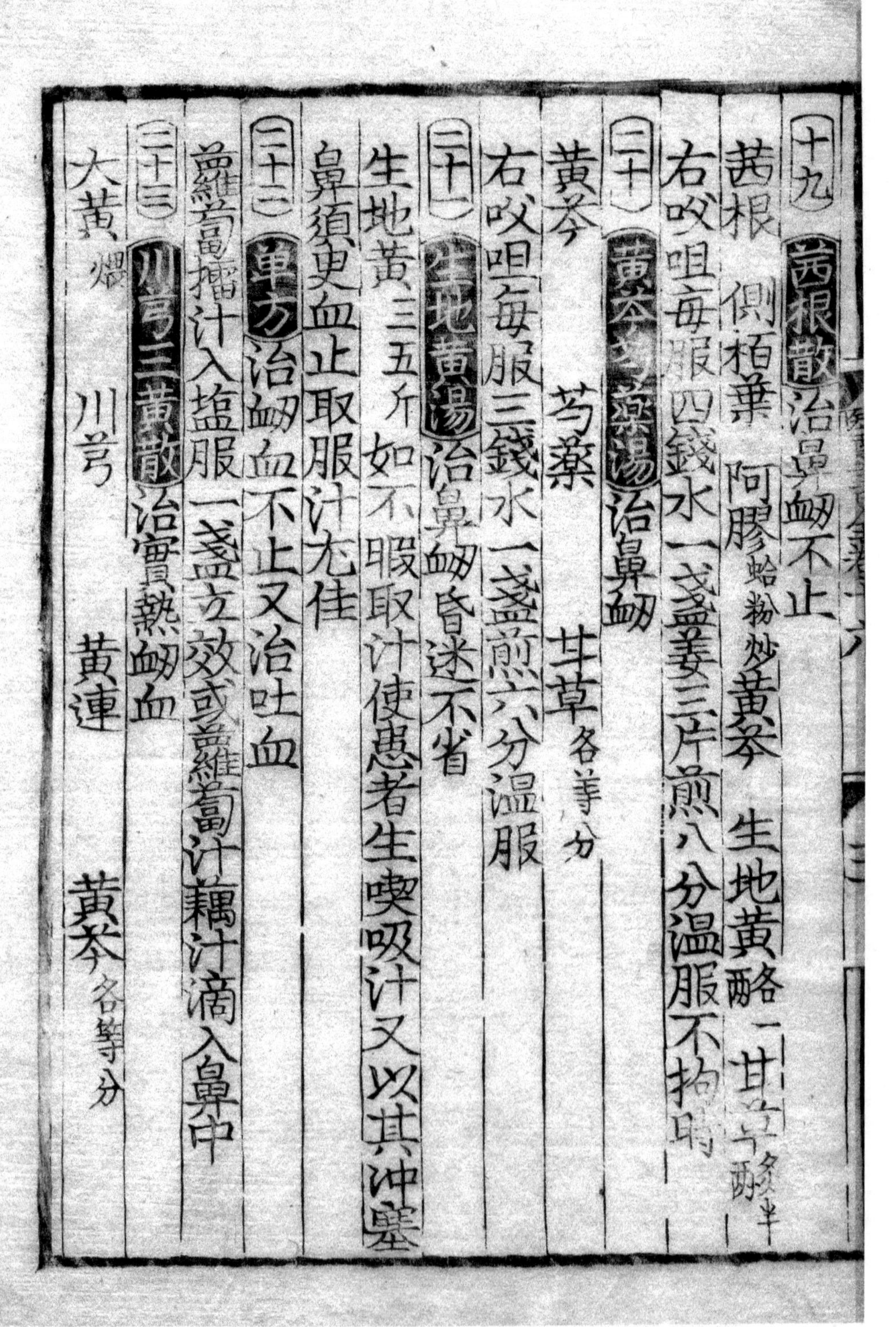

（十九）茜根散 治鼻衄不止

茜根 側柏葉 阿膠蛤粉炒 黄芩 生地黄各一 甘草各半

右㕮咀每服四錢水一盞姜三片煎八分温服不拘時

（二十）黄芩芍藥湯 治鼻衄

黄芩 芍藥 甘草各等分

右㕮咀每服三錢水一盞煎六分温服

（二十一）生地黄湯 治鼻衄昏迷不省

生地黄三五斤 如不暇取汁使患者生喫吸汁又以其沖塞

鼻須臾血止取服汁尤佳

（二十二）单方 治衄血不止又治吐血

蘿蔔擂汁入塩服一盞立效或蘿蔔汁藕汁滴入鼻中

（二十三）川芎三黄散 治實熱衄血

大黄煨 川芎 黄連 黄芩各等分

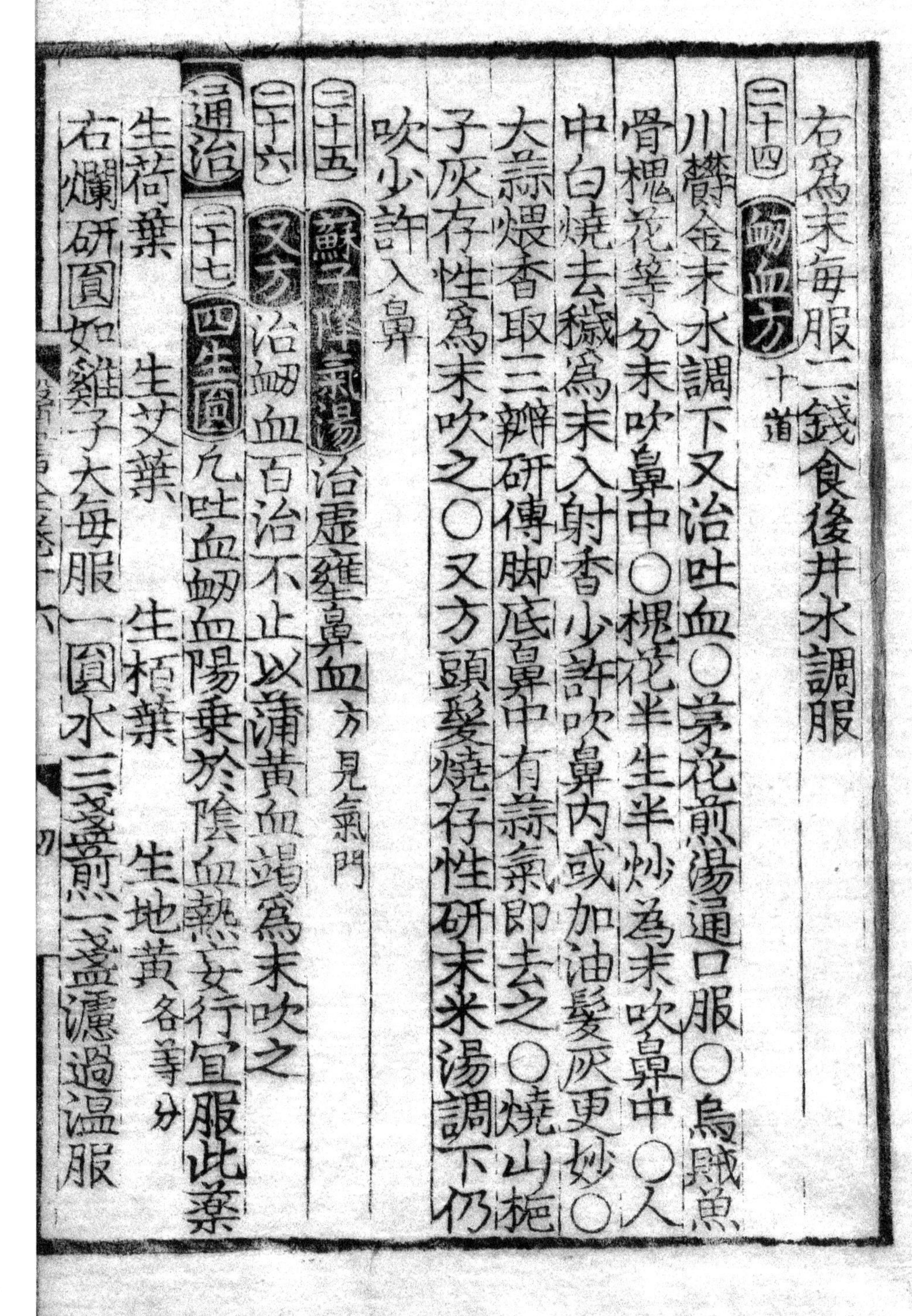

右爲末每服二錢食後井水調服

〔二十四〕衄血方 十道

川鬱金末水調下又治吐血○茅花煎湯通口服○烏賊魚骨槐花等分末吹鼻中○槐花半生半炒爲末吹鼻中○人中白燒去穢爲末入麝香少許吹鼻內或加油髮灰更妙○大蒜煨香取三瓣研傅脚底鼻中有蒜氣即去之○燒山梔子灰存性爲末吹之○又方頭髮燒存性研末米湯調下仍吹少許入鼻

〔二十五〕蘇子降氣湯 治虛壅鼻血 方見氣門

〔二十六〕又方 治衄血百治不止以蒲黃血竭爲末吹之

〔通治〕〔二十七〕四生圓 凡吐血衄血陽乘於陰血熱妄行宜服此藥

生荷葉　生艾葉　生栢葉　生地黃各等分

右爛研圓如雞子大每服一圓水三盞煎一盞濾過温服

二十八 **大阿膠圓** 治肺虛客热咳嗽咽乾多唾涎沫或有鮮血勞傷肺胃吐血嘔血並宜服之

麥門冬 去心 乾山藥 熟干地黄 五味子 杜仲 去皮炒
遠志 去心 丹參 防風 去芦各半两 貝母 炒 茯苓 去皮
阿膠 炒 茯神 去木 百部根 栢子仁 人參 去芦各一两

右為末煉蜜圓如彈子大每服一圓水一盞煎六分和滓服

二十九 **龍腦雞蘇圓** 治膈热咳嗽或吐血衄血 方載積熱門

三十 **必勝散** 治男子婦人血妄流溢或吐或咳衄血並治之

小薊 并根用 人參 去芦 蒲黄 炒 當歸 去芦
熟乾地黄 川芎 烏梅 去核各一两

右㕮咀每服四錢水一盞煎七分温服不拘時

三十一 **白及散** 治吐血衄血嘔血咯血嗽血

白及為末米飲調下一匕或井水調一匕用紙花貼鼻竅中

三十二 藕汁飲 治吐血衄血不止

生藕汁　生地黃汁　大薊汁各三合　生蜜半匙

右件藥汁調和令勻每服一小盞不拘時

三十三 犀角地黃湯 治傷寒汗下不解鬱于經絡隨氣湧泄為衄血或清道閉塞流入胃脘吐出清血如鼻衄吐血不盡餘血停留致面色痿黃大便黑者更宜服之

犀角鎊　生地黃　白芍藥　牡丹皮去木各等分

右㕮咀每服四錢水一盞煎八分溫服如潮熱發狂加黃芩大黃腹滿脉大而遲只依本方不須加減

三十四 門冬飲子 治脾胃虛弱氣促氣弱精神短少衄血吐血

人參五分　黃耆一錢　五味子五个　芍藥

甘草一錢　紫菀一錢半　當歸身　麥門冬各五分

右㕮咀分作二服水煎食後

三十五 天門冬湯 治思慮傷心吐血衄血

遠志去心甘草水煮 白芍藥 天門冬 麥門冬各去心

黄耆去芦 藕節 阿膠蛤粉炒 沒藥

當歸去芦 生地黄各一兩 人參 甘草炙各半兩

右㕮咀每服四錢水一盞姜五片煎八分温服不拘時

三十六 天門冬元 治吐血咯血大能潤肺止嗽

天門冬一兩 甘草 白茯苓 阿膠炒 杏仁炒 貝母各五錢

右為末煉蜜元如梧桐子每服一元嚥津噙化日夜可十元

三十七 黄芩芍藥湯 治虚家不能飲食衄血吐血嘔血

黄芩 白芍藥 甘草 黄芪

右等分每服三錢水一盞姜三片煎温服

三十八 黒神散 治食飽低頭掬損吐血至多并血妄行口鼻中

俱出但声未失皆效又治衄血不止

百草霜取村中燒草鍋底煤最妙爲末每服一錢糯米飲調下鼻衄搐一字如皮破出血或灸瘡出血並摻上又治舌忽然腫破乾摻之

下血

人之滋養一身惟氣與血血爲榮氣爲衛榮行脉中衛行脉外故心主血肝藏之而脾爲之統貫於氣順則血調若内因七情并酒食所傷外爲四氣相干則血氣逆亂榮衛失度皆能令人下血若風入腸胃者其脉浮下血必在糞前是名近血停積于大腸者其脉沉滯血在糞後又名遠血臟寒者其脉沉微下血無痛積熱者其脉洪數純下鮮血甚則兼痛傷濕者脉沉而遲下血如豆汁又有因氣鬱結酒色過度并過食炙膾因毒生蟲亦能令人下血又當以五臟所傷辨其證治風濕則祛之寒則

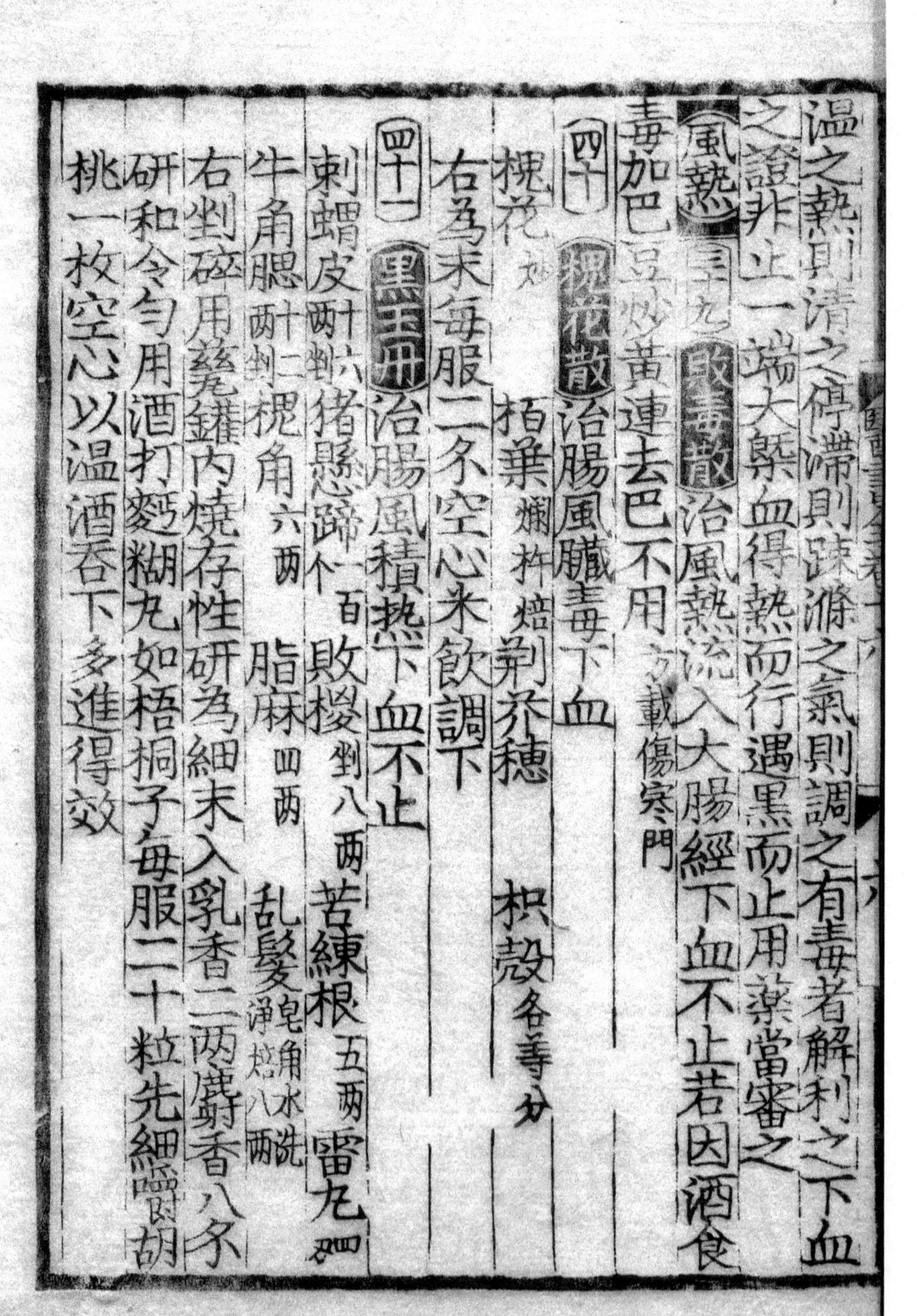

溫之熱則清之停滯則踈滌之氣則調之有毒者解利之下血之證非止一端大槩血得熱而行遇黑而止用藥當審之

〔風熱〕〔三十九〕敗毒散　治風熱流入大腸經下血不止若因酒食毒加巴豆炒黃連去巴不用　方載傷寒門

〔四十〕槐花散　治腸風臟毒下血

槐花炒　柏葉爛杵焙　荊芥穗　枳殼各等分

右為末每服二錢空心米飲調下

〔四十一〕黑玉丹　治腸風積熱下血不止

刺蝟皮十六兩剉　猪懸蹄一百个　敗棕剉八兩　苦練根五兩　雷丸四兩

牛角腮十二兩剉　槐角六兩　脂麻四兩　乱髮皂角水洗淨焙八兩

右剉碎用甕鑵內燒存性研為細末入乳香二兩麝香八錢研和令勻用酒打麪糊丸如梧桐子每服二十粒先細嚼胡桃一枚空心以溫酒吞下多進得效

四十二 **地骨皮散** 治腸風痔瘻下血不止

地骨皮　鳯眼根皮 並用懸崖中者好去土不用

右二味各等分同炒微黃色搗爲細末每服二錢空心温酒調服忌油膩物食

四十三 **槐角丸** 治五種腸風下血痔瘻脫肛下血並宜服之

槐角 去枝梗炒一兩　地榆　黄芩

當歸 去蘆酒浸一宿焙干　防風 去蘆　枳殼 去白麩炒各半兩

右為末酒糊丸如梧桐子每服三十丸空心米飲下

四十四 **腸風黑散** 治腸風下血或在糞前糞後並皆治之

荊芥 二兩燒　乱髪　槐花　槐角 各一兩燒

枳殼 去白二兩燒一兩　甘草 炙　蝟皮 炒各兩半

右将所燒藥同入甆瓶内黄泥固濟燒存三分性出火氣同甘草枳殼搗羅為末每服三錢水一盞煎七分空心服

四十五 黄連散 治腸風下血疼痛不止

黄連 雞冠花 貫衆 川大黄

烏梅各一兩 甘草炙三分

右爲末每服弍錢用温米飲調下日三服不計時候

四十六 黄連貫衆散 治腸風下血

黄連 雞冠花 貫衆 大黄各二兩

烏梅二兩 甘草三錢炙 枳殻炮 荆芥各乙兩

右爲細末二大錢温米飲下食前

四十七 加減四物湯 治腸風下血不止

側栢葉 生地黄洗 當歸酒浸去蘆 川芎各一兩

枳殻去白炒 荆芥穗 槐花炒 甘草炙各半兩

右㕮咀每服四錢水一盞薑三片烏梅少許同煎空心温服

四十八 香梅丸 治腸風臟毒下血

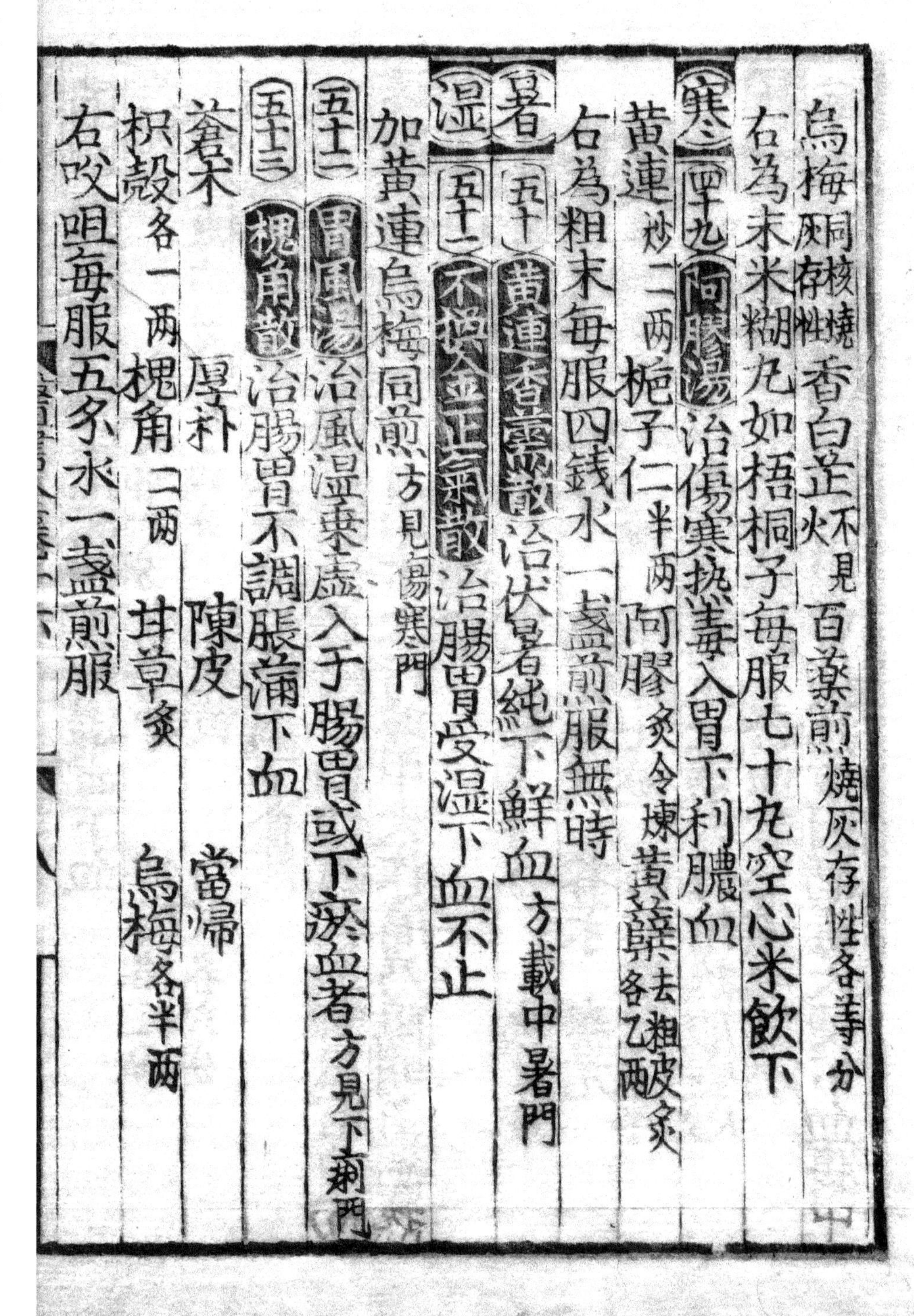

烏梅同核燒灰存性　香白芷不見火　百藥煎燒灰存性各等分

右為末米糊丸如梧桐子每服七十丸空心米飲下

寒三　四十九　**阿膠湯**　治傷寒熱毒入胃下利膿血

黃連炒二兩　梔子仁半兩　阿膠炙令燥　黃蘗去粗皮炙各乙兩

右為粗末每服四錢水一盞煎服無時

暑　五十　**黃連香薷散**　治伏暑著純下鮮血　方載中暑門

湿　五十一　**不換金正氣散**　治腸胃受湿下血不止

加黃連烏梅同煎　方見傷寒門

五十二　**胃風湯**　治風湿乘虛入于腸胃或下瘀血者　方見下痢門

五十三　**槐角散**　治腸胃不調脹滿下血

蒼朮　厚朴　陳皮　當歸

枳殼各一兩　槐角二兩　甘草炙　烏梅各半兩

右㕮咀每服五錢水一盞煎服

〔五十四〕當歸和血散　治腸澼下血濕毒下血

槐花　青皮各六分　當歸身　升麻各一分

荆芥穗六分　川芎四分　熟地黄　白术各六分

右爲細末每服二三錢清米飲調下食前

〔五十五〕升陽去熱和血湯　治腸澼下血作派其血唧出有力而

遠射四散如篩春二月中下二行腹中大作痛乃陽明氣衝熱

毒所作也當去濕毒和血而愈

生地黄　牡丹皮　生甘草各半分　熟甘草

黄耆各乙分　當歸身　熟乾地黄　蒼术　秦艽

肉桂各三分　橘皮二分　升麻七分　白芍藥乙分半

右㕮咀都作一服水四盞煎至一盞去滓稍熱服空心

〔熱〕〔五十六〕三黄丸　治三焦蘊熱下瘀血者　方載積熱門

〔五十七〕家藏方聚金丸　治腸胃積熱或因酒毒大便下血腹中

熱痛作渴脉來弦數

黄連四两 一两水浸晒干 一两炒 一两灰火炮 一两生用

黄芩　防風去芦各二两

右為末煮麪糊丸如梧桐子每服五十丸米泔浸枳殼水下不拘時冬月宜入大黄一两

（冷）（五十八）**断紅丸** 治臟腑虚寒下血不止面色痿黄日久羸瘦

側栢葉炒黄　川續断酒浸　鹿茸酥炙去毛　附子炮去皮臍

黄耆去芦　阿膠蛤粉炒成珠子　當帰去芦酒浸各一两　白礬枯半两

右為末醋煮米糊丸如梧桐子每服七十丸空心米飲下

（通治）（五十九）**伏龍肝湯** 治先糞後血謂之遠血兼治吐衄

伏龍肝半斤　甘草炙　白术　阿膠

黄芩　乾地黄各三两 千金作干姜

右㕮咀每服四錢水一盞煎熟空心服虚者加附子

六十 **蒜連丸** 治臟毒下血鷹爪黃連去鬚不拘多少為末用獨頭蒜一个煨香熟研和入臼杵極爛丸如梧桐子每服四十丸空心陳米飲下

六十一 **烏梅丸** 治大便下血不止烏梅三两燒存性為末用好醋打米糊丸如梧桐子每服七十丸空心米飲下

六十二 **結陰丹** 治腸風下血藏毒下血諸大便血疾

枳殼麩炒 威灵仙 黃耆 陳皮去白

椿根白皮 何首烏 荆芥穗已上各半两

右為末酒糊為丸桐子大每服五七十丸陳米飲入醋少許煎過放温送下

六十三 **柿乾散** 治腸風臟毒下血不止面色瘦黃腸澼痔漏疼痛並皆治之

乾柿燒存性為末每服二錢米飲下

六十四 香連丸 治冷熱不調下血如痢方載下痢門

痔漏

痔之五種牡痔腸痔血痔牝痔脉痔是也究其所因皆是素蘊熱毒或過食燒炙新酒久坐血脉不流或因七情之氣鬱結乎臟腑之間其毒不能消散發而為痔或藏於肛門之內或突出於外大者如蓮花雞冠核桃之狀小者如牛奶雞心鼠尾櫻桃之類名狀更多其實皆由臟毒所致故蘊毒深者其狀大蘊毒小者其形小或流膿水或出鮮血行坐之間病者殊為之苦又而不治血氣衰弱必然成漏今之治法多用刀綫割剔其痔雖有藥可以封固然其毒在內無由而去必有再作之理否則成漏轉而為難治之證諸方多有服食敷貼之藥今人用之少見有效揆度其理其病既有形於外非服藥之能愈必須用去毒

消痔之藥點之俟其毒盡痔消方可爲愈切不可用砒霜等毒藥恐致人奄忽慎之慎之又有無痔者肛門左右别有一竅流出膿血名爲單漏治之須用温煖之藥補其内又以生肌肉之藥敷於外其竅在皮膚者易愈臟腑有損而生竅者未易治也醫者詳審

（冷）（六十五）（釣腸丸）治新久諸痔肛門腫痛或生瘡痒時有膿血

方見脱肛門

（六十六）（黑圓子）專治久年痔漏下血用之累驗

乾姜　百草霜一两　木饅頭二两　烏梅　敗棕

栢葉　油髮各五分　巳上七味各燒存性爲末却入後件

桂心三分　白芷五分各不見火

右九味爲末醋糊圓如梧桐子空心米飲下三十圓

（熱）（六十七）（槐角圓）治五種痔瘡遠年近日並皆治之方載下血門

（六十七）寬腸丸　五灰膏塗痔瘡之後或臟腑秘結不通者用此藥寬腸

黄連　枳殼各等分

右為末麪糊丸如梧桐子每服五十圓空心米飲下

（六十八）香殼丸　治濕熱内甚因而飽食腸澼為諸痔久而成瘻

木香　黄蘗各三兩　枳殼去穰炒　厚朴各半兩

黄連一兩　蝟皮燒灰一个　當歸四兩　荆芥穗三兩

右為末麪糊為丸如桐子大每服二三十丸温水下食前

（六十九）黄耆葛花丸　治腸中久積熱痔瘻下血疼痛

黄耆　葛花　生地黄焙　黄赤小豆花各一兩

大黄　赤芍藥　黄芩　當歸各三分

蝟皮一个　檳榔　白蒺藜　皂角子仁炒各半兩

右為末煉蜜和丸如桐子大每服二十丸至三十丸煎桑白

皮湯下食前槐子煎湯下亦得

〔七十〕黄連阿膠丸 治痔癖熱調血枳殼湯送下方見痢門

〔七十一〕乳香丸 治諸痔并腸風下血肛邊或生結核腫痛或已成瘡大便艱難肛腸脫出

枳殼去白麸炒半兩 牡蠣煨半兩 乳香 白丁香各一分

蓽澄茄 大黄蒸焙 鶴虱 芫青去頭足糯米炒各半兩

右爲末粟米糊圓如梧桐子每服二十圓腸氣臘茶清下諸痔煎薤白湯下諸漏煎鐵屑湯並空心下

〔氣痔〕〔七十二〕橘皮湯 治氣痔

橘皮 枳殼 川芎 槐花炒各半兩

檳榔 木香 桃仁去皮尖 紫蘇莖葉

香附子 甘草各二錢半

右剉散每服三錢水一盞半姜三片棗一枚煎溫服

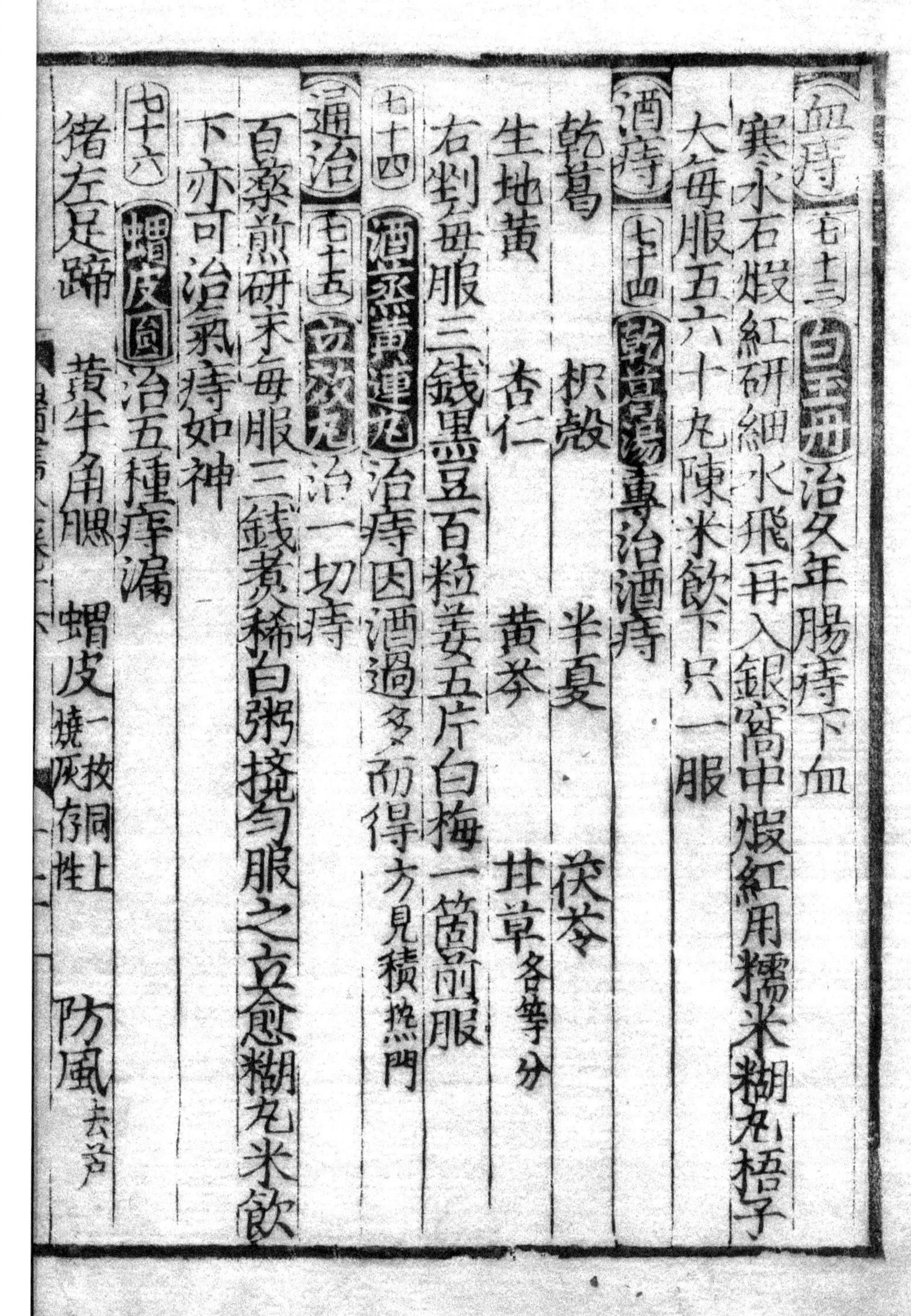

〔血痔〕七十三 白玉丹 治久年腸痔下血

寒水石煆紅研細水飛再入銀窩中煆紅用糯米糊丸梧子大每服五六十丸陳米飲下只一服

〔酒痔〕七十四 乾葛湯 專治酒痔

乾葛　枳殼　半夏　茯苓

生地黄　杏仁　黄芩　甘草各等分

右剉每服三錢黑豆百粒姜五片白梅一箇煎服

七十四 酒蒸黄連丸 治痔因酒過多而得方見積熱門

〔通治〕七十五 立效丸 治一切痔

百藥煎研末每服三錢煮稀白粥攪勻服之立愈糊丸米飲下亦可治氣痔如神

七十六 蝟皮圓 治五種痔漏

猪左足蹄　黄牛角䚡　蝟皮一枚同上燒灰存性　防風去芦

貫衆　槐角子炒　鱉甲醋炙各半两　枳殼去白生用
雞冠花　槐花炒　黄耆去芦　雷丸　黄連
香白芷　當歸酒洗去芦　油髮灰　玄參　麝香別研半分
右為末，米糊圓如梧桐子，每服百圓，空心以米飲湯送下。年高并虚弱者不宜服。

（七十七）**榼藤子丸**　治腸風下血痔漏結核疼痛
茴香炒　榼藤子一个重七分者，酥炙和皮用　皂角刺燒存性　枯白礬
枳殼去白麩炒　樗皮焙干各半两　白附子炮　乳香二分半　蝟皮燒存性五分
右為末，醋煮麪糊丸如梧桐子，每服五十圓，空心溫酒下。如痔瘡痛，醋研五七圓塗患處。

（七十八）**五灰散**　治五種痔，不問內外，並宜服之。
鱉甲治牡痔　蝟皮治牝痔　蜂房治脉痔　蛇蜕治氣痔
猪左足懸蹄甲治腸痔　各等分

右燒存性隨證倍用一分爲末井花水調一二匙空心卧時服

（七十九）【木鱉散】槐花　荆芥　枳殼　艾葉同煎水入白礬熏洗

（八十）【熏洗法】木鱉子　白藥煎等分每一捣布裹煎湯以桶盛之蓋上穴一竅先以氣熏後通手洗

（八十一）【繫痔】用白芷煮白苧作線快手緊繫痔上雖痛不妨其痔自然乾落七日安

（八十二）【繫痔法】（又法）用芫花汁浸線一日夜用線繫痔如上法亦可繫瘤

（八十三）【槐白皮膏】治内外諸痔久年不愈者

（敷法）槐白皮　楝實各五兩　赤小豆二合　桃仁六十枚　當歸三兩　甘草　白芷各二兩

右㕮咀以煎成豬膏一斤微火煎至黄色藥可成膏以貼瘡

（八十四）【蒲黄散】治下部痔漏

蒲黃一兩　血竭半兩

右爲細末每用少許貼患處

八十五　蝸牛膏　敷痔有效蝸牛一枚麝香少許用小砂合子盛蝸牛以麝香摻之次早取汁塗痔處

八十六　五灰膏　治臟腑一切蘊毒發爲痔瘡不問遠年近日形似雞冠蓮花核桃牛乳或內或外並皆治之此方親傳之專科劉叔茂累試皆驗不敢自秘

蕎麥灰半斗許　荊柴　老杉枝　山白竹　鄭柴

以上四般柴竹截作二尺許長以斧劈破成片各取一束曬乾於火上燒過置擾內爲炭防爲灰所化候燒盡却以水於窩內煮出炭汁又用酒漏以花帛實其竅置蕎麥灰於酒漏內以所煮四般炭汁淋之然後取汁於窩內慢火熬汁約取一小椀候冷入石灰国用稠和成膏以瓷瓶貯之上用石灰

傅面不令走氣臨用時却去石灰以冷水調開令病者以水洗洗淨痔瘡仰卧搭起一足先以濕紙於瘡四圍貼護却用竹篦挑藥塗痔上須臾痛息用紙揩去藥再塗如此三四遍要痔瘡如墨樣黑方止以水洗淨每日常置冷水一盆以葱湯和之日洗三五遍六七日後膿穢出盡其瘡自消

脫肛

肺與大腸為表裏故肺臟蘊熱則肛門閉結肺臟虛寒則肛門脫出此三因之論又有婦人產育用力過多及小兒久痢後臟寒皆能使肛門突出治之必須溫肺臟補腸胃久則自能收矣

【通治】（八十七）**鈎腸圓** 治內外諸痔及肛門腫痛或下膿血腸風下血以致肛門脫出並宜服之

瓜蔞二個燒存性　胡桃仁二十五個不油者就罐內燒存性　綠礬枯　白附子

雞冠花(炒各五兩) 枳殼(麸炒去白) 附子(炮去皮尖生) 訶子(煨去核各二兩)
白礬(枯) 半夏 天南星(各一兩) 蝟皮(兩个罐內燒存性)
右爲末以醋煮麪糊圓如梧桐子每服三十圓空心温酒下

(八十八)**聖散子** 治小兒脫肛不收用浮萍草不以多少杵爲細
末乾貼患處

(八十九)**蝟皮散** 或肛門或因洞泄或因用力大過脫出不收
蝟皮(一个燒存性) 磁石(煅) 桂心(各半兩)
右爲末每服二錢米飲空心調下肘後方治女人陰脫加鱉
頭一枚燒灰研入

(九十)**治脫肛** 以槐花槐角各等分炒黃爲末用羊血蘸藥炙
熟食之以酒送下以猪膗去皮蘸藥炙服亦可

(九十一)**紫蕺膏** 治臟熱肛門脫出以紫背蕺一大握又名魚腥
草擂爛如泥先用朴消水洗淨肛門用芭蕉葉托入却用藥

於臀下貼坐自然收入

(九十一)以貼木荷葉煎水浸洗可收

浸洗法

(九十二)文蛤散 治脱肛

右以文蛤為末煎汁入白礬蛇床子尤佳浸洗後用赤石脂末摻在芭蕉葉上頻用手托入或肛長尺餘者以兩床相接中空一尺以甕瓶盛藥水滿架起與床平令病者仰卧以所脱肛腸浸在瓶中時換藥逐日浸縮盡為度

(九十三)又方 採艾葉濃煎湯浸之即收

(九十四)香荊散 治肛門脱出大人小兒悉皆治之

香附子　荊芥穗各等分

右為末每服三匙水一大椀煎熱淋洗又方用五倍子為末每用三錢入白礬一塊水二椀煎洗立效又方用木賊不以多少燒存性為細末摻肛門上按入即愈

遺尿失禁

人之漩尿藉心腎二氣之所傳送蓋心與小腸為表裏腎与膀胱為表裏若心腎气虧陽氣衰冷傳送失度則必有遺尿失禁之患故經云膀胱不利為癃不約為遺是也治之宜補煖下元清心寡欲又有產蓐不順致傷膀胱及小兒胞冷俱能令人遺尿失禁又當隨證施治

（通治）（九十五）二氣丹 治內虛裏寒膀胱積冷陽氣漸微小便不禁

硫黃細研 肉桂去皮為末各一分 乾姜炮為末 朱砂研為袜各二 附子一枚大者炮去皮臍為末半兩

右以麪糊為丸如梧桐子每服五十丸鹽湯空心下

（九十六）秘元丹 治內虛裏寒自汗時出小便不禁

白龍骨三兩 訶子十枚去核 縮砂一兩去皮 靈砂二兩

右為末煮糯米粥丸如梧桐子每服五十丸空心塩酒下

九十七 [illegible]韭子丸 治大人小兒下元虛冷小便不禁或成白濁

常服補養元氣進美飲食

家韭子炒六两　鹿茸四两酥炙　蓯蓉酒浸　牛膝酒浸

熟地黄　當歸各二两　巴戟去心　兎絲子酒浸各一两半

杜仲去皮炒　石斛去苗　桂心　乾姜炮各一两

右為末酒糊圓如梧桐子每服一百圓空心塩湯溫酒任下

九十八 茯苓圓 治心腎俱虛神志不守小便淋瀝不禁

小兒須作小圓服之

赤茯苓　白茯苓各等分

右為末以新汲水挼洗澄去新沫控干别取地黄汁与好酒

同於銀石器内熬成膏搜和圓如彈子大空心塩酒嚼一圓

九十九 雞内金散 治遺尿失禁

雞肶胵一具并腸淨洗燒為灰男用雌者女用雄者

右研為末每服二錢酒飲調服

一百 兎絲子圓 治小便多或致失禁

兎絲子酒淘淨酒蒸 牡蠣煆取粉 附子炮去皮 五味子

鹿茸酒炙各一兩 肉蓯蓉酒浸二兩 雞膍胵炙 桑螵蛸酒炙半兩

右為末酒糊丸如梧桐子每服七十丸空心鹽湯鹽酒任下

百一 治小便遺失

阿膠炒珠子 牡砺煆 鹿茸酒炙 桑螵蛸酒炙各等分

右為末糯米糊丸如梧桐子每服五十粒空心鹽酒下

百二 桑螵蛸散 治男子小便頻数如稠米泔色此由勞傷心腎得之有服此藥不終剤而愈大能安神定志

桑螵蛸鹽水炙 遠志去心 菖蒲鹽炙 龍骨

人參 茯神 當歸 鱉甲醋炙各等分

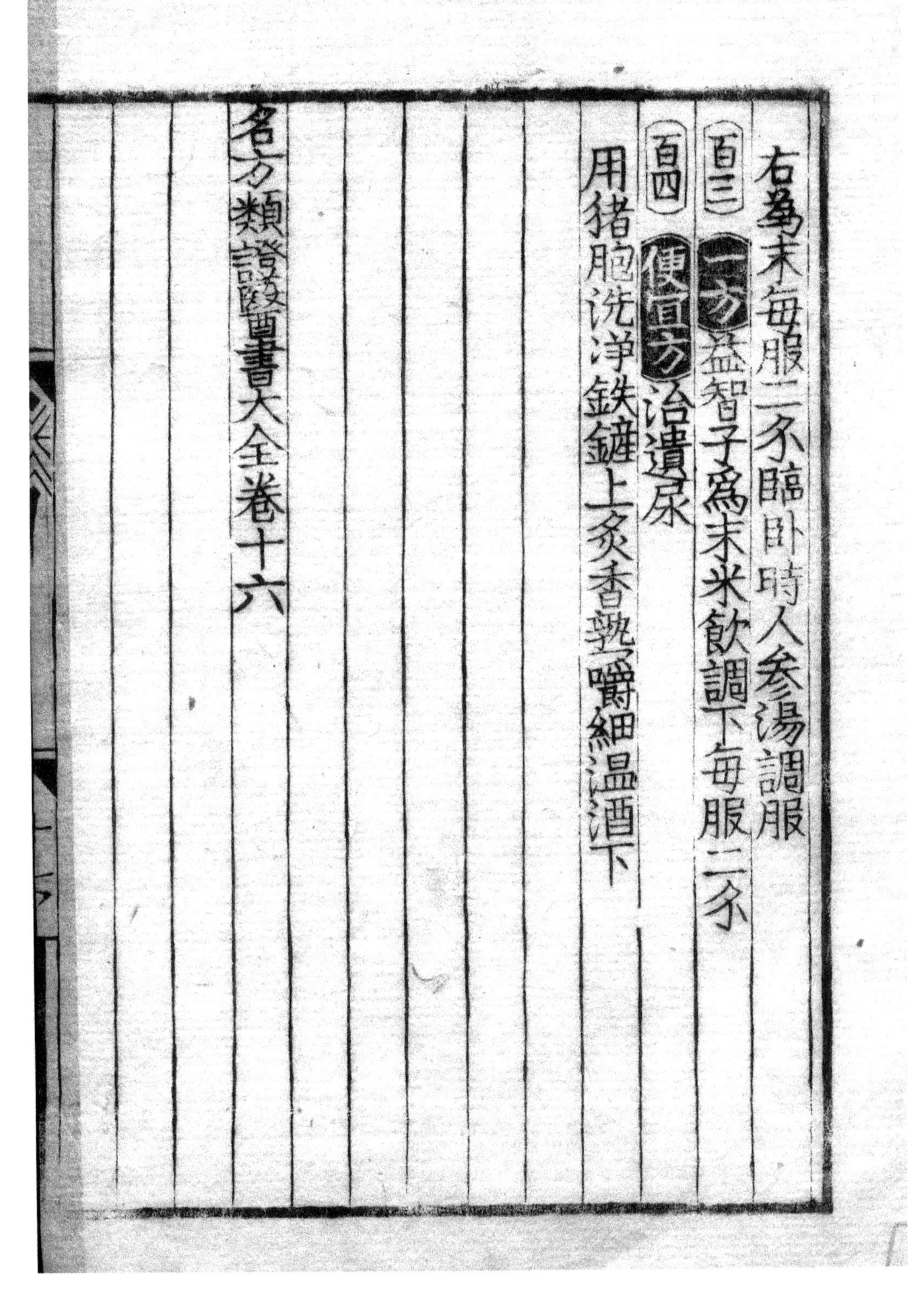

右爲末每服二錢臨卧時人参湯調服

百三　一方　益智子爲末米飲調下每服二錢

百四　便宜方　治遺尿

用猪胞洗淨鐵鏟上炙香熟嚼細温酒下

名方類證醫書大全卷十六

名方類證醫書大全卷十七

鼇峯　熊　宗立　道軒　編集

五臟內外所因證治 肝心脾肺腎

人身之有形於外者必有諸內故五臟之受病於內而發於外者必見之眼耳鼻舌口牙之間心經蘊熱則口舌生瘡脣口裂折脾與胃相通故受熱則噫氣臭穢腎受冷則耳不能聽或熱風則牙痛頷腫肺受風邪則皮毛瘙痒積毒則發為癰疽肝受病則目不能視髮乃血之餘焦枯者血不足也此皆病在內而應乎外也凡有其證必須考其所自來辨其冷熱虛實治之

（肝因）（一）枳殼煮散　治悲哀傷肝氣痛引兩脇

防風去芦　川芎　細辛　枳殼麸炒

桔梗四兩炒各　甘草炙二兩　乾葛一兩半

右㕮咀每服四錢水一盞姜三片煎七分空心服

（二）柴胡散　治肝氣實热頭疼目眩眼赤心煩

柴胡去芦　地骨皮去木　玄参　羚羊角鎊

甘菊花去梗　赤芍藥　黄芩各一兩　甘草炙半兩

右㕮咀每服四錢水一盞姜五片煎八分温服不拘時

（三）真珠丸　治肝經為風邪所干卧則魂散而不守狀若驚悸方見風門

（四）治肝積氣滞在左脇下遇病作則左边手足頭面昏痛

乾葛一兩　麻黄三分　側子一个　川芎　甘草　羌活

防風　枳实　芍藥　桂枝　當歸各四兩

右㕮咀每服四錢水一盞姜三片煎七分热服有汗避風

（五）[illegible]散　治肝氣不足兩脇疼痛

枳实一兩　白芍藥炒　雀腦芎　人参各半兩

右爲末每服二錢姜鹽湯酒任下

〔六〕**桂枝散** 治因驚傷肝兩脇疼痛

枳殼一兩小者　桂枝半兩

右爲末每服二錢姜棗湯下

〔膽因〕

〔七〕**瀉膽湯** 治膽实热惡寒腹滿脇下堅硬口苦咽乾

半夏三兩湯洗七次　酸棗仁二兩半　生地黄五兩　黄芩一兩

遠志去心姜汁合炒　茯苓各二兩　甘草炙一兩

右㕮咀每服四錢水一盞炒糯米一捻姜七片煎服

〔八〕**酸棗仁园** 治膽氣实热煩悶不睡

茯神去木　酸棗仁炒　遠志去心炒　柏子仁炒別研

防風去芦各一兩　生地黄洗　枳殼去白麸炒各半兩　青竹茹二錢半

右爲末煉蜜园如梧桐子每服七十园不拘時熟水下

（九）茯神湯　治膽氣虛冷頭痛目眩心神恐畏遇事多驚

茯神 去木　黄耆 去芦　五味子　栢子仁 炒各一两　人参

酸棗仁 炒　白芍藥　熟地黄 洗　桂心 火不見　甘草 炙各半两

右㕮咀每服四钱水一盞半姜五片煎八分服不拘時

心因（十）瀉心湯　治心經实热瘡瘍發渴煩悶喘急

黄連 去鬚二两　半夏 三两湯洗七次　黄芩

甘草 炙　人参　乾姜 炮各一两

右㕮咀每服四钱水一盞棗三个煎七分服

（十一）治心脾壅热生木舌腫脹

玄参　升麻　大黄　犀角 各七钱半　甘草 半两

右為末每服三钱水一盞煎五分温服

（十二）玄参升麻湯　治心脾壅热舌上生瘡顋頰腫痛

玄参　赤芍藥　升麻　犀角

桔梗去芦　貫衆洗　黄芩　甘草炙各等分

右㕮咀每服四錢水一盞姜五片煎八分温服

（十三）**兼氏清心圓**心受邪热精神恍惚狂言叫呼睡卧不寧

人参　蝎梢　鬱金　生地黄

天麻　天南星為末入黄牛膽内令滿掛當風处吹乾臘月造要用旋取各等分

右為末湯浸蒸餅和圓如梧桐子每服三十圓人参湯下

（十四）**茯苓補心湯**治心氣虛耗方見心痛門

（脾因）（十五）**良姜拈痛散**治脾疼

良姜切細先用呉茱萸慢火炒次入東壁向日壁土不經雨者同炒再以米醋同炒至茱萸黑為度

右只用良姜為末每服一錢空心米飲調服

（十六）**直指方桂花散**治脾積氣痛

香附子五兩炒去毛　蓬术醋煮焙　良姜　桂花　甘草炙各一兩

右為末每服二錢空心沸湯盐點服

（十七）陳茱萸方 治脾氣虛痛不可忍

陳茱萸二兩半 蚌粉炒赤 浮椒各一兩

右爲末醋糊圓如梧桐子每服二十圓温酒塩湯任下

（十八）治脾疼用荔枝核爲末每服二錢熱醋湯調下

（十九）東京王先生治脾疼方

巴豆麩炒黄去殼 杏仁二炒黄 牽牛各半兩炒黄 陳皮一兩去白炒黄

右爲末醋糊圓如菉豆大每服十圓生姜湯下婦人血氣醋湯下産後氣痛艾湯下五圓酒食傷隨物下

（肺因）（二十）葶藶散 治肺癰咳唾膿血喘急方見喘急門

（二十一）升麻湯 治肺癰吐膿血作臭氣

升麻 桔梗 薏米 地榆

黄芩 牡丹皮 芍藥各五分 甘草七分半

右㕮咀每服五錢水一盞煎日三服

二十二 桔梗湯 治肺癰咳唾膿血咽乾多渴 方載咳嗽門

二十三 排膿散 治肺癰得吐膿後以此藥排膿補肺用綿黄耆二两生爲末每服三錢水一盞煎溫服

二十四 栢子仁湯 治肺氣虛寒兩脇脹滿

栢子仁炒　白芍藥　茯神去木　防風去芦　桂心不見火
當歸去芦酒浸　芎藭　細辛洗去土葉　附子炮去臍　甘草炙半两

右㕮咀每服四錢水一盞姜五片煎七分溫服不拘時

二十五 棗膏圓 治肺積在右脇下大如杯發爲癰疽

陳皮　桔梗　葶藶炒別研各等分

右前二味爲末入葶藶研勻煮棗肉和圓如梧桐子每服五七圓米飲送下

腎因 二十六 玄參湯 治腎臟實熱心下煩悶耳聽无声腰脊強痛

五加皮去木　生地黄　玄參　黄芩　羚羊角

石菖蒲　赤茯苓　通草　甘草炙　麥門冬去心各等分

右㕮咀每服四錢水一盞姜五片煎八分不拘時服

（二十七）椒附圓　治腎氣上攻頭項不能轉移以大附子一枚炮去皮臍為末每用二錢以椒二十粒用白麪填滿椒口水盞半姜七片煎七分去椒入塩空心點服

眼目

人之有兩眼猶天之有兩曜視萬物察纖毫何所不至日月有一時之晦者風雲雷雨之所致也眼之失明者四氣七情之為害也大抵眼目為五臟之精華一身之至要故五臟分五輪八卦名八廓五輪者肝屬木曰風輪在眼為烏睛心屬火曰血輪在眼為二眥脾屬土曰肉輪在眼為上下胞肺屬金曰氣輪在眼為白睛腎屬水曰水輪在眼為瞳子至若八廓無位有名膽

之腑為天廓膀胱之腑為地廓命門之腑為水廓小腸之腑為火廓腎之腑為風廓脾胃之腑為雷廓大腸之腑為山廓三焦之腑為澤廓此雖為眼目之本根而又藉血為之包絡五臟或蘊積風熱或有七情之氣鬱結不散上攻眼目各隨五臟所屬而見或腫而痛羞澁多淚或生障膜昏暗失明其證七十有二治之須究其所因風則驅散之熱則清凉之氣結則調順之切不可輕用針刀點割偶得其愈出乎僥倖儻或不然為終身之害又且不可過用凉劑恐冰其血脉凝而不流亦成痼疾當量人老少氣體虛實用藥又有腎虛者亦能令人眼目無光或生冷翳止當補煖下元滋其腎水北方之人患眼最多皆是日冒風沙夜卧熱炕二氣交蒸使然治之多用凉藥北方禀受與南方不同故也疹豆之後毒氣鬱於心肝二經不能自已發於眼目傷于瞳人者素無治法

〔肝風熱〕〔二十八〕〔明目流氣飲〕治肝經不足内受風熱上攻眼目視物不明常見黑花當風多淚隱澁難開或生障翳婦人血風時行暴赤一切眼疾並皆治之

大黄　牛蒡子炒　川芎　菊花去枝　白蒺藜炒去刺
細辛去苗　防風去苗　玄參去芦　山梔去皮　黄芩去芦
甘草炙　蔓荆子　荆芥去梗　木賊去根節各一两
草決明一两半　蒼术米泔浸炒二两

右爲末每服二錢臨卧用冷酒調下

〔二十九〕曾帥幹家傳〔車前散〕治肝經積熱上攻眼目逆順生翳血灌瞳人羞明多淚

密蒙花去枝葉　羌活　菊花去枝葉　白蒺藜炒去刺　粉草
草決明　車前子各炒　黄芩　龍膽草淨洗各等分

右爲細末每服二錢食後飯湯調服

三十　地黃圓　治肝經風熱上攻眼目澁痛不可用補藥者

熟乾地黃 兩半　黃連　決明子 各一兩　沒藥

光明朱砂　甘菊花　防風　羌活　桂心 各半兩

右爲末煉蜜丸如梧桐子每服三十丸食後熟水下

三十一　決明子散　治風毒上攻眼目腫痛或卒生翳膜或赤澁胬肉或痒或痛羞明多淚

黃芩　甘菊花 去梗　木賊　決明子

石膏　赤芍藥　川芎　川羌活 去芦

甘草　蔓荊子　石決明 各一兩

右爲末每服三錢水一盞姜五片煎至六分食後服

三十二　荊芥散　治肝經蘊熱眼目赤腫

荊芥穗　當歸　赤芍藥 各一兩半　黃連 一兩

右㕮咀每服三錢水一盞煎三沸濾去滓洗病眼

（三十三）芎藭圓　治遠視不明常見黑花久服明目有功

芎藭　菊花　荊芥　薄荷

甘草各一兩　蒼术二兩米泔浸

右為末煉蜜丸如梧桐子每服五十丸食後茶清下

（三十四）撥雲散　治男子婦人風毒上攻眼目昏暗翳膜遮睛怕日羞明一切風毒眼疾並皆治之

羌活　防風　柴胡　甘草炒各一斤

右為末每服二錢水一盞煎食後溫服薄荷清調茶并菊花茵煎湯皆可服忌諸毒物

（三十五）蟬花散　治肝經蘊熱毒氣上攻眼目赤腫多淚羞明一切風毒傷肝者並宜服之

穀精草去土　菊花去梗　蟬蛻淨洗去土　羌活　甘草炒

白蒺藜炒去刺　草决明炒　防風去芦　山梔子去皮　川芎不見火

蜜蒙花（去枝） 木賊 荊芥穗 黄芩 蔓荊子（各等分）

右為末每服二錢食後用茶清調服或荊芥湯調亦可

〔三十六〕**菊花散** 理肝受風毒眼目赤腫昏暗羞明多淚澀痛

菊花（去枝六兩） 羌活（去芦） 白蒺藜（炒去尖） 木賊（去節） 蟬脫（去頭足翅各三兩）

右為末每服二錢食後茶清調下

〔三十七〕**洗肝散** 治風毒上攻暴作赤目腫痛難開隱澀眵淚

薄荷（去梗） 當歸 羌活 防風（各去芦）

山梔子仁 甘草 大黄 川芎（各二兩）

右為末每服二錢食後熟水調下

〔三十八〕**蜜蒙花散** 治風氣攻注兩眼昏暗眵淚羞明并暴赤腫痛

蜜蒙花（揀淨） 石決明（用塩同東流水煮一伏時出研粉）

白蒺藜（炒去尖） 木賊 羌活（去芦） 菊花（去枝各等分）

右為末每服一錢臘茶清食後調下

（三十九）蟬花無比散 治大人小兒風毒傷肝或爲氣攻一切眼目昏暗漸生翳膜及久患頭風牽搐兩眼漸漸細小連眶赤爛小兒瘡疹入眼白膜遮睛赤澁隱痛並皆治之

茯苓 甘草炙 防風去蘆各四兩 石決明鹽水煮一研如粉

川芎 羌活 當歸洗焙各三兩 芍藥赤者十三兩

蒺藜炒去皮半斤 蟬退去頭足翅二兩 蒼朮泔浸炒十二兩 蛇蛻炙一兩

右爲末每服三錢食後米泔調服茶清亦得忌毒食等物

（四十）羊肝圓 治肝經有熱目赤睛疼視物昏澁

羊肝一具生用 黃連去鬚別研爲末

右先將羊肝去筋膜於沙盆內擣爛入黃連末拌和圓如梧桐子每服五十圓用熟水送下不拘時和劑方用白羊子肝

（四十一）明眼地黃圓 治男子婦人肝虛積熱上攻眼目翳膜遮請羞澁多淚此藥多治肝腎兩經俱虛風邪所乘并治暴赤熱眼

牛膝去芦酒浸三两　石斛去苗　枳殼去白麵炒　杏仁去皮尖炒去油研

防風去芦四两　生地黃　熟乾地黃洗焙各一斤

右為末煉蜜圓如梧桐子每服三十圓食前鹽湯溫酒任

四十二　湯泡散　治肝經不足風熱上壅眼目赤澁睛疼多淚

赤芍藥　當歸洗焙　黃連去鬚各等分

右為末每服二錢用極滚湯乘熱熏洗冷即再溫日三五次

肝氣虛　四十三　養肝圓　治肝血不足眼目昏花或生眵淚

當歸去芦酒浸　車前子酒蒸焙　防風去芦　白芍藥

蕤仁別研　熟地黃酒蒸焙　川芎　楮實各等分

右為末煉蜜圓如梧桐子每服七十圓熟水送下

心經熱　四十四　七寶洗心散　治風壅痰滯心經積熱邪氣上衝眼

澁睛痛或腫或赤迎風多淚怕日羞明並皆治之方載積熱門

四十五　曾帥幹家傳　瀉赤散　治心臟積熱上攻眼目兩眥浮腫

血侵白睛差明洒淚

牛蒡子炒 揄子 槐子炒 生乾地黄 黄芩各等分

右爲末食後麥門冬湯調二錢服

肺家熱（四十六）**桑白皮散** 治肺壅塞毒氣上攻眼目白睛腫脹日夜疼痛

玄參 桑白皮 枳殼去白麸炒 川升麻

杏仁去皮 旋覆花去梗 防風去芦 赤芍藥

黄芩 甘菊花去梗 甘草炙 甜葶藶炒各等分

右㕮咀每服四錢水一盞薑三片煎至八分食後温服

腎虚（四十七）**補腎圓** 治腎氣不足眼目昏暗瞳人不明漸生内障

磁石煅醋淬七次水飛過 兎絲子酒蒸各二兩 五味子

熟地黄酒蒸 枸杞子 楮實子 覆盆子酒浸 肉蓯蓉酒浸

車前子酒蒸 石斛去根各一兩 沉香别研 青塩半兩别研各

右爲末煉蜜圓如梧桐子每服七十圓空心塩湯下

（四十八）曾帥幹家藏**杞苓圓**專治男子腎臟虚耗水不上升眼目昏暗遠視不明漸成内障

白茯苓八两去皮　真枸杞四两酒浸蒸　當歸二两酒洗

青塩一两别研　兎絲子酒浸蒸二两

右爲細末煉蜜圓如梧桐子食前湯下七十圓

（四十九）治腎經虚冷水候不升不能上蔭肝木致令眼目昏暗或赤或澁痛痒无時

川芎　荆芥　天麻　茯苓　石斛

川烏　烏薬　牽牛　當歸各等分

右爲末煉蜜丸如豆大朱砂爲衣每服一丸薄苛茶嚼下

（腎虚）（五十）**加減駐景圓**治肝腎氣虚两目昏暗視物不明

車前子炒二两　熟地黄洗　當歸去尾各五两　楮實子无翳膜則勿用

川椒（炒出汗去毒各一兩） 五味子 枸杞子（各一兩） 兎絲子（酒製半斤）
右爲末蜜糊丸如梧桐子每服三十丸食前溫酒鹽湯任下

（五十一）四生散 治肝腎風毒上攻眼赤痒痛不時羞明多淚
方載中風門

（五十二）曾師幹家傳五味子圓 治心肝二經蘊積風邪并腎臟虛耗眼目昏暗或生翳膜
阿膠（蚌粉炒） 熟地黃（洗各一兩） 白茯苓（去皮） 麥門冬（去心各半兩）
山藥 五味子（炒各二兩） 貝母（炒） 栢子仁
人參 百部 茯神（去皮木） 遠志（去苗取根上皮）
防風（去蘆各一兩） 杜仲（去皮二兩薑汁浸炒去絲）
右爲細末煉蜜圓如彈子大食前薑湯嚼下一圓

（五十三）菊睛圓 治肝腎不足眼目昏暗常見黑花多有冷淚
枸杞子（三兩） 蓯蓉（酒浸炒二兩） 巴戟（去心一兩） 甘菊花（揀四兩）

右爲末煉蜜圓如梧桐子每服五十圓温酒鹽湯食後下楊氏家藏方加五味子三兩

暴赤　五十四　洗方　治暴赤熱腫眼

黃連　黃栢　赤芍藥　杏仁各等分

每一錢用水少許入銅錢一箇磁楪盛甑內蒸以青絹片子蘸藥汁點眼洗之

五十五　治暴赤眼初發用升麻葛根湯三貼每貼加蟬蛻七箇作三服如未退用敗毒散加大黃又不退却用五膈寬中散酒調墜下氣氣順則平矣

瞖翳膜　五十六　白龍散　去瞖膜明眼目用川芒硝五兩取真白如雪者置銷金銀鍋子內以新瓦蓋用熟炭火於磚外慢慢熬鎔清汁以鉄鉗鉗出鍋傾藥汁在別器中凝潔如玉色者方好研令極細入龍腦各等分用點退瞖翳膜或吹入鼻中立有神效

（五十七）（家藏方捲簾散）治久新病眼昏澁難開翳膜遮睛或成
努肉或暴發赤眼腫痛並皆治之
炉甘石四两碎　黄連六分搥碎以一椀煮數沸除去滓
朴消半两細研
以上先將炉甘石末入甘鍋內開口煅令外有霞色為度次
將入黄連朴消水中浸飛過候乾又入黄連半分水飛過再
候乾次入
白礬三分生用一半飛過一半　胱粉別研一字
黄連末半两　青塩　膽礬各七分　白丁香別研
乳香別研　鉛白霜各一字　銅青七分　硇砂別研一字
右為末同前件藥合和令匀每用少許點眼
（風眩）（五十八）（銅綠膏）治風眩爛痒
銅青枯礬等分為末以白梅肉拌擣成丸如雞頭大甆內蒸

過常用挨目眩痒処

五十九 洗方 治爛眩風赤眼

五倍子 蔓京子 同煎水澄清洗目

六十 治爛眩風眼目痒痛時常出淚

黄連 淡竹葉各一兩 柏樹皮三兩一半生一半乾

右㕮咀水二升煎五合稍冷用滴洗兩目爛処

六十一 治爛眩風用覆盆子葉不拘多少日乾擣爛如粉以綿裹之須用男孩乳汁浸少時點眼中

六十二 家藏方黄連散 治肝受風熱眼弦赤爛

乳香一分半別研 黄連半兩去鬚 荆芥一百穗 燈心一百莖

右㕮咀每用二分水一盞煎至一盞濾去滓熱洗

點法

六十三 黄連膏 治一切眼目淚肉攀睛風痒淚落不止

黄連半斤 朴硝一斗以水半瓶淘淨去土焙干用

白丁香 五升以水一甌淘淨去土研細用

右取水朴硝香釜内熬至七分淘出令經宿水面浮牙者取出控乾以紙袋子盛風中懸至風化將黄連細末熬清汁撚乾硝用猪羊膽和加蜜點之效矣

（六十四）碧霞丹 點一切惡眼風赤者

龍腦　麝香　硇砂各二匁　没藥

血竭　乳香　銅青各一匁　鵬砂三匁

右爲末滴水和丸如梧桐子大用一丸新水化開點之立效

明眼（六十五）千金神麯圓 明眼目百歳可讀細書常服有功

神麯四两　磁石二两煅醋焠　光明朱砂一两

右爲末煉蜜圓如梧桐子每服二十丸食後米飲下

耳

夫耳者腎之所候腎者精之所藏腎氣實則精氣上通聞五音而聰矣若疲勞過度精氣先虛於是乎風寒暑濕得以外入喜怒憂思得以內傷遂致聾聵耳鳴熱氣加之出血出膿則成聤耳底耳之患候其顴頰色黑者知其耳聾也亦有手少陽之脉動厥而聾內則煇煇焞焞也手太陽脉動厥而聾者耳內氣滿也大抵氣厥耳聾尚易治精脫耳聾不易愈諸證既殊治各有法

〔虛證〕〔六十六〕〔補腎圓〕治腎虛耳聾

山茱萸　芍藥　乾姜炮　巴戟　蓯蓉酒浸
澤瀉　桂心　兔絲子酒浸　遠志去心　人參
黃耆　細辛　石斛　乾地黃　甘草
附子炮　蛇床子　當歸　牡丹皮各二兩
羊腎二枚　茯苓半兩　防風一兩半　菖蒲一兩
右為末以羊腎研細酒煮麪糊圓如梧桐子鹽酒下五十圓

（六十七）蠟彈圓　治兩耳虛聾
白茯苓二兩　山藥炒三刃　杏仁炒去皮尖兩半　黄蠟二兩
右以前三味為末研匀鎔蠟為圓如弾子大塩湯嚼下
（六十八）治耳聾久不聞者
全蝎黄色全小者四十九个　生姜切如蝎大四十九片
右用銅鉄器炒姜乾為細末只作一服臨卧温酒調下
（六十九）蓯蓉圓　治腎虚耳聾或風邪入於經絡耳内虚鳴
肉蓯蓉酒浸切焙　山茱萸去核　石龍芮　石菖蒲
兎絲子酒浸蒸焙　川羌活去芦　鹿茸火去毛酒蒸焙
石斛去根　磁石煅醋淬水飛過　附子炮去皮各一両
全蝎去毒七个　麝香一字旋入
右為末煉蜜圓如梧桐子每服一百圓空心塩酒塩湯任下
（七十）犀角飲子　治風熱上壅兩耳聾閉内外腫痛膿水流出

犀角鎊　菖蒲　木通　玄參　赤芍藥

赤小豆炒　甘菊花去枝梗各一兩　甘草炙半兩

右㕮咀每服四錢水一盞姜五片煎八分溫服不拘時

七十一 犀角飲子 治氣虛熱壅或失飢冒暑者風熱上壅耳內聾閉徹痛膿血流出

赤芍　白芍各半兩　當歸　甘草

大黃　木鱉子去殼各二兩

右剉每服四錢水煎食後臨睡服

氣證

七十二 塞耳丹 治氣道壅塞兩耳聾聵

石菖蒲一寸　巴豆一粒　全蝎一个去毒

右爲末葱涎丸如棗核大每一丸綿裹塞耳內

七十三 秘傳降氣湯 加石菖蒲治氣壅耳聾大效方見氣門

七十四 通耳法 治耳聾久不聞者

緊磁石一塊如豆大　穿山甲燒存性爲末一字

右用新綿子裹了塞於所患耳内口中銜少生鐵覓耳内如風雨声即愈

(卒聾)(七十五)菖蒲圓治耳内卒痛聾塞不聞

菖蒲　附子炮去皮臍各等分

右爲末醋糊圓如杏仁大綿裹置耳中日一易之

(久聾)(七十六)以鼠膽汁滴耳中雖二十年者亦効

(虛鳴)(七十七)芷芎散治風入耳虛鳴

白芷　石菖蒲　蒼术　陳皮

細辛　厚朴　半夏　辣桂

木通　紫蘇　甘草　川芎各等分

右剉每四錢姜五片葱白二根煎食後臨卧服

(七十八)黄耆圓治腎虛耳鳴夜間睡着如打戰鼓

黑附子大者一个　羯羊腎一双焙干　黄耆独茎者去芦一两
白蒺藜炒去刺　羌活去芦各半两
右為末酒糊圓如梧桐子每服四十圓食後煨葱湯送下

聤耳（七十九）紅綿散　治聤耳出膿及黄水
白礬煅一多　胭脂一字　麝香少許
右入胭脂一字研匀用綿杖子纒去耳中膿水尽即用別綿杖子送藥入耳中令到底摻之即乾直指方加国丹龍骨

（八十）直指方　治耳熱出汁
滑石　爛石膏　天花粉　防風各一多
右用腦子少許同研為末摻耳中

（八十一）治耳内出血
龍骨末吹之愈　又治耳内出血或耳中痛以生鱔剌笔血滴耳中

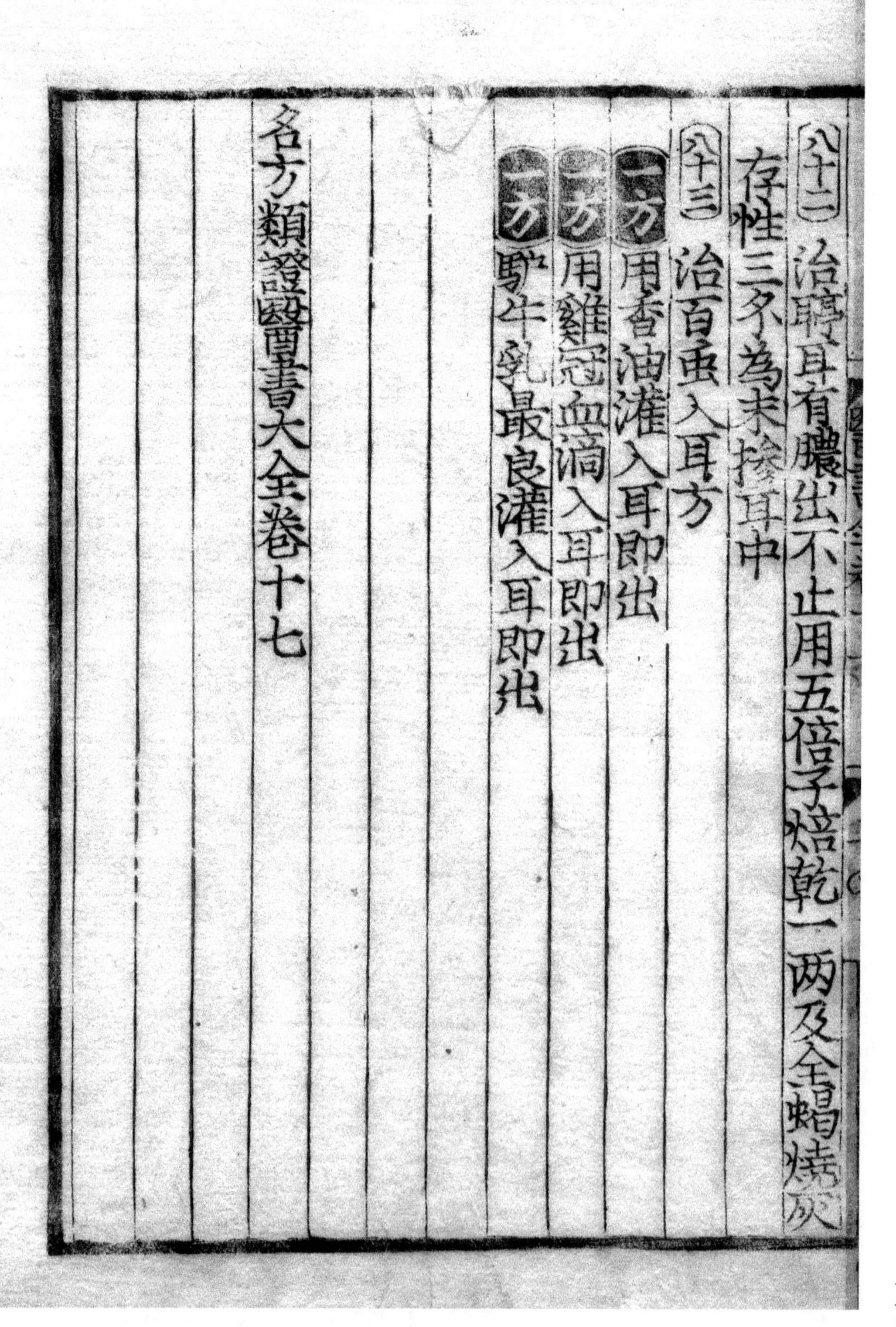

〔八十二〕治聤耳有膿出不止用五倍子焙乾一兩及全蝎燒灰存性三分為末摻耳中

〔八十三〕治百虫入耳方

一方 用香油灌入耳即出

一方 用雞冠血滴入耳即出

一方 驢牛乳最良灌入耳即出

名方類證醫書大全卷十七

名方類證醫書大全卷十八

鼻

夫鼻者肺之候職欲常和和則吸引香臭若七情內鬱六淫外傷飲食勞役致鼻氣不得宣調清道壅塞其為病也為衄為癰為息肉為瘡瘍為清涕為窒塞不通為濁膿或不聞臭香此皆肺臟不調邪氣鬱積於鼻清道壅塞而然也治之之法寒則溫之熱則清之塞則通之壅則散之無越於斯但時氣鼻衄不可便止如此出三升已上恐多者方可斷之活人書所謂衄血者乃解蓋陽氣重故也此又不可不知

（鼻塞）（一）喻化蓽澄茄丸　專治鼻塞不通

蓽澄茄半兩　薄荷葉三錢　荊芥穗一錢

右為末煉蜜圓如櫻桃大每服一圓噙化津嚥

（二）人參湯　治肺氣上攻鼻塞不通

人參　白茯苓去皮　黃芩　陳皮去白

麻黃去根節　羌活去芦　蜀椒去目及閉口者炒出汗各半兩

右㕮咀每服三錢水一盞煎服

（三）菖蒲散　治鼻內窒塞不通不得喘息

菖蒲　皂角各等分

右為末每用一錢綿裹塞鼻中仰卧少時

（四）辛夷膏　治鼻生息肉窒塞不通有時疼痛

辛夷葉二兩　細辛　木香　木通

白芷　杏仁湯浸去皮尖研各半兩

右用羊髓猪脂二兩和藥於石器內慢火熬成膏取赤黃色

放冷入龍腦麝香一錢為圓綿裹塞鼻中數日肉脫即愈

〔五〕辛夷散　治肺虚爲四氣所干鼻内壅塞涕出不已或氣息不通或不聞香臭

白芷　川芎　木通去節　防風去芦　甘草炙
辛夷仁　細辛洗去土葉　藁本去芦　升麻各等分

右爲末每服二錢食後茶清調服

〔六〕蒼耳散　治鼻流濁涕不止名曰鼻淵

辛夷仁半兩　蒼耳子炒二錢半　香白芷一兩　薄荷葉一錢

右並日乾爲末每服二錢用葱茶清食後調服

〔腦冷一七〕治鼻塞流涕爲腦冷所致

通草　辛夷各半兩　細辛　甘遂
桂心　川芎　附子各一兩

右爲末煉蜜圓如杏子大綿裹入鼻中密塞勿令氣泄或以生姜自然汁爲圓亦可

〔八〕千金細辛膏 治鼻塞腦冷清涕常出

黑附子去皮 川椒 川芎 細辛

吴茱萸 乾姜各三分 桂心一兩 皂角屑半兩

右將猪脂六兩煎油先一宿以苦酒浸前八味藥取入猪脂

内同煎以附子黄色爲止用綿蘸藥塞鼻孔

（腦瀉）〔九〕川烏散 治腦瀉

防風 白附子 北細辛 白茯苓

川烏 菖蒲 乾姜 白芷

川芎 甘草各等分

右爲末每服二錢嚼生葱白湯調下食後服

（酒齄）〔十〕治鼻赤如瘤

硫黄 輕粉 細辛 乳香各等分

右爲細末井花水調搽

（十一）【凌霄花散】治酒瘡鼻不二次可去根但藥差寒量虛實用

凌霄花　山梔子

等分為末每服二錢食後茶調下日二服

（十二）【又方】南番沒石子有竅者水研成膏手指醮塗

（十三）【硫黃散】治酒皶鼻及婦人鼻上生黑粉刺

生硫黃二錢　輕粉一錢匕　杏仁十四个去皮

右為末生餅藥調臨卧時塗早則洗去

（十四）【梔子仁丸】治肺熱病發赤瘰即酒瘡

右以老山梔子仁為末鎔黃蠟等分丸如彈子大空心茶清

嚼下忌酒炙煿半月

（十五）【又方】以白鹽常擦　妙

齆鼻瘜肉鼻痔

（十六）【細辛散】治鼻齆不聞香臭及鼻痔

瓜蒂　細辛

等分為末不綿裹如豆大塞鼻中

（十七）黄白散 治鼻齆息肉鼻痔等證

雄黄 白礬 細辛 瓜丁各等分

右為細末搐入鼻中

（十八）羊肺散 治肺虚上壅鼻生息肉不聞香臭

羊肺一具洗 白朮四兩 肉蓯蓉 木通

乾姜 川芎各一兩 除羊肺外五件為細末

右以水調前藥稀稠得宜灌入肺中煮熟細切焙乾為末每服二錢食後米飲調服

口舌

夫口者足太陰之經脾之所主五味之所入也蓋味入口藏于胃脾乃運化津液以養五臟五臟之氣偏勝由是諸疾生焉且

鹹則為寒酸則停滯澁則因燥淡則由虛熱則從苦從苷也口臭者乃腑臟臊腐之不同蘊積於胷膈之間而生熱衝發於口也口瘡者脾氣凝滯風熱之而然至於唇者亦脾所主經合於胃脾胃受邪則唇為之病蓋風勝則唇動寒勝則唇揭燥勝則唇乾熱勝則唇裂氣欝則生瘡血少則瀋而無色治法內則當理其脾外則當敷以藥無不効矣至於舌者脾脉之所通心氣之所主舌和則知五味資於脾而榮於身者也二臟不和風寒中之則舌強而不能言壅熱攻之則舌腫而不得語更有重舌木舌舌胎出血等証皆由心脾虛風熱所乘而然矣

心脾熱　十九　升麻散　治上膈壅毒口舌生瘡咽喉腫痛

升麻　赤芍藥　人參洗　桔梗去芦

乾葛各一兩　甘草生用半兩

右㕮咀每服四錢水一盞半薑五片煎八分溫服不拘時

〔二十〕洗心散　四味清涼飲　甘露飲　八正散　並治心脾有熱口舌生瘡方見積熱門

〔二十一〕瀉黄飲子　治風熱蘊於脾經唇燥折裂口舌生瘡

白芷　升麻　枳殼去穰麸炒　黄芩　防風去芦　半夏湯洗七次　石斛各一两　甘草生用半两

右㕮咀每服四𨥁水一盞薑五片煎八分温服不拘時

〔脾肺虚〕〔二十二〕菊花丸　治脾肺氣虚上盛痰壅唇口折裂舌上生瘡

甘菊花　枸杞子　肉蓯蓉　巴戟去心各等分

右為末蜜圓如梧桐子每服五十圓米飲下

〔摻傅〕〔二十三〕龍石散　治上膈蘊熱口舌生瘡咽膈腫痛

寒水石煆三𨥁半　辰砂二𨥁半另研　生腦子半𨥁

右為末每以少許摻患処如小兒瘡毒攻口先用五福化毒丹然後用此藥立效

二十四 兼金散 治蘊毒上攻口舌生瘡
細辛　黃連各等分
右為末先以布帛蘸水揩淨患處摻藥其上涎出即愈

二十五 綠雲膏 治瘡臭爛久而不瘥
黃蘗半兩　螺青一兩 一方以銅綠易螺青
右研細臨卧置一字在舌下不妨嚥津

二十六 治口瘡用縮砂不拘多少火煆為末滲瘡即愈 一方用
檳榔燒灰存性為末入輕粉

二十七 治上膈熱極口舌生瘡
膩粉二匕　杏仁七粒不去皮尖
右二味臨睡時細嚼令涎出再用

二十八 赴筵散 治口瘡痛
五味子新者一兩　滑石半兩研　黃蘗半兩蜜炙

右為末每服半分乾摻瘡上良久便可飲食

（二十九）**冰蘗圓**專治口瘡

鵬砂瘡甚者加腦子研　黃蘗日乾　薄荷葉各等分

右為末生蜜圓如龍眼大每服一圓津液嚥化

（三十）治口瘡

白礬乙兩飛至半兩　黃丹乙兩炒紅色放下再炒紫色為度

右為細末摻於瘡上立愈

（三十一）**吹喉散**治三焦有熱口舌生瘡咽喉腫塞

蒲黃一兩　盆硝八兩　青黛一兩半

右用生薄荷汁一升將盆硝青黛蒲黃一處甆罐盛慢火熬乾細研用一字或半分摻口內良久吐出痰涎如喉中痛用竹管吹藥半分入咽膈內立效

（三十二）**消毒散**治口舌生瘡兩唇腫裂

晚蚕蛾　五倍子　蜜陀僧各一两

右同為末每用少許乾傳瘡上有津吐去

【三十三】柳花散治口舌生瘡

玄胡索　黄連　黄蘗　青黛　蜜陀僧三分别研

右為末每用傳貼口瘡上有津液吐出再用

【三十四】治口内生瘡

朴消一分　寒水石火煆過一两南人謂之軟石羔

右同研入少朱砂如桃紅色傳患處嚥下不妨味苦加甘草

【口氣】

【三十五】丁香圓治口内臭氣

丁香三分　甘草炙一分　川芎二分　白芷半分

右為末煉蜜圓如彈子大綿裹一圓噙化

【三十六】治口臭方濃煎灯心湯口含良久吐出又含多含有效

【引熱歸下】

【三十七】傳法治熱壅上口攻舌生瘡用此法則熱歸於

下瘡即愈矣用吳茱萸搗爛傅脚板心

（三十八）治虛壅上攻口舌生瘡

草烏一个　南星一个　生姜一塊

右焙乾為末每用二豕臨睡時以好醋調作掩子貼手脚心

舌病

（三十九）**黑散子** 治血熱舌忽然腫破

以釜底煤醋調傅舌上下脫去更傅能先決出血竟傅之尤佳一法用塩等分調

（四十）**薄荷蜜** 治舌上生白胎乾澁難語

白蜜　薄荷自然汁等分調勻

右以生姜片先蘸水揩患处次以薄荷蜜傅之未効更以玄明粉塗之

（四十一）**文蛤散** 治熱壅舌上出血如泉

五倍子　白膠香　牡蠣粉各等分

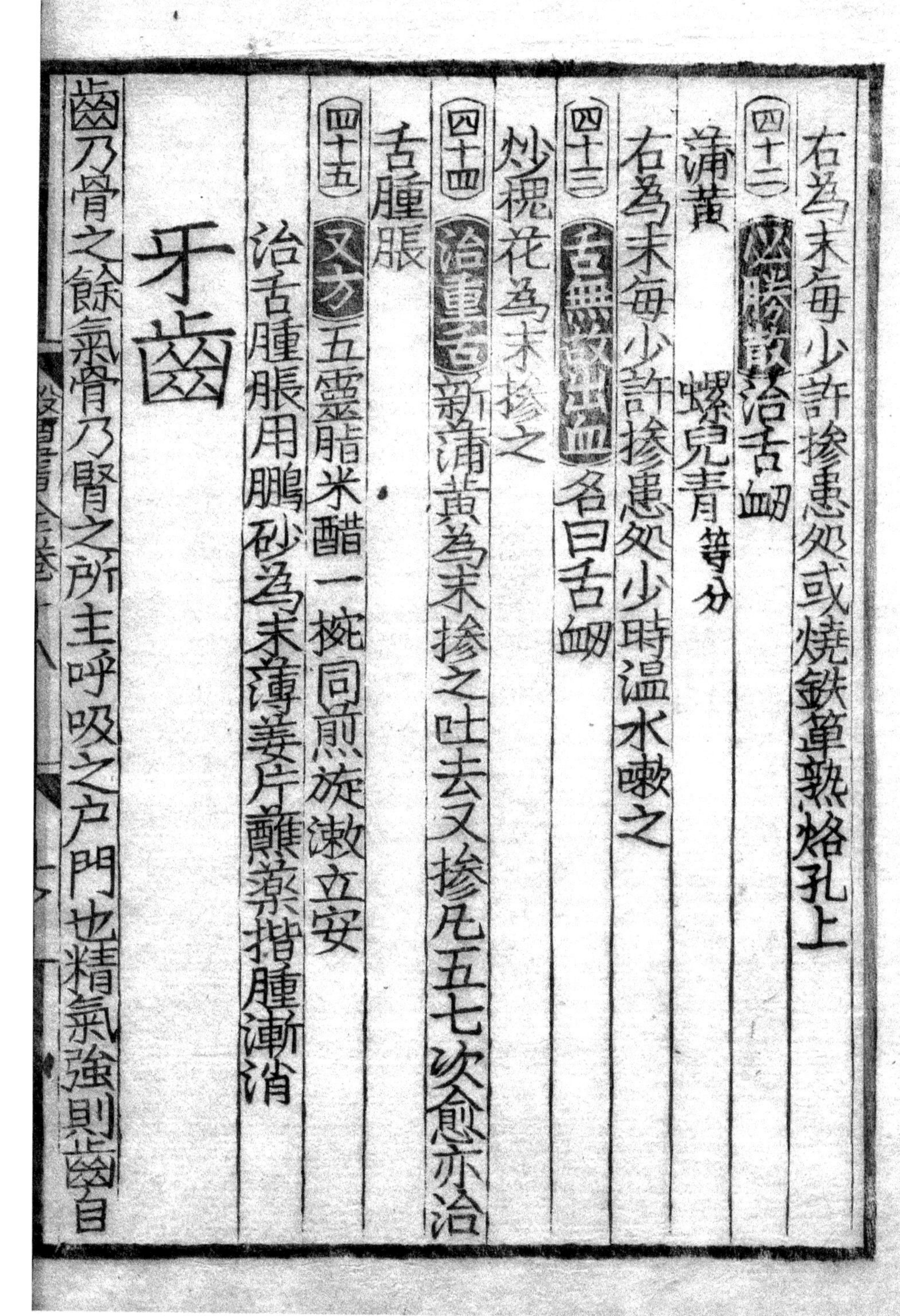

右為末每少許摻患処或焼鉄篦熱烙孔上

（四十二）**必勝散** 治舌衄

蒲黄　螺兒青 等分

右為末每少許摻患処少時温水嗽之

（四十三）**舌無故出血** 名曰舌衄

炒槐花為末摻之

（四十四）**治重舌** 新蒲黄為末摻之吐去又摻凡五七次愈亦治舌腫脹

（四十五）**又方** 五靈脂米醋一椀同煎旋漱立安

治舌腫脹用鵬砂為末薄姜片蘸藥揩腫漸消

牙齒

齒乃骨之餘氣骨乃腎之所主呼吸之户門也精氣強則齒自

堅腎氣衰則齒自豁且手陽明大腸之脉入於齒灌注於牙尚
風寒纏热之氣鬱滞心胷衝發於口則齒為之病矣輕則宣露
斷頭浮腫甚則為疳蠹齲脆之證也亦有腎氣虛纏齒痛宣露
當以補腎藥以治之

冷痛 (四十六) 透關散 治牙疼

蜈蚣頭 蝎梢去毒 草烏頭尖如麥粒大者
川烏頭底如尔薄各七枚 胡椒七粒 雄黃七粒如米大別研
右為細末用紙撚子蘸醋點藥少許於火上炙乾塞兩耳内
閉口少時即可取效

(四十七) 丁香散 治牙齒疼痛

丁香 蓽撥 蝎梢 大椒各十枚
右為末每用少許以指蘸藥擦於牙痛處有津即吐

(四十八) 萆薢散 治牙齒疼痛

萆薢　良薑　胡椒　細辛各等分

右爲末每用少許噙温水隨痛處鼻内搐

四十九　雄黄定痛膏　治牙齒疼痛

盆硝二分別研　雄黄一分別研　大蒜二枚　細辛二分　牙皂角四錢

右爲末同大蒜一處搗爲膏圓如梧桐子大用一丸將綿子裹藥左逐牙疼放在左耳右逐牙疼放在右耳内良久痛止

五十　治牙宣藥擦藥追出頑涎休吐出藥漱數十次痛止

蓽撥　胡椒　良姜　乳香　麝香　細辛　青鹽　雄黄

右各等分爲細末先以温漿水刷淨後用藥末於痛處擦

熱痛

五十一　莽草散　治風蘊熱氣上攻齒齦浮腫或連頰車疼痛或宣露血出

莽草　升麻　柳枝　槐角

鶴虱　地骨皮　藁本　槐白皮

右剉散每一兩水一椀入鹽少許煎熱含冷吐之又含

〔五十一〕甘露飲加升麻治證同上方見積熱門

〔五十二〕金沸草散治風寒傷於心脾令人增寒發熱齒浮舌腫

方見傷寒門

風痛〔五十三〕赴筵散治風牙蟲牙攻疰疼痛不可忍者

良薑去蘆　草烏去皮　細辛去土葉　荊芥去梗各等分

右為末每用少許於痛處擦之有涎吐出不得吞嚥良久用

鹽水灌漱其痛即止用腐炭末一半相和常使揩牙

〔五十四〕治一切牙痛

川升麻　當歸　川乙金　細辛

蓽撥　白芷　荊芥各等分

右為末用瓦合子貯之緊閉合口勿令泄氣每用少許揩在

牙痛處以溫荊芥湯灌漱立効

五十五　定痛散　治牙風疼痛立效

細辛中半兩生　白芷一兩生　川烏頭生一兩　乳香三錢

右爲末每用少許擦牙痛處引涎吐之須臾以鹽水灌漱去

生方除白芷川烏用全蝎草烏

五十六　獨活散　治風毒攻蛀牙根腫痛

川芎　獨活　羌活　防風各半兩

細辛　荊芥　薄荷　生地黃各二錢

右㕮咀每服三錢水一盞煎八分溫服

五十七　消風散　治風牙痛方見風門

蛀痛　細辛散　治風蚛牙疼或牙齦宣爛腮頷浮腫悉皆主之

荊芥一兩去梗　縮砂半兩去殼　細辛一兩去苗　白芷二兩　紅椒

鶴虱　牙皂　蓽撥各半兩　草烏二兩

右爲末每用少許於痛處頻頻擦之有涎吐出仍用水灌漱

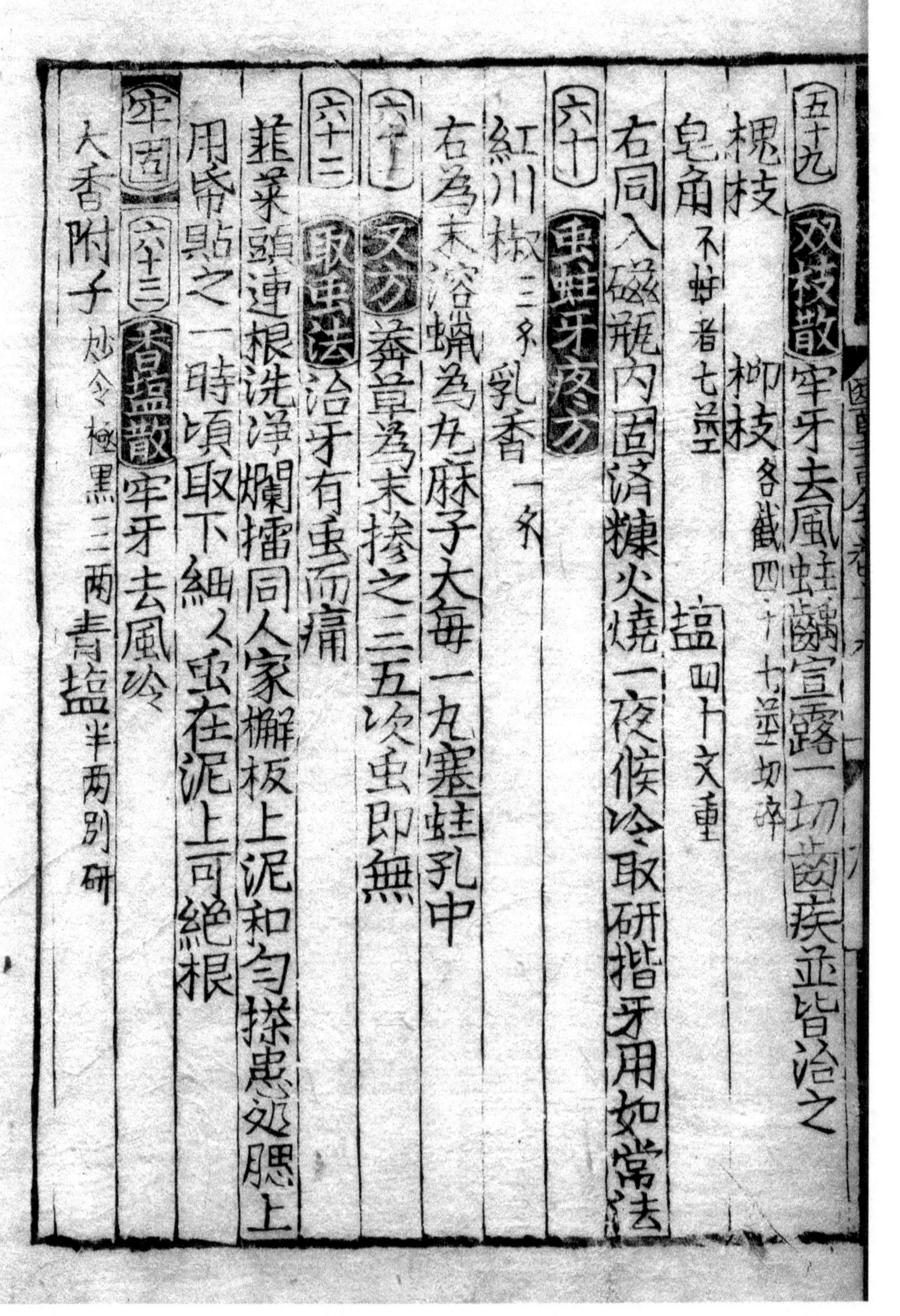

五十九 双枝散 牢牙去風蛀齲宣露一切齒疾並皆治之

槐枝 柳枝 各截四十七莖切碎

皂角 不蛀者七莖 鹽四十文重

右同入磁瓶內固濟糠火燒一夜候冷取研揩牙用如常法

六十 蟲蛀牙疼方

紅川椒 三分 乳香 一分

右為末溶蠟為丸麻子大每一丸塞蛀孔中

六十一 又方 莽草為末摻之三五次蟲即無

六十二 取蟲法 治牙有蟲而痛

韮菜頭連根洗淨爛擂同人家擗板上泥和勻搽患處腮上用紙貼之一時頃取下細細蟲在泥上可絕根

牢固 六十三 香鹽散 牢牙去風冷

大香附子 炒令極黑三兩 青鹽 半兩別研

右為末勻和用如常法乃鐵甕先生良方

（六十四）陳希夷刷牙藥

豬牙皂角　生薑　熟地黃　升麻　荷蒂五錢

木律　旱蓮　細辛　槐角子　青鹽各等分

右用新瓦罐盛藥合口以麻繫定鹽泥固濟日乾穿一地坑先放新磚後放藥以罐口向下用炭火燒令青煙出稍存性去火經宿取為末每用刷牙溫水漱去

取落（六十五）取牙不落不犯手

草烏　蓽撥各兩半　川椒　細辛各三兩

右為末每用少許揩在患牙處內外其牙自落

宣露（六十六）小薊散　治牙齒出血

百草霜　小薊　香附子　蒲黃各等分

右為末揩牙上立愈

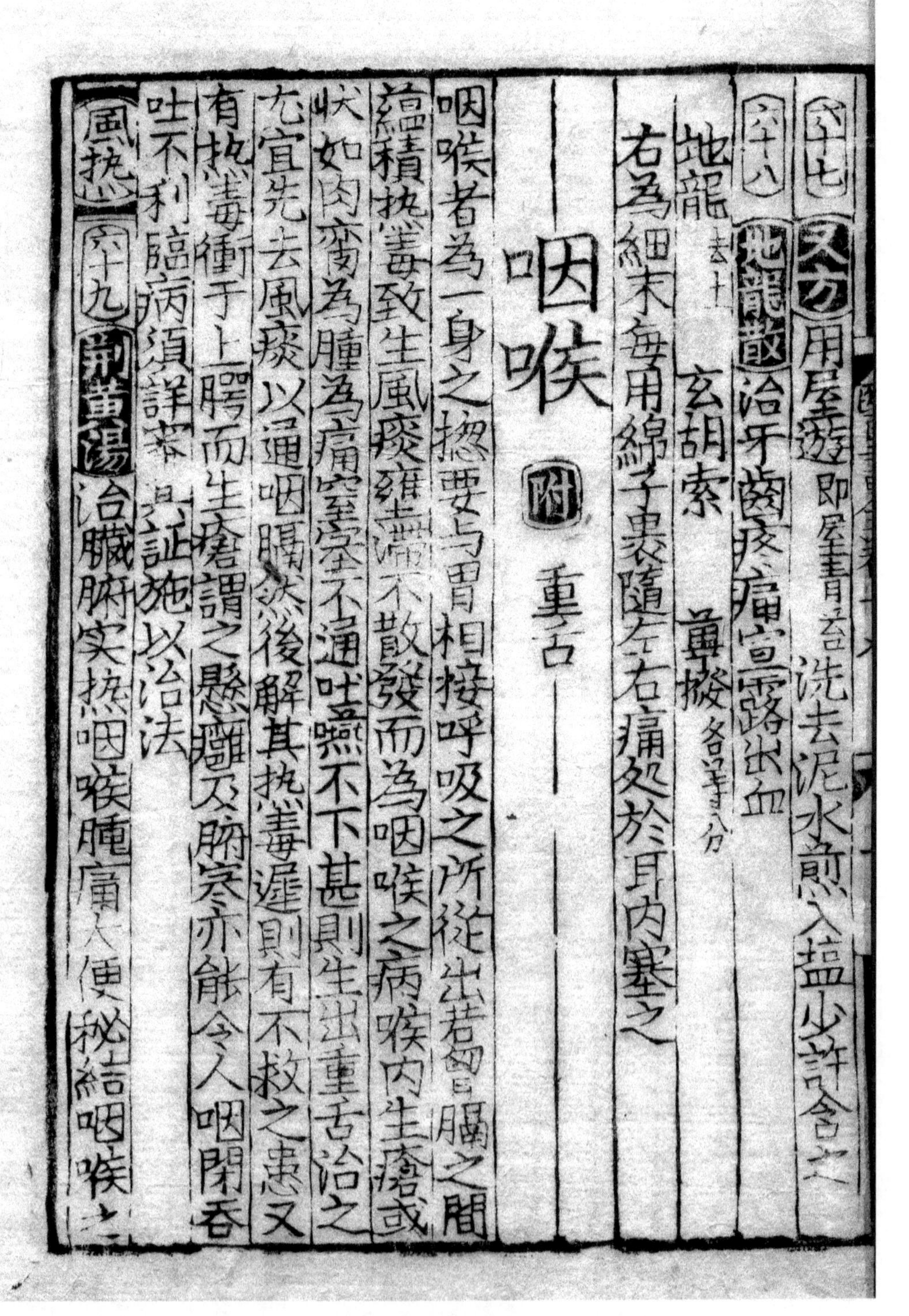

六十七 又方 用屋遊即屋青苔洗去泥水煎入盐少許含之

六十八 地龍散 治牙齒疼痛宣露出血

地龍去土 玄胡索 蓽撥各等分

右為細末每用綿子裹隨左右痛処於耳内塞之

咽喉 附 重舌

咽喉者為一身之總要与胃相接呼吸之所從出若胸膈之間蘊積热毒致生風痰壅滯不散發而為咽喉之病喉内生瘡或狀如肉臠為腫為痛窒塞不通吐嚥不下甚則生出重舌治之尤宜先去風痰以通咽膈然後解其热毒遲則有不救之患又有热毒衝于上腭而生瘡謂之懸癰及腑寒亦能令人咽閉吞吐不利臨病須詳審其証施以治法

風热 六十九 荆黄湯 治臟腑实热咽喉腫痛大便秘結咽喉之

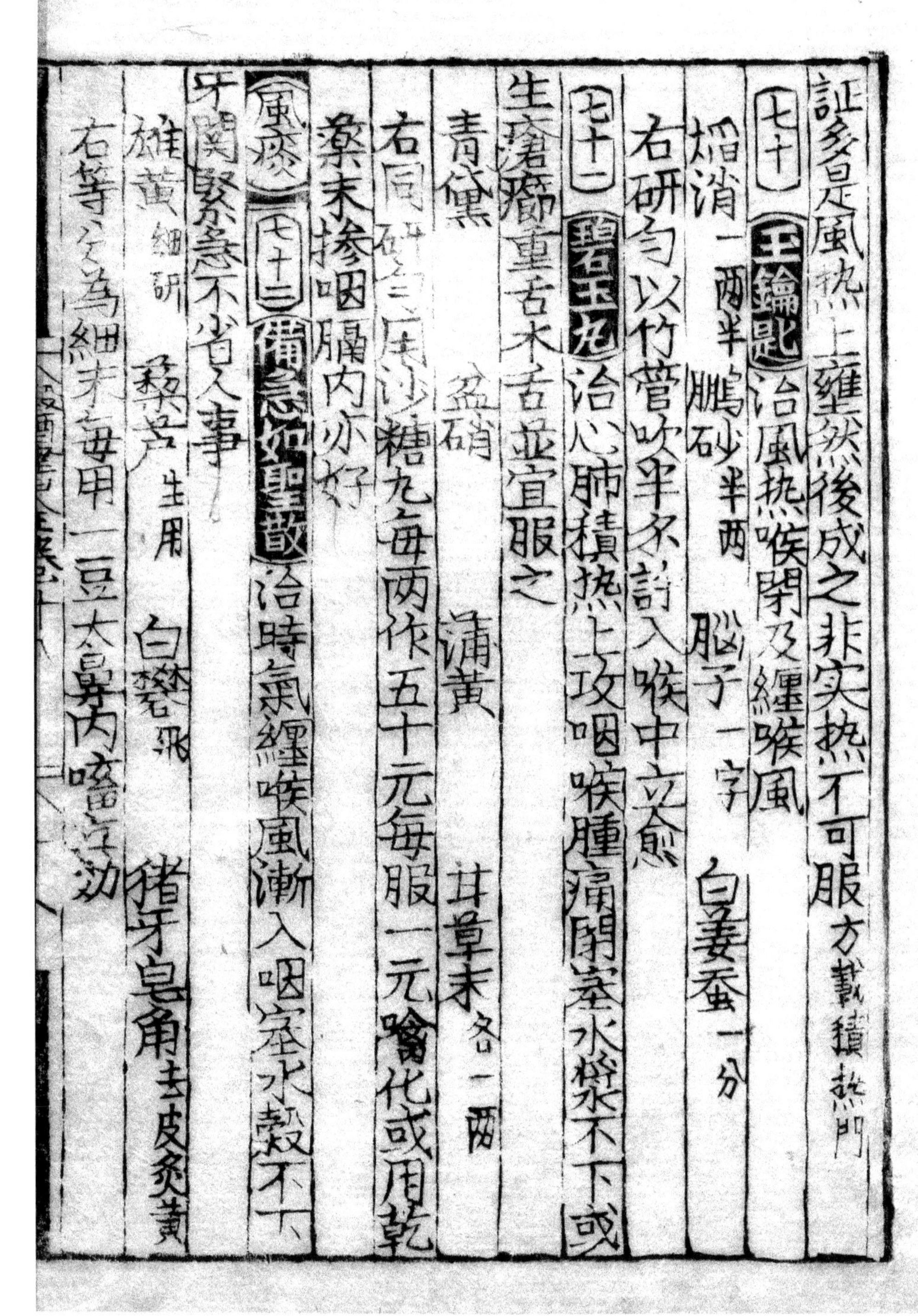

証多是風熱上壅然後成之非实热不可服方載積熱門

（七十）玉鑰匙　治風熱喉閉及纏喉風

焰消一兩半　鵬砂半兩　腦子一字　白姜蚕一分

右研匀以竹管吹半錢許入喉中立愈

（七十一）碧玉丸　治心肺積熱上攻咽喉腫痛閉塞水漿不下或生瘡癬重舌木舌並宜服之

青黛　盆硝　蒲黃　甘草末各一兩

右同研匀用沙糖丸每兩作五十元每服一元噙化或用乾糝末摻咽膈內亦好

（風痰）（七十二）備急如聖散　治時氣纏喉風漸入咽塞水穀不下牙關緊急不省人事

雄黃細研　藜芦生用　白礬飛　猪牙皂角去皮炙黃

右等分為細末每用一豆大鼻内㗜之立効

七十三　如聖散　治風痰纏盛咽喉腫痛水穀不下牙關緊急

鵬砂 細研　白礬 飛過　藜蘆 厚去皮去心不可生用

豬牙皂角 去皮炙黃

右為末用一字嗃入鼻內吐痰為愈

七十四　甘桔湯　治風痰上壅咽喉腫痛吞吐如有所礙

苦桔梗 二兩　甘草 炒二兩

右㕮咀每服三錢水一盞煎七分食後溫服

七十五　解毒雄黃丸　治纏喉風及上膈壅熱痰涎不利咽喉腫痛

雄黃 飛　鬱金 各一分　巴豆 去皮出油二七个

右為末醋糊丸如綠豆大茶清下七丸吐出頑涎即愈

急閉　七十六　白礬散　治纏喉風急喉閉

白礬 三錢　巴豆 二枚去殼分作六片

右將白礬於銚內慢火熬化為末置巴豆其內候乾去巴豆

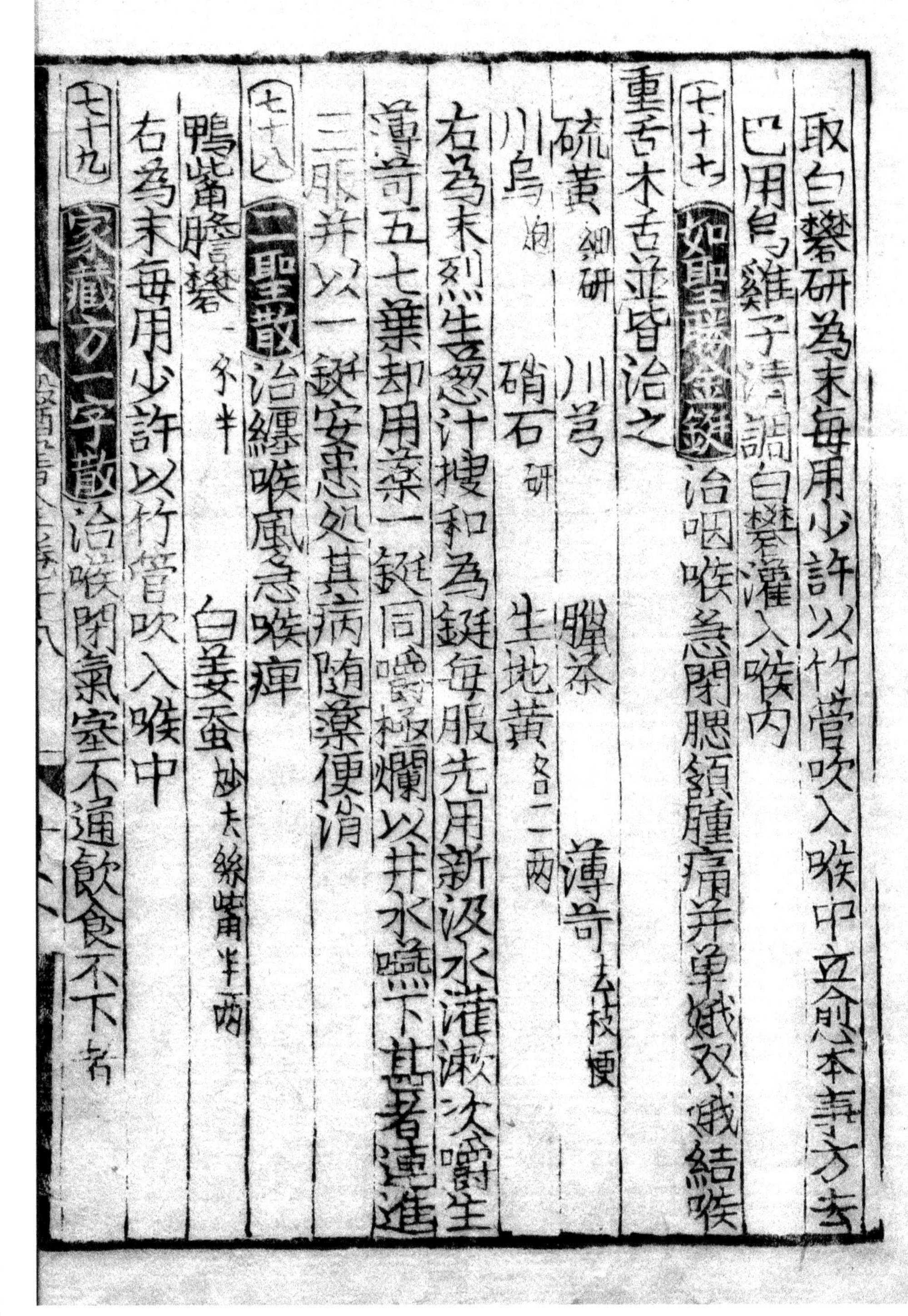
取白礬研為末每用少許以竹管吹入喉中立愈本事方去

巴用烏雞子清調白礬灌入喉內

（七十七）如聖勝金錠　治咽喉急閉腮頷腫痛并單娥雙娥結喉

重舌木舌並皆治之

硫黃細研　川芎　臘茶　薄荷去枝梗

川烏炮　硝石研　生地黃各二兩

右為末烈生葱汁搜和為錠每服先用新汲水灌漱次嚼生

薄荷五七葉却用藥一錠同嚼極爛以井水嚥下甚者連進

三服并以一錠安患处其病隨藥便消

（七十八）二聖散　治纏喉風急喉痺

鴨嘴膽礬一分半　白姜蚕炒去絲嘴半兩

右為末每用少許以竹管吹入喉中

（七十九）家藏方一字散　治喉閉氣塞不通飲食不下者

雄黄一分別研　蝎梢七枚　白礬生研　藜蘆各二錢　猪牙皂角七鋌

右為末每用一字吹入鼻中即時吐出頑涎為愈

治喉痺痛用射干即扁竹根也旋取新者不拘多少擂爛取汁呑下或動大腑即解或用釅醋同研取汁噙引出涎痰妙

治咽喉腫痛方用嫩艾葉旋取研汁逐時呑下亦佳

〔八十〕治喉閉用鼓槌草土牛膝以二味生擣爛取汁灌下否則灌鼻中得吐即為愈

〔八十一〕治咽喉用土烏藥即矮樟根以酸醋兩盞煎一盞先噙後嚥喉吐出痰涎為愈

〔八十二〕治咽喉牙關緊閉用巴豆去殼以紙包巴豆肉用竹管壓出巴豆油在紙上以此紙作撚子點灯吹滅以煙薰入鼻中即時口鼻涎流牙關開矣

〔八十三〕治走馬咽痺

右用巴豆去皮以綿子微裹隨左右塞於鼻中立透如左右俱有者用二枚

〔八十四〕治咽喉腫閉以山豆根洗淨新汲水浸少時用一塊入口中嚼之嚥下苦汁未愈再用又方用甘草白礬為末每以半分許入口中津液嚥下

〔八十五〕**麝香朱砂圓** 治咽喉腫閉或作瘡癤或舌根脹痛

馬牙消生用七分　鉛白霜三分　鵬砂三兩

龍腦三分　燒寒水石揀淨者半斤　麝香二分

朱砂兩半　甘草一十兩熬成膏

右研極細用甘草膏和丸如梧桐子朱砂為衣噙化一二丸

〔八十六〕**烏犀膏** 治咽喉腫痛及一切結喉爛喉遁蟲纏喉閉喉急喉飛絲入喉重舌木舌等證

皂莢兩條搥碎用水三升浸一時久挼汁去滓入瓦器內熬

令成膏好酒一合百草霜研一錢同皂角膏攪勻令稠

硇砂　人參一錢為末　燄消　白梅霜少許並研入膏中

右拌和前藥用鵝毛點少許於喉中以出盡頑涎為度却嚼甘草一寸嚥汁吞津若木舌先以粗布蘸水揩舌令軟次用姜片擦之然後用藥

氣證（八十七）五香散　治咽喉腫痛毒氣結塞不通急宜用之

木香　沉香　雞舌香各一　麝香三分別研　薰陸香一兩

右為末入麝香研勻每服二錢水一盞煎服不拘時

寒證（八十八）蜜附子　治腑寒咽閉吞吐不利用大附子一隻去皮臍切作大片蜜塗炙令黃含嚥津甘味盡更以附子片塗蜜炙用

咽瘡（八十九）絳雪散　治咽喉腫痛嚥物妨礙及口舌生瘡

龍腦半字　鵬砂一錢　硃砂三錢　馬牙硝半錢　寒水石一錢

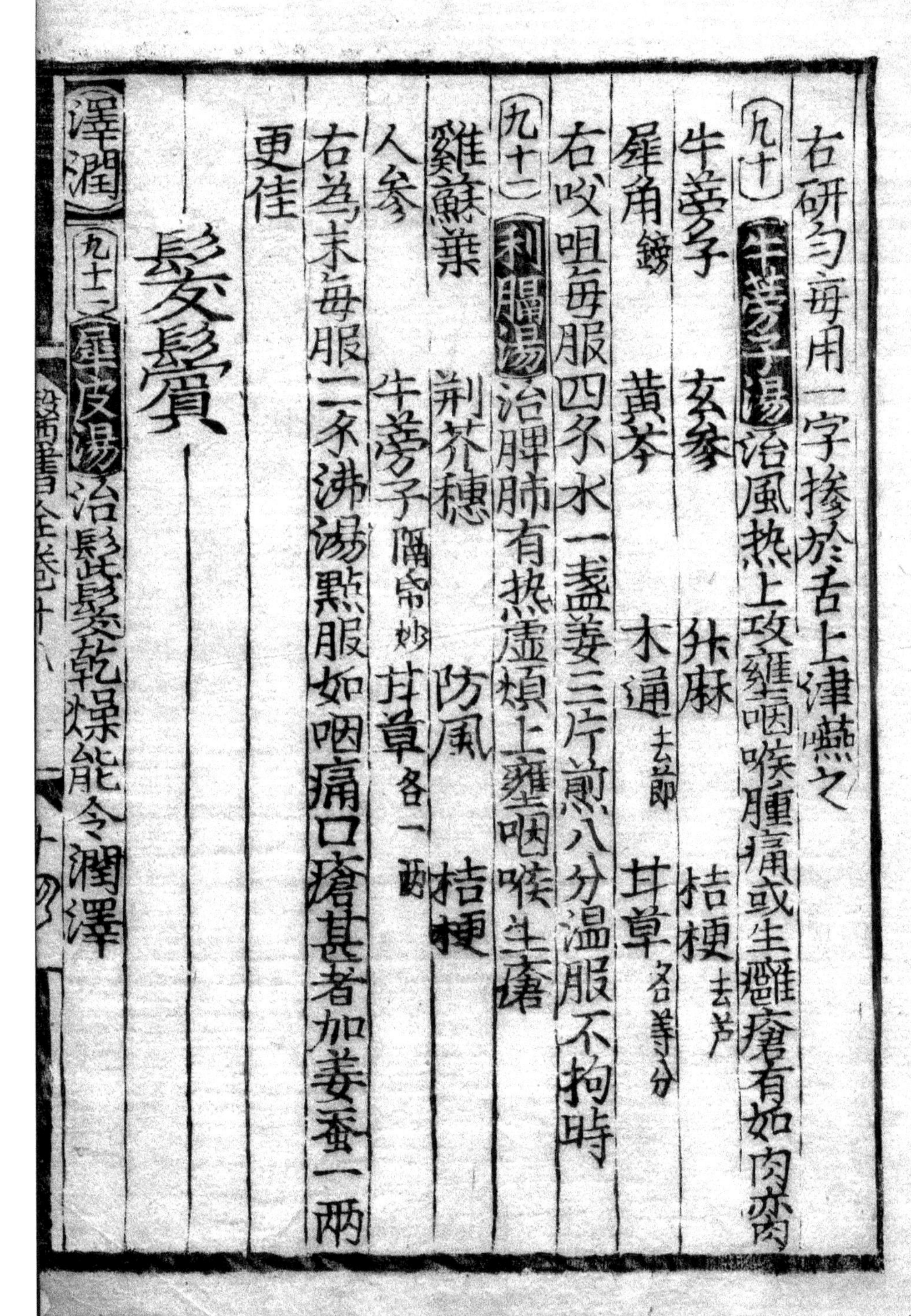

右研勻每用一字摻於舌上津嚥之

（九十）牛蒡子湯　治風熱上攻壅咽喉腫痛或生癰瘡有如肉脔

牛蒡子　玄參　升麻　桔梗去芦

犀角鎊　黃芩　木通去節　甘草各等分

右㕮咀每服四錢水一盞姜三片煎八分溫服不拘時

（九十二）利膈湯　治脾肺有熱虛煩上壅咽喉生瘡

雞蘇葉　荊芥穗　防風　桔梗

人參　牛蒡子隔紙炒　甘草各一兩

右為末每服二錢沸湯點服如咽痛口瘡甚者加姜蚕一兩更佳

髮鬢

（澤潤）（九十三）犀皮湯　治髭髮乾燥能令潤澤

小麥麩半升　半夏湯洗　沉香半兩　生姜一兩和皮

右用水一椀生姜一兩和皮細切同煎去滓取清汁入腦麝少許攪匀洗髭髮自然潤澤

（九十三）洗髮菊花散

甘菊花　蔓荆子　乾栢葉　川芎

桑白皮生用　白芷　細辛去苗　旱蓮根莖花葉各二兩

右㕮咀每用藥二兩漿水三椀煎至兩椀去滓洗髮

（九十四）三聖膏治髭髮脱落能令再生

黑附子　蔓荆子　栢子仁各半兩

右爲末烏雞脂和搗研乾置瓷合内封固百日取出塗在髭髮脱處三五日即生自然牢壯不脱

（九十五）巫雲散治髮鬢黄白不黒

膽礬　五倍子　百藥煎　訶子

細辛　青胡桃皮　醋石榴皮　木瓜皮
牙皂角　何首烏各等分
右爲末煉蜜丸如小豕大常於木炭灰內培養勿得離灰如
要烏髭時用熱酒化開塗髭鬚上好熱醋亦可
染法 九十六 治髭鬚黃赤一染即黑
生薑半斤　生地黃一斤各淨洗研自然汁留滓
右用不蛀皂角十莖去黑皮并筋將前藥汁蘸皂角慢火炙
黃用藥汁尽為度前藥滓同入鑵內用火煆存性為末用鉄
器盛藥末三豕湯調停三日臨睡將藥蘸髭鬚即黑

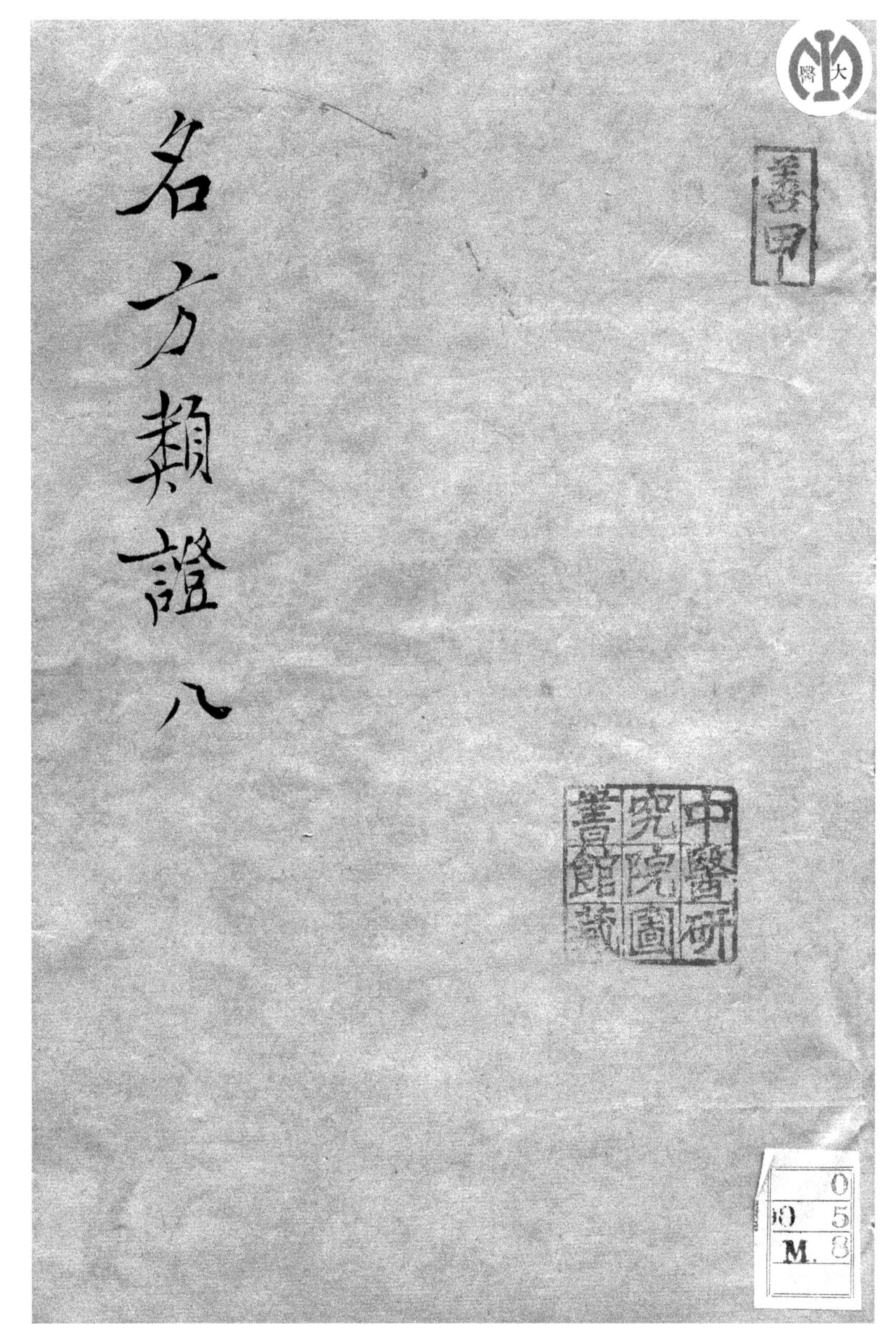
名方類證　八

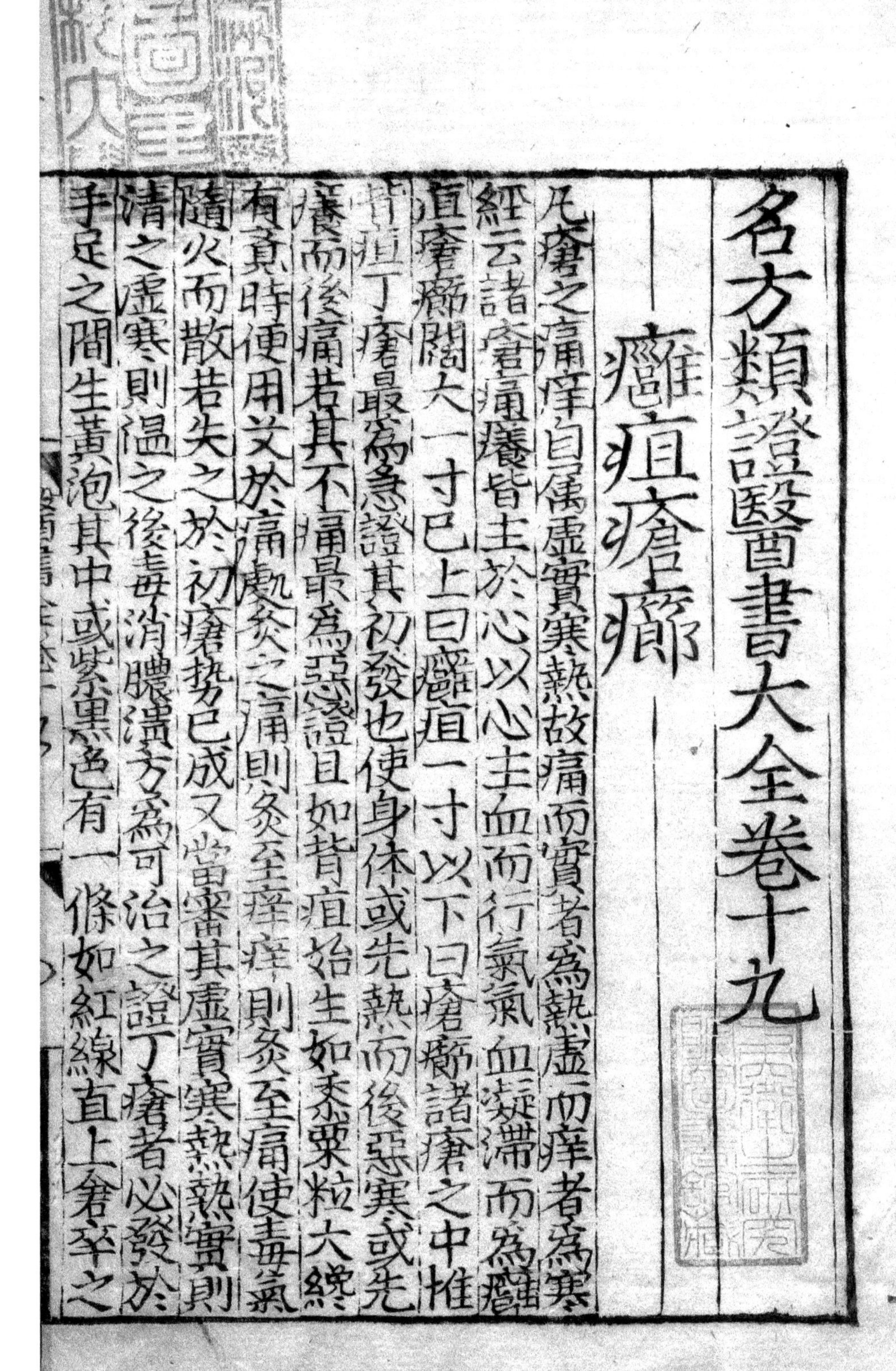

名方類證醫書大全卷十九

癰疽瘡癤

凡瘡之痛痒自屬虛實寒熱故痛而實者為熱虛而痒者為寒經云諸瘡痛癢皆主於心以心主血而行氣氣血凝滯而為癰疽瘡癤闊大一寸已上曰癰疽一寸以下曰瘡癤諸瘡之中惟背疽丁瘡最為急證其初發也使身体或先熱而後惡寒或先癢而後痛若其不痛最為惡證且如背疽始生如黍粟粒大幾有負時便用艾於痛處灸之痛則灸至痒痒則灸至痛使毒氣隨火而散若失之於初瘡勢已成又當審其虛實寒熱熱實則清之虛寒則温之後毒消膿潰方為可治之證丁瘡者必發於手足之間生黃泡其中或紫黑色有一條如紅線直上倉卒之

際急宜以針於紅線所至之處刺出毒血然後以蟾酥乳香膏等於正瘡上塗之針時以病者知痛出血爲好否則紅線入腹攻心必致危困至若瘰癧頸疽豚癰之類皆毒氣鬱積於内發而爲此治之皆須解毒潰膿若氣血弱者又須生之此一定之法瘡瘍疥癬之類隨其臟腑所受冷熱調之所貴氣血宣流自失其痛痒矣如脚外臁瘡久年不愈者多是腎水流注又有脾水潰溢治各有方隨證選擇

（初發）（一）（忍冬酒）治癰疽發背不問痕發何処一切癰腫及婦人乳癰皆有奇効

忍冬藤生取一把以葉入沙盆内爛研入餅子酒少許生餅酒尤佳調和稀稠得所塗付四圍中心大留一口洩其毒氣其藤只用五兩用木槌微微打損不犯鉄器

右二味入砂瓶内以水二椀文武火慢煎至一椀入無灰酒

一大椀再煎十沸去滓分三服一日一夜喫尽如病勢重更進一服如無生者可用乾者但力輕耳

（二）**車螯散**治癰疽初發腫痛或少年熱盛發背等皆宜毒利下熱退為度

紫背車螯一双塩泥固濟火煆紅地上出火毒　輕粉　甘草各一錢　大黄五錢　黄芩　漏芦　瓜根各半两

右為末每二錢薄荷湯或酒下

（三）**五香連翹散**治一切積熱結核瘰癧癰疽瘡癤

沉香不見火一分　連翹去蒂　射干　桑寄生无則以升麻代　丁香去枝梗不見火　獨活羌活亦可　木通去節　升麻　大黄蒸各三分　甘草生一分　乳香研一分　麝香一錢半研　舶上青木香不見火一分

右㕮咀每服四錢水一盞煎七分空心熱服以利下惡毒為度本方有竹瀝芒硝隨熱輕重當自添減

（四）九珍散 治一切癰疽瘡癤腫毒因氣壅血熱而生者

赤芍藥　白芷　當歸　川芎　大黃

甘草　生乾地黃　瓜蔞　黃芩各等分

右㕮咀每服四錢水二盞酒一盞煎至兩盞去滓熱服兼治婦人乳癰等瘡

（五）黃耆建中湯 加附子方見自汗門 治氣体虛弱之人患背瘡頭疽不知痛痒瘡勢不作急宜服此以生血潰膿有熱者不可服

（宣熱）（六）漏蘆湯 治癰疽發背及一切熱毒成瘡赤腫者

漏蘆　黃芩　白及　麻黃去節　大黃三兩

白歛　升麻　枳殼去白麩炒　芍藥　粉草炙各二兩

右㕮咀每服四錢水一盞煎七分空心熱服本方有芒硝今去之若見熱而實者加大黃五兩或加芒硝皆可

（七）單煮大黄湯　宣熱拔毒大便秘者方可用此

大黄剉如豆大每服三錢水煮服即快利

（追毒）（八）狗寶圓　專治癰疽發背附骨疽諸般惡瘡瘰癧

雄黄一分　金頭蜈蚣七个頭尾脚足炙黄色研如泥

乳香别研一分　烏金石即石炭袁州萍鄉縣有之二分

没藥别研一分　鯉魚膽七个乾者用之去皮臘月者尤佳

蟾酥二分　狗膽一个乾者用之去皮純黑狗臘月者尤佳

硇砂一分　狗寶一两生用癩狗腹中得之

輕粉一分　麝香一分　黄蠟三分　粉霜一分别研

鉛白霜一分　頭首孩兒乳一合

右先將頭首兒乳黄臘放在銚内文武火化開用前藥末和成劑要用旋圓如麻子大每服一圓至五圓用白丁香七箇直者以新汲水化開送下狗寶圓腰以下病食前服腰以上

食後服如人行五里用熱葱白粥投之即以衣被盖定汗出爲度已後只喫白粥常服十奇散留頭與四邊以烏龍膏貼

（九）**追毒丹** 治癰疽丁漏諸惡瘡黑陷者先服內寶圓次貼以烏龍膏收腫散毒去赤暈然後用針刀開瘡納追毒丹使之潰然後去敗肉排膿隨證治之

巴豆七粒去皮心膜不去油研如泥　白丁香一分

雄黃　黃丹各一分　輕粉十分加蟾酥尤神速

右研和加白麪三分滴水為圓如麥狀針破瘡納之上覆以乳香膏追出膿血毒物漏瘡四壁死肌不去不可治者亦以此法追毒去死肌生新肉瘡小者用一粒大者加用之

（十）**神仙截法** 治癰疽發背一切惡瘡服此毒氣不內攻

麻油半斤銀器內煎十沸出候冷用無灰酒兩椀侵油內重湯溫稍熱通口急服一日盡之為妙

〔十一〕【解毒萬病丸】治癰疽發背及魚臍瘡人多不識治諸風癮疹赤腫丹瘤能解一切毒被狐狸毒鼠莽毒惡菌河魨毒食疫死牛馬肉毒或蛇犬惡虫所傷

五倍子三两　山慈菰二两　續隨子去殼研去油取霜一两

大戟一两半　射香三錢

右除射香續隨霜外為末却入二味研勻用糯米煮濃飲為丸分作四十粒每一粒研生姜薄荷汁井花水研服合時宜用端午七夕重陽日合或遇天德月德日尤佳要在淨室焚香至誠端製毋令婦人雞犬孝子不具足人見之乃衛生之宝也

〔止痛〕〔十二〕【乳香丸】治發背癰疽一切瘡癤爛潰痛不可忍者

當歸　川芎　桂　白芷

真菉豆粉　羌活　獨活　五靈脂各五錢

乳香　没藥各三錢　白膠香五錢

右為末煉蜜丸如彈子大每服一丸薄荷湯嚼下手足諸般損痛不能起者加草烏五錢用木瓜鹽湯下

（十三）乳香膏 追膿血消惡毒

木鼈子去殼細剉 當歸各一兩 柳枝七八寸寸剉之

以上以清油四兩慢火煎令黑色次用

乳香 沒藥各半兩 白膠香明淨者四兩共研細入油煎化以綿濾之

右再治淨鐵銚又傾前藥油蠟在內候溫入黃丹一兩半以兩柳枝攪極勻再上火煎不住手攪候油沸起住攪直待注在水中成珠不散為度秋冬欲軟春夏欲堅傾在水盆中出火毒搜成劑收之遇用貼開

（十四）乳香散 治發背內潰及諸惡毒衝心痛不可忍多令人嘔吐應下毒瘡並皆治之

菉豆粉四兩　乳香好者二兩

右同研極細每服二錢新汲水濃調食後服

（未遺）（十五）消腫毒方專用塗諸瘡疽

川烏　蚌粉　草烏　海金沙　赤小豆　天南星

右爲末用生地黃汁調塗患處

（十六）排膿托裏散治一切瘡癤癰毒已破未破悉皆治之

地蜈蚣　赤芍藥　當歸　甘草各等分

右爲末每服二錢温酒調下不拘時

（十七）復元通氣散治諸氣壅耳聾腹癰便癰瘡疽無頭止痛消腫

青皮　陳皮各四兩　川山甲炮　括蔞根各三兩

加金銀花　連翹各一兩　甘草三兩生熟各半

右爲細末熱酒調下

(十八)懸蔞散 治發背惡瘡

懸蔞一个 大黄一两 當歸五分 金銀花一刄 皂角刺一两

右剉碎用酒一椀煎至七分去滓温服如有頭者加黍粘子

(已潰)(十九)内補十宣散 治一切癰疽瘡癤未成者自然消之

已成者能令速潰已潰瘡痒者多是血虚此藥最能消風生血

人參去芦 黄芪塩湯浸焙 當歸洗焙各二两 厚朴姜製 甘草生用

桂心不見火 桔梗去芦 川芎 防風去芦 白芷各一两

右同爲末每服三分熱酒調下 不飲者木香湯調服

(二十)梔子黄芩湯 治發背瘡潰後因飲食有傷發熱不止

漏芦 連翹 梔子 黄芩 防風

石韋無以桑白皮代 白茯苓 生甘草 升麻

人參 苦參各二分 黄芪二两

爲粗末每服四大分水一錢煎六分去滓温服

二十一　黃芪六一湯　癰疽已潰大渴不止

綿黃芪六两塩水潤湿飯上蒸三次焙乾剉　粉草一两用半生半炙

右爲末每二錢白湯下當湯水服

二十二　八味丸　治証同上方見虛勞門

通治　二十三　遠志酒　用遠志一味洗淨去心焙乾爲末酒調二錢澄清服以滓傅患處治一切癰疽發背癤毒惡候

治發背已潰未潰者最有神效及一切癰疽

二十四　厚朴一兩薑汁製　陳皮二兩去白　蒼朮五兩米泔浸　甘草二兩炙

右入桑黃菰五兩同爲末瘡潰則乾掺之未潰則油調塗之

二十五　一醉膏　治發背腦疽一切惡瘡

甘草半两爲粗末　没藥一分研　大瓜蔞一枚去皮

右用無灰酒三升熬至一升放温頓服如一服不盡作三次

二十六　移木飲子　治諸瘡腫發背癰疽

乾柞木葉　乾荷葉　乾萱草根　甘草　地榆各一两

右剉每服五钱水煎服未成者自消已成膿者自乾

（二十七）**黄礬丸** 治一切癰疽服至一两已上無不効觧毒止痛生肌未潰已潰皆可服

白礬一两　黄蠟半两

和丸梧子大每服十丸漸加至二十丸白湯或酒下

洗方

（二十八）**猪蹄湯** 治一切癰疽腫壊消毒氣去惡肉凡瘡有口便要用此湯洗

白芷　生甘草　羌活　露蜂房

黄芩　赤芍　當歸各等分

右用猪前蹄两隻一斤水煮汁湯以湯煎此藥去滓以湯温洗

（二十九）**越桃散** 洗諸癰癤

越桃一名梔子　黄芩　甘草　當歸　羌活　白芷各等分

右㕮咀每用一两水五椀煎至四椀去查温洗

（三十）蜀葵膏　治癰疽腫毒以黃蜀葵花用塩掺收入磁器密封經年不壞每用患處傅之若無花葉皆可

（三十一）透膿散　治諸癰瘡及貼骨癰不破者不用針刀一服不移時自透累有効驗

蛾口蠒用出子蛾児蚕児

右將蚕児一个燒灰用酒調服即透切不可两个三个蚕児燒服若服一个只一个瘡口若服两个三个即两个三个瘡口切勿輕忽

傅貼

（三十二）烏龍膏　治一切腫毒癰疽收赤暈

木鱉子去殻　半夏各一两　水粉四两　草烏半两

右於鐵銚内慢火炒令轉焦為末出火毒再研以水調傅瘡

（三十三）聖効散

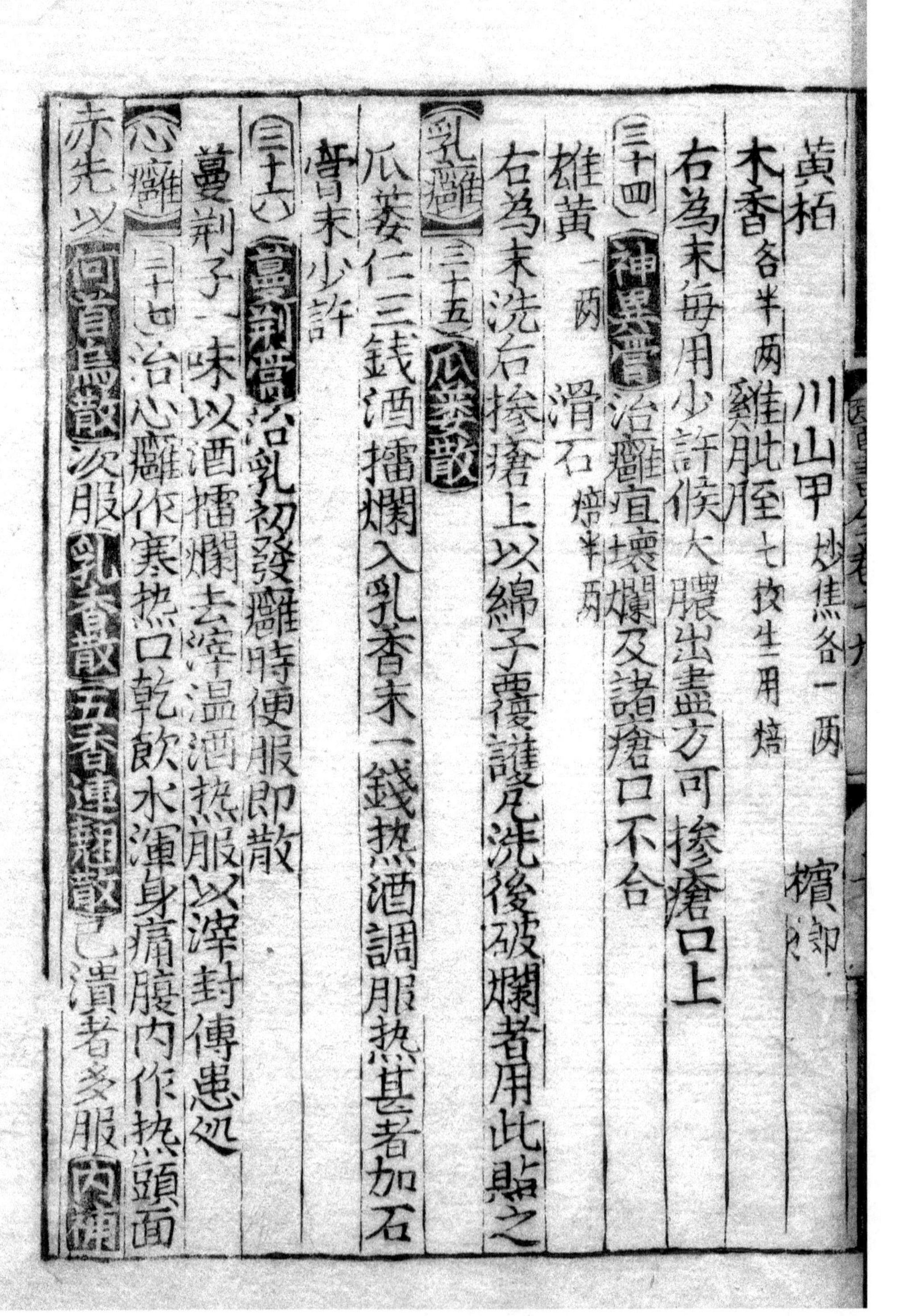

黃栢　川山甲炒焦各一兩　檳榔

木香各半兩　雞肶胵七枚生用焙

右為末每用少許候大膿出盡方可摻瘡口上

〔三十四〕〔神異膏〕治癰疽壞爛及諸瘡口不合

雄黃一兩　滑石焙半兩

右為末洗后摻瘡上以綿子覆護凡洗後破爛者用此貼之

〔乳癰〕〔三十五〕〔瓜蔞散〕

瓜蔞仁三錢酒擂爛入乳香末一錢熱酒調服熱甚者加石

膏末少許

〔三十六〕〔蔓荆膏〕治乳初發癰時便服即散

蔓荆子一味以酒擂爛去滓溫酒熱服以滓封傅患処

〔心癰〕〔三十七〕治心癰作寒热口乾飲水渾身痛腹内作熱頭面

赤先以〔何首烏散〕次服〔乳香散〕〔五香連翹散〕已潰者多服〔内補

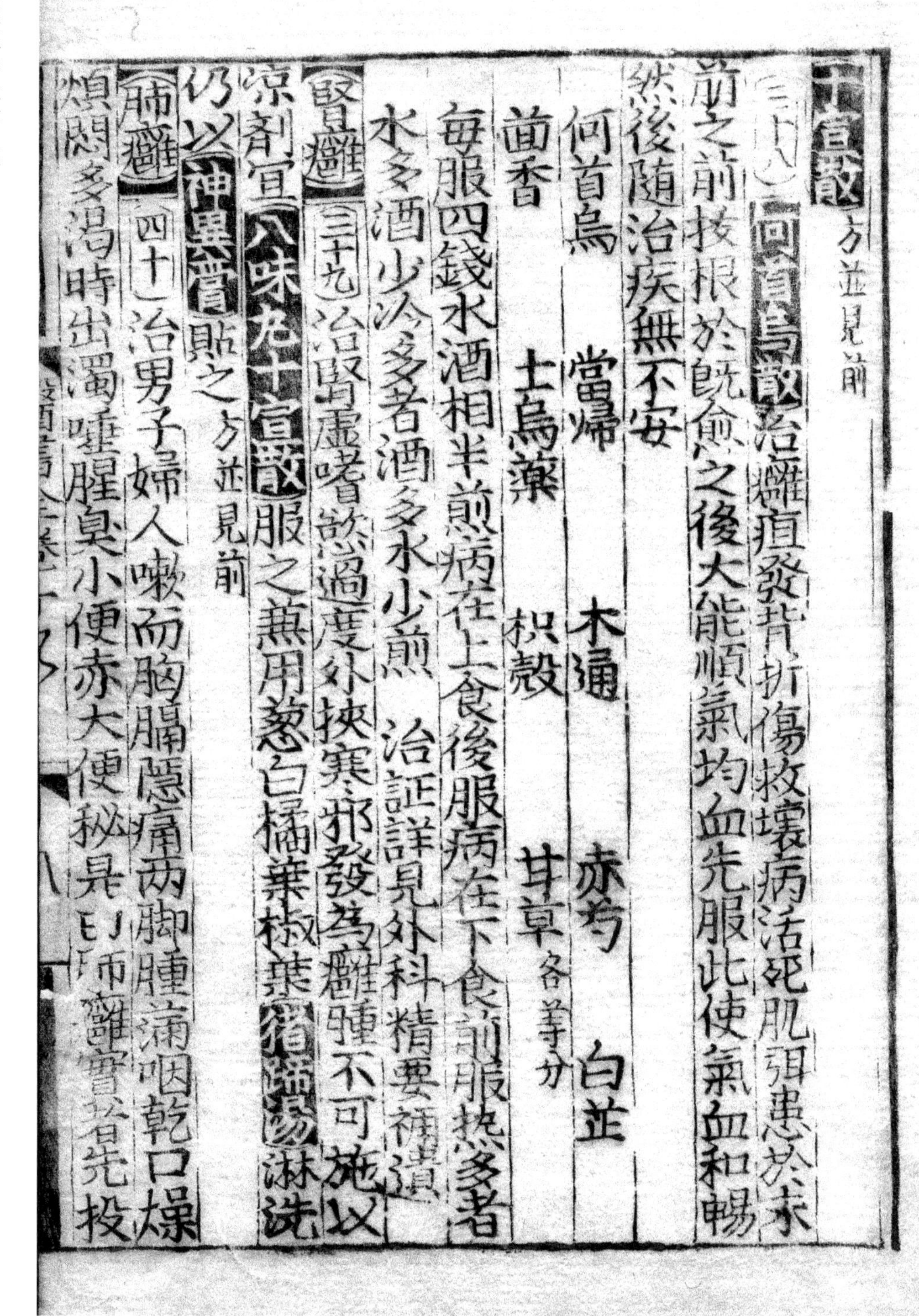
十宣散方並見前

(三十八)何首烏散治癰疽發背折傷救壞病活死肌弭患於未萌之前拔根於既愈之後大能順氣均血先服此使氣血和暢然後隨治疾無不安

何首烏　當歸　木通　赤芍　白芷

茴香　土烏藥　枳殼　甘草各等分

每服四錢水酒相半煎病在上食後服病在下食前服熱多者水多酒少冷多者酒多水少煎　治証詳見外科精要補遺

腎癰(三十九)治腎虛嗜慾過度外挾寒邪發為癰腫不可施以涼劑宜八味丸十宣散服之兼用葱白橘葉椒葉猪腰湯淋洗仍以神異膏貼之方並見前

肺癰(四十)治男子婦人嗽而胸膈隱痛兩脚腫滿咽乾口燥煩悶多渴時出濁唾腥臭小便赤大便秘是肺癰實者先投

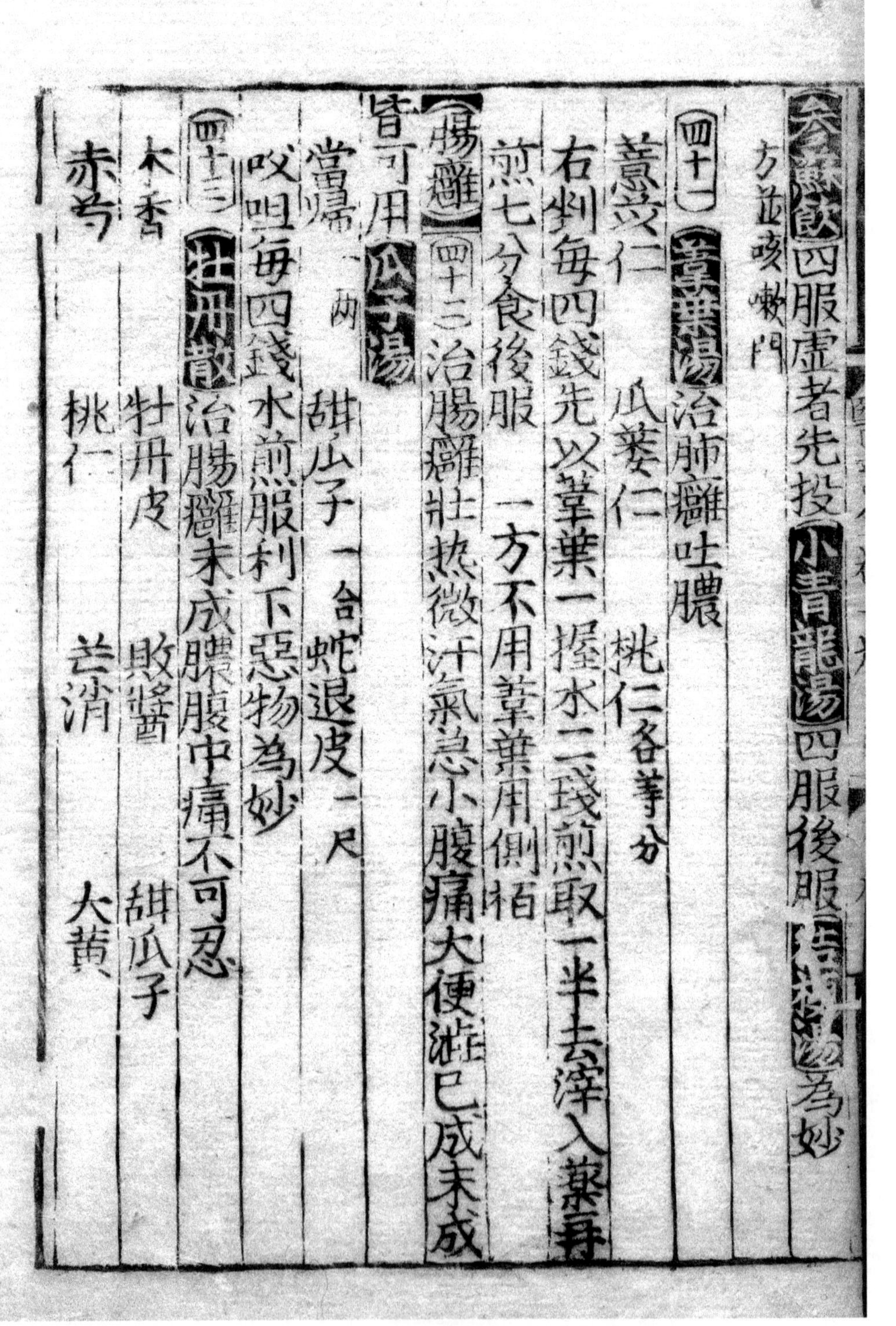

参蘇飲四服虛者先投小青龍湯四服後服五[illegible]湯為妙

方並咳嗽門

（四十一）葦葉湯治肺癰吐膿

薏苡仁　瓜蔞仁　桃仁各等分

右剉每四錢先以葦葉一握水二錢煎取一半去滓入藥再

煎七分食後服　一方不用葦葉用側柏

（腸癰）（四十二）治腸癰壯熱微汗氣急小腹痛大便澁已成未成

皆可用瓜子湯

當歸一两　甜瓜子一合　蛇退皮一尺

㕮咀每四錢水煎服利下惡物為妙

（四十三）牡丹散治腸癰未成膿腹中痛不可忍

木香　牡丹皮　敗醬　甜瓜子

赤芍　桃仁　芒消　大黄

等分每四分水煎服

【便毒】（四十四）便毒之證皆因內蘊熱氣外挾寒邪精血交滯腫結疼痛初發用【何首烏散】數服次【五香連翹散】【黃礬丸】服之後用雄黃乳香黃栢等分為末水調傅之自平方並見前

【偏癰】（四十五）俗名膂氣又謂癖瘡初作未作之時以天門冬去皮心半水半酒煎熟服即愈

【又方】治偏癰便毒初發以生姜一大塊米醋一合以姜蘸醋磨取千步峰泥敷腫處即消（千步峰即人家行步地上有高墩塊者是）

【丁瘡】（四十六）治魚臍丁瘡

絲瓜葉（即虞刺葉）　連鬚葱　韭菜

右入石鉢內擣爛如泥以酒和服以滓貼腋下如病在左手貼左腋下右手貼右腋下在左脚貼左胯右脚貼右胯如在中則貼心臍並用布帛縛住候肉下紅線處皆白則可為安

如有潮熱亦用此法却令人抱住恐其顛倒倒則難救矣

〔四十七〕治丁瘡用蒼耳根莖苗子一色者燒灰為末用醋泔調塗瘡上毒根即出或醋靛調尤好有用前藥濾酒喫以滓傳瘡

又方 治丁瘡最有功效用蟬蛻殭蚕為末酸醋調塗四圍留瘡口俟根出稍長然後拔去再用藥塗瘡

又方 治丁瘡

黃連　羌活　白殭蚕　青皮　獨脚茅　防風

赤芍藥　獨活　蟬蛻　細辛　甘草節各等分

右㕮咀每服五錢先將一服入澤蘭葉少許薑十錢重同擂爛熱酒和服然後用酒水各半盞薑三片煎服病勢退減後再加大黃少許煎服累下一兩場蕩去餘毒更用白梅蒼耳子研爛貼瘡上拔去根脚此方以藥味觀之甚若不切然効驗神速累試之驗

瘤

四十八　繫瘤法　以芫花汁浸線一宿以線繫瘤旋擢緊即落

四十九　南星膏　治皮膚項面上生瘡瘤大者如拳小者如栗或軟或硬不疼不痛宜用此藥不可輒用針灸用生南星大者一枚細研稠粘滴好醋五七滴為膏如無生者則以乾者為末醋調如膏先將小針刺痛處令氣透却以藥膏攤紙上象瘤大小貼之覺癢則頻貼取效

癭

五十　破結散　治石癭氣癭筋癭血癭肉癭等證

海藻洗　龍膽　海蛤　通草　貝母去心各二分

昆布洗　礬石枯　松蘿各三分　麥麯四分　半夏湯洗七次

右為末每服二錢酒調服忌甘草鯽魚雞肉五辛生菓等物

瘰癧

夫瘰癧之病即九漏是也古者所載名狀大[illegible]不一難以詳述

及其生也多結於項腋之間累累大小無定發作寒熱膿水潰漏其根在藏府蓋肝主狼漏胃主鼠漏大腸主螻蛄漏脾主蜂漏肺主蚍蜉漏心主蠐螬漏膽主浮蛆漏腎主瘰癧漏小腸主轉脉漏原其所自多因寒暑不調或由飲食乖節遂致血氣壅結而成也巢氏所載生死反其目而視之其中有赤脉上下貫瞳子見一脉一歲死一脉半一歲半死二脉二歲死見二脉半二歲半死若赤脉不下貫瞳子可治三因云有是說驗之少有是證理宜然也

〔宣毒〕〔五十〕治瘰癧

荆芥穗　薑蠶　黑牽牛各二兩

斑猫二十八隻去頭翅足用糯米炒

右為末臨睡時先將滑石末一錢用米飲調服半夜時再一服五更初却用温酒調藥一錢服訖如小便無惡物行次日

早再進一服又不行第三日五更初先進白糯米稀粥湯却再進前藥一服更以燈心湯調琥珀末一分重服之以小便内利去惡毒為愈

（五十二）**三聖圓** 治瘰癧

丁香五十个　斑猫十个　麝香一分别研

右為末用鹽豉五十粒湯浸爛如泥和前藥令匀圓如菉豆大每服五七圓食前温酒送下日進三服至五七日外覔小便淋瀝是藥之效便加服或便下如青筋膜之狀是病之根也忌濕麪毒食

（五十三）**已驗方** 治瘰癧已作者

烏雞子七枚　班猫四十九个去頭足翅

右每雞子一个去頂用筯攪匀入班猫七粒以帋糊蓋於飯上蒸熟取開去班猫食雞子煎生料五積[illegible]每日如此服

至七日則七箇已破者生肌未破者消散

（通治）（五十四）乳香散 治瘰癧攻心嘔吐可辯其毒方見癰疽門

（五十五）黄蘇圓 治瘰癧神效方見癰疽門

（五十六）白花蛇散 治九漏瘰癧發於項腋之間痒痛增寒發熱

白花蛇酒浸軟去皮骨焙乾秤二兩　生犀鎊半兩

黑牽牛半兩一半生用一半炒　青皮半兩

右爲末每服二錢膩粉半錢研勻五更糯米飲調下以利下

惡毒爲度十餘日再進一服可絶根源

（五十六）四聖散 治瘰癧用花蛇取利後用此補之

海藻洗　石决明煆　羌活　瞿麥穗各等分

右爲末每服二錢米湯調下

（五十七）連翹圓 治瘰癧結核或破未破者

薄荷新者二斤取汁　皂角一挺水浸去皮裂取汁

以上二味一處於銀石器內熬成膏次入

青皮一两不去白　連翹一两　陳皮一两不去白　黑牽牛一两半生半炒

皂角子慢火炮去皮取皂子仁擣羅為末两半

右五味為末用前膏子為圓如梧桐子每服三十圓煎連翹湯食前送下

（五十八）牛蒡子圓　治風毒結核瘰癧腫痛

牛蒡子微炒　何首烏各一两　乾薄荷　雄黄各一两

麝香　牛黄各一分半　皂角七挺水二升擣汁熬成膏

右為末以皂角膏圓如梧桐子每服二十圓煎黄耆湯下

（傳貼）（五十九）蝸牛散　治瘰癧已潰未潰皆可貼

蝸牛即蜞螺不拘多少以竹索串尾上晒乾燒存性為末入輕粉少許猪骨髓調用帋花量大小貼之

（六十）螺灰散　大田螺并殼肉燒存性灰研為末破者乾貼未破者清

油調傅之

〔六十一〕傅癧方 先用白芷荊芥煎湯洗拭乾好膏藥粘出膿汁盡用後藥傅

半夏 南星 血竭各一錢 輕粉少許

右為末以津唾調傅

〔六十二〕傅癧散

五倍子 海螵蛸 檳榔 雷丸 射香 五靈脂

右為末乾用清油調傅濕則乾摻

〔六十三〕又傅方 木鱉子二枚草烏半兩以米醋磨入擂爛葱白連根蚯蚓糞少許調勻傅之

〔六十四〕雞內金 治瘰癧效

先以水煎桃葉及枝時常洗瘡拭乾以雞卵蒸熟取黃熬令黑色塗患処

六十五 斂瘡口

血竭　棗子燒灰半錢　射香少許

右為末津唾調傅

灸法 六十六 以手仰置肩上微舉肘取之肘骨尖上是穴隨患処左即灸左右即灸右兩邊俱發則左右皆灸艾炷如小筯頭大每灸如前三次灸永不發無恙如四五年用藥不退辰時着灸申時即落所感稍深三作即三灸而安

又法 若未破者只以蒜搗貼癧上七壯一易蒜多灸取効

瘡疥

瘡疥之為病雖苦不害人然而至難可者多矣諸痛痒瘡瘍属於心灸由心氣鬱滯或飲食不節毒蘊於腸胃發見於皮膚古方所謂馬疥水疥乾疥湿疥今之所謂熱瘡冷瘡[illegible][illegible][illegible][illegible]瘡反花瘡膗

類不一生於手足乃至遍身或痒或痛或舉或陷或皮肉隱疹或爪之凹凸或瘖癗或膿水浸淫治之當理心血散風熱外則傅洗而愈矣

（瘡疹一）（六十七）苦參丸 治肺受熱毒遍身生瘡用苦參為末粟米飯和丸如梧桐子每服五十圓空心米飲下

（六十八）加味羌活飲 治四氣外搏肌膚發為癮疹增寒發熱身痛

羌活 前胡各一兩 人參 桔梗 茯苓各半兩 甘草

枳殼麩炒 川芎 天麻 蟬蜕 薄荷各三錢

右㕮咀每服三錢水一盞姜三片煎七分服

（六十九）升麻和氣飲 治瘡疥發於四肢痛痒不常甚至增寒發熱陰下濕痒並皆治之

乾薑半錢 乾葛一兩 大黃蒸半兩 熟枳殼半錢 熟蒼朮

桔梗 升麻各一兩 芍藥七錢半 白芷 陳皮

甘草各兩半　熟半夏　當歸　茯苓各半兩

右㕮咀每服四錢水一盞生姜灯心同煎食前服

（七十）平血飲　治身生瘡膿血𤸷腫極痛且痒

乾葛　赤芍　升麻各一兩　粉草

天麻　蟬退各五錢

右剉為人參敗毒散合和生姜薄荷生地黃麥門冬煎大効

（七十一）酒蒸黃連丸　治証同上方見積熱門

（七十二）當歸飲子　治心血凝滯內蘊風熱發見皮膚遍身瘡疥

或腫或痒或膿水浸淫

當歸去芦　白芍藥　川芎　生地黃洗　甘草炙各半兩

防風去芦　白蒺藜炒去尖　荊芥穗各一　何首烏　黃耆去芦半兩

右㕮咀每服四錢水一盞姜五片煎服不拘時

（七十三）何首烏散　治脾肺風毒遍身癬疥瘙痒或致肌肉頑麻

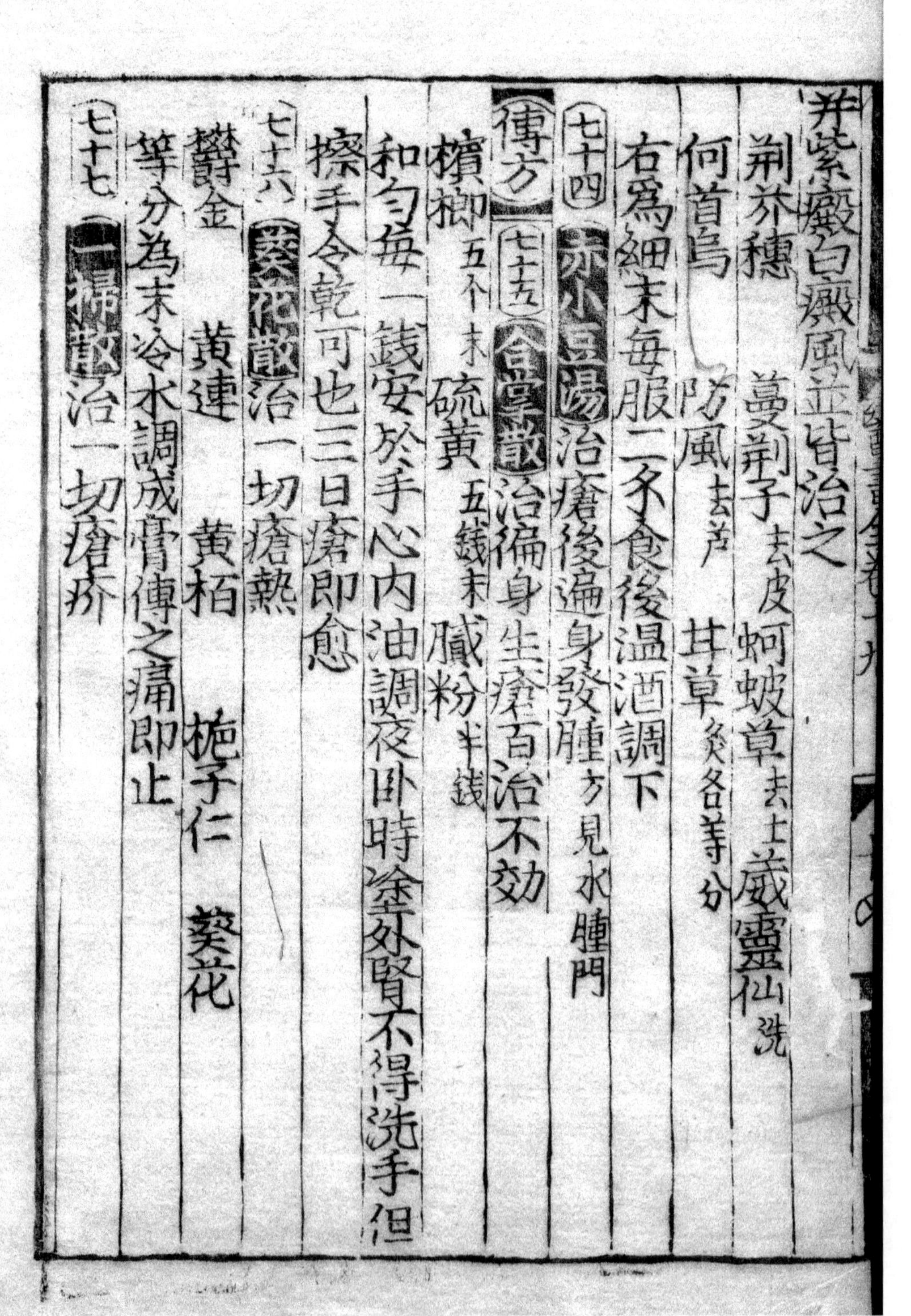
并紫癜白癜風並皆治之
荊芥穗　蔓荊子去皮　蚵蚾草去土　威靈仙洗
何首烏　防風去芦　甘草炙各等分
右爲細末每服二錢食後温酒調下
（七十四）赤小豆湯治瘡後遍身發腫方見水腫門
（傳方）（七十五）合掌散治徧身生瘡百治不効
檳榔五个末　硫黄五錢末　膩粉半錢
和匀每一錢安於手心内油調夜卧時塗外腎不得洗手但
擦手令乾可也三日瘡即愈
（七十六）葵花散治一切瘡熱
鬱金　黄連　黄栢　梔子仁　葵花
等分為末冷水調成膏傳之痛即止
（七十七）一掃散治一切瘡疥

猪䐇皮二兩　蚌粉　水粉各一兩　輕粉十貼　雄黄五錢

右爲末用大鯽魚一箇入香油煎候熟去魚以油調藥傅之効可加信石末少許研杏仁十粒近陰処勿用

（七十八）殺疥藥

水銀淬研末黄蠟猪脂調擦之

（七十九）真平胃散　治腫後作瘡或水泡成瘡是脾土崩害及一切瘡清油調傅濕則乾摻方見脾胃門

（八十）神異膏　治一切瘡疥

全蝎七个去毒　皂角一錠　巴豆去殼七粒　蛇床子三分

清油一兩　黄蠟半兩　輕粉一字　雄黄三分

先用皂角全蝎巴豆煎油變色去了三味入蠟化開取出冷入雄黄蛇床末輕粉和勻先以苦參湯洗后以藥擦之

（八十一）如聖散　治肺臟風毒發於皮膚變生瘡疥瘙痒不常

蛇床子半兩 黄連去鬚須二分 胡粉一两 結沙子
水銀一分同胡粉點水研黑令
右爲末用清油調稀每用藥時先以鹽漿水洗瘡令淨後以
此藥塗之乾即換不過三五度瘥

〔八十二〕治積年疥癩不愈者

水銀三分及茶末少許於瓷器用津液擦化作末 輕粉三合
狼毒一兩置水中取沉者以一半炒為末一半生用
右用清油出藥面一寸高浸藥三日候藥沉油清遇夜不見
燈火只點清油塗瘡上仍以口鼻於藥盞上吸入藥氣

〔八十三〕定粉散 治熱汗浸漬成瘡腫痒焮痛

定粉一兩 蛤粉九兩半 石膏 白石脂各半两
滑石八兩半 白龍骨半兩 粟米粉 寒水石燒出毒各一兩
右爲末研令極細每用少許乾擦患處

（八十四）**竹茹膏** 治黃泡熱瘡

清油二兩　青木香半兩　青竹茹一小團　杏仁二七粒去皮尖

右用藥入清油內慢火煎令杏仁色黃去滓入松脂末半兩熬成膏子每用少許擦瘡上

（八十五）**挑花散** 治一切瘡生肌藥

白及　白歛　黃栢　黃連

乳香別研　麝香別研　黃丹各等分

右為細末摻於瘡上三二日生肌平滿

（頭瘡）**治患風瘡** 極痒用藜芦根不拘多少為末先洗頭須避風候未至十分乾時却用藥摻定須要藥入髮至皮方可

（八十六）**治頭瘡** 先以本人小便燒秤錘令紅投小便中洗瘡皮皆去然後以帛拭乾用滴青五文研末用油煎三箇以灯盞燒成油調滴青傳之三日效

（八十七）治虛壅上攻滿口生瘡

草烏　南星各一个　生姜一大塊

右爲末每服一錢臨睡時用醋調作掩子貼手心脚心

〔臁瘡〕（八十八）隔紙膏

用煮酒埕頭上乾泥土研細末麻油調成膏再用煮酒埕頭篛葉量瘡口大小樣剪二片將一片篛葉背攤藥不令粢出篛外再將一片合之以篛葉光面貼在瘡上用帛包扎定儘膿水流出三兩日一換即生石榴肉用忌口

（八十九）又方　先用鹽湯洗令淨用上等好砂糖以津唾調和傳之

（九十）治外臁脚瘡　用累經燒過窑竈黃土研極爛入黃栢赤石脂黃丹輕粉拌勻以清油調稀用油絹盛藥傳瘡上却以布絹縛定藥縱痒不可以手開動直候十數日後瘡愈却去之

〔陰瘡〕（九十一）治外腎癰瘡　用抱雞卵殼鷹爪黃連輕粉各等分

爲末煎過清油調塗

（九十二）烏蛇丸　治肝腎風痒瘡方見風門

（九十三）神授丸　治外腎濕痒瘡方見勞瘵門

（九十四）治外腎濕瘡　用抱雞卵殼黃連輕粉等分爲末煎過清油塗先用香附子白芷五倍子煎水洗

（九十五）陰蝕瘡

豆粉一分　蚯蚓二分　用水研塗上乾又傳之

（九十六）陰囊上瘡

甘草煎湯溫洗却用臈茶末傳之

（九十七）陰頭生瘡

用溪螺殼溪港中螺舊者如甘鍋中煆爲末先以鹽湯洗了后傳上

（九十八）陰精瘡

用田螺两箇大者和殼燒存性為末入輕粉拭患處

〔九十九〕莖物腫爛淫汁方

大腹皮一升苦參京芥各二兩煎水洗拭乾以津液塗潤次油髮燒存性入白及末少許傅逐日煎洗搽藥或加乳香末仍服黃礬丸以髮灰末米飲調吞下方見癰疽門

〔一百〕腎臟風發瘡疥

大紅椒去目水浸濕半日夾生杏人研膏抹两手掌搓外腎女以两手搓两乳各睡至醒次日又用

癬

〔百一〕胡粉散治一切瘡癬瘙痒甚者

胡粉一分 砒半分 大草烏一个生用 蝎稍七枚

雄黃 硫黃各別研一分 斑猫一枚 麝香少許

右為末先用羊蹄菜根蘸醋擦動次用少許藥擦患處

〔百二〕烏頭圓治宿患風癬遍身黑色肌躰麻木痺痛不常

用草烏頭一斤刮洗去皮令極淨攤乾用清油四两塩四两同藥入銚内炒令深黄色傾出剩油只留塩并藥再炒令黑色煙出為度取一枚劈破心内如米一點白者恰好白多再炒趁熱杵羅爲末醋糊圓如梧桐子每服三十圓空心温酒下然草烏性差熱難製五七日間以烏豆煮粥解毒

〔百三〕**如意散** 治疥癬無時痛痒愈發有時不已久新者

吴茱萸　牛李子　荆芥各一分　牡蠣半两
輕粉半分　信砒二分

右為細末研勻每臨卧抄壹錢油調徧身揩摩上一半如後痒不止更少旋塗之股髀之間闕香悉愈

〔惡瘡〕〔百四〕治一切惡瘡醫所不識者

水銀　甘草　黄蘗　黄連　松脂黄明者
膩粉　土蜂窠以泥做着壁上者南方多有之

右取水銀放在掌上以唾擦為泥入甆器中以清油和勻生絹濾如稀餳和藥末再研如稠餳先以溫水洗瘡以帛拭乾塗之一切無名瘡或痛或痒并有黃水者塗即愈治疥尤妙

（百五）惡瘡方

白膠香一錢　明白礬三錢　黃丹二錢

右為末先煖漿水洗拭乾清油調傅

（百六）又方　治惡瘡及人面瘡

貝母為末入雄黃少許摻之

（百七）淨肌散　治一切惡瘡

雄黃　海螵蛸　大腹皮　宣連

木粉　輕粉　蚌粉　杏人

右為末麻油調傅

（百八）苦練膏　治惡瘡治大人小兒瘡禿

苦練皮燒灰猪脂調傅

〔百九〕苦參湯 洗一切惡瘡

苦參　蛇床子　白礬　京芥

等分水煎放溫洗

〔皸裂〕

〔百十〕治手足裂

白及不拘多少爲末水調塗裂処

〔百十一〕治手足皸裂春夏不愈者

生薑汁　紅糟　塩　猪膏臘月者

右研爛炒熱擦入皸內一時雖痛少頃便皮軟皸合再用即安

〔百十二〕治斷跟皸 用頭髮一大握桐油一椀於瓦器內熬候油

沸頭髮溶爛出火攤冷以瓦器收貯不令灰入每用百沸湯

泡洗皸裂令軟拭乾傅其上即安　一方加水粉

〔百十三〕用五倍子爲末同牛骨髓塡縫內即好

〔百一〕選方 治手足皸裂用滴青二兩黃臘一兩共熬攪勻瓦罐

盛貯先以熱湯洗令皮軟拭乾將藥於慢火上略炙溶傅之

〔百一選方〕治凍瘡用茄子根濃煎湯洗并以雀兒腦髓塗之

〔百一選方〕治脚指縫爛瘡摶鵝時取鵝掌黄皮焙乾燒灰存性爲末濕則摻之

〔湯火瘡〕凡被火傷急向火炙雖極痛強忍一時即不痛慎勿以冷物搨之熱氣不出爛人筋肉

〔百十四〕治湯火傷未成瘡者用小麥炒黑爲度研爲末膩粉减半油調塗之

〔百十五〕〔赤石脂散〕治湯火所傷赤爛熱痛

赤石脂　寒水石　大黄各等分

右爲末以新汲水調塗傷處

〔一方〕以杉皮燒灰存性爲末濕則乾摻乾用雞子清調塗

〔百十六〕〔秘方〕治湯火所傷用大黄當歸各等分為末以清油調

傅之濕則乾摻之

百十七　**四黃散**　治湯潑火燒熱瘡腫痛

大黃　黃連　黃蘗　黃芩　白及 各等分

右爲末水調成膏以雞翎時塗瘡上

百十八　**滄寶方**　治湯火瘡用螺螄殼多年乾白者火煅爲末如瘡破用乾末摻之如不破入輕粉清油調傅之

百十九　**龍鱗散**　治湯火瘡爛痛

老松樹懸皮爲末麻油調傅濕摻之

膏藥

百二十　**玄武膏**　治癰疽發背一切瘡癤已潰未潰悉皆治之大能排膿血生肌肉

大巴豆去殼膜二兩淨　木鱉子去殼二兩　清油十兩

國丹四兩淨飛過研細　槐柳嫩枝各七寸長二條剉細
右將木鱉子巴豆槐柳枝用磁器或銅鐵銚盛油浸藥一宿
慢火煎熬諸藥黑色用生絹帛濾出滓復將所濾油於慢火
上再熬却將國丹入油內用長條槐柳枝不住手攪候有微
煙起即提出點藥滴在水面上凝結成珠不散方成膏矣傾
在磁器內收貯置新汲水內三日出火毒然後用之

（百三十）善應膏　治一切瘡疽及傷折損痛

巴豆去皮心七十个　薑蠶去絲嘴　赤芍藥
白芷各五錢　五倍子二錢　黃連一錢　亂髮如雞子大
桃柳枝各七寸　草麻子去殼三十粒　猪膏一指面大
右用清油半斤浸藥三日慢火煎熬令亂髮焦爛出火候冷
用絹濾去滓再澄却入銚內上火再熬次入飛過黃丹四兩
以桃柳枝不住手攪青煙微出為度要滴在水上不散方成

膏却出火攪令温再入乳香末五錢沒藥末五錢桂心末三錢略上火再攪令匀却以淨磁器收貯任意使用

（百五二）**神聖膏**　治一切惡瘡

當歸半兩　沒藥三錢　白及二錢半　乳香三錢

藁本半兩　琥珀三錢半　鉛丹四兩　木鱉子五个去皮

膽礬乙錢　粉霜二錢　黃臘三兩　白膠三兩

巴豆廿五个去皮　槐柳枝一百片條　清油二斤

右件一処先將槐柳枝下油內煑焦取出次後下其余藥物煑得極焦亦濾出却將油澄清再熬成膏子用緋絹上攤

名方類證醫書大全卷二十

鼇峯熊　宗立　道軒　編集

急救諸方

自縊（一）**救自縊法**　凡自縊高懸者徐徐抱住解繩不得截斷上下安脚卧之以一人用脚踏其兩肩手挽其髮常令弦急勿使緩縱一人以手按據胷上數摩動之一人摩捋臂脛屈伸之若已強直但漸漸屈之并按其腹如此一時頃雖得氣從口出呼吸眼開仍引按不住須臾以少桂湯及粥清灌令喉潤漸漸能嚥乃止更令兩人以管吹其兩耳此法最好無不活者自旦至暮雖冷亦可救暮至旦陰氣盛爲難

又法　緊用兩手掩其口勿令透氣兩時久氣氣即活

落水（二）救溺水法 凡人溺水者救上岸即將牛一頭却令溺水之人將肚横覆在牛背上兩邊用人扶策徐徐牽牛而行以出腹内之水如醒即以蘇合香园之類或老姜擦牙若無牛以活人於長板櫈上仰卧却令溺水人如前法將肚相抵活人身上水出即活

孫真人救落水死急解去死人衣帶艾灸臍中即活

得效方又法 凡溺水死一宿尚可救擣皂角以綿裹納下部須臾水出即活又將醋半盞灌鼻中

得效方又法 以屈死人兩脚着生人肩上以死人背貼生人背揹走水出即安

得效方 又熬熱砂或炒熱灰將溺者埋於其中從頭至足出水七孔即活

又以酒壜一箇以紙糸一把燒放壜中急以壜口覆溺水人面

上或臍上冷則再燒再覆水出即活數方皆效柰人不諳曉多以爲氣絕而不與救可憐從其便而用之

凍死（三）

救凍死法　四肢直口噤只有微氣者用大釜炒灰令煖以囊盛熨心上冷即換之目開氣出然後以粥清稍稍進之若不先溫其心便將火炙則冷氣與火爭必死

又法　用氈或藁薦裹之以索繫定放平穩處令兩人對面輕輕衮轉往來如捍氈法四肢若溫和即活

救魘死（四）

不得着灯火照亦不得近前急喚多殺人但痛咬其足跟大母指甲邊并多唾其面即活如不醒者移動些子徐喚之若元有灯即存如無灯切不可用灯照又用筆管吹兩耳或以皂角爲末吹兩鼻中或以塩湯灌之或擣韭汁半盞灌鼻中冬月掘根研汁用

又方　視上唇內有如黍米粒以針挑破

又用蓬莪朮末酒調服一盞

又方　鹽一盞水一盞和服以冷水噀之吐即活

（五）半夏散　治魘寐卒死諸暴絶證用半夏不拘多少湯洗七次爲末每用少許吹入鼻中心頭温者可治倉卒無藥急於人中穴及两脚大拇指内離甲一韮葉許各灸三五壯即活

（六）雄朱散　治到客店官驛及久無人居冷房睡中爲鬼物所魘但聞其人吃吃作声便令人叫喚如不醒急用救之

牛黄　雄黄各一朶　朱砂半朶

右爲末每一朶床下燒一朶用酒調灌之無牛黄亦可

（七）朱犀散　治中惡中忤或爲鬼氣所魘急以安息香蘇木樟木之類燒於患所然後此藥灌之

犀角五朶　射香　朱砂各一分

爲末每一朶水調灌之

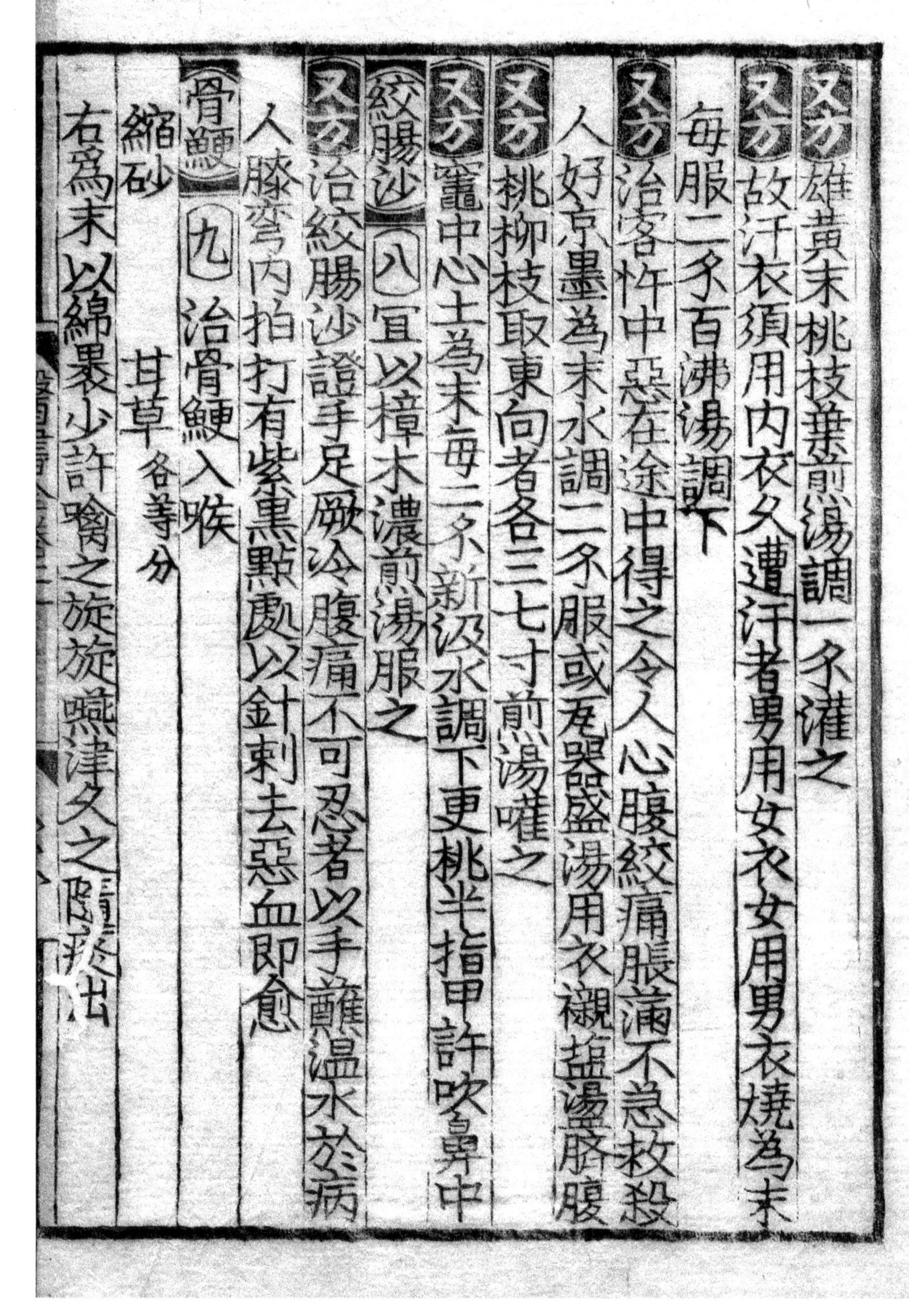

又方　雄黄末桃枝葉煎湯調一錢灌之

又方　故汗衣須用内衣久遭汗者男用女衣女用男衣燒為末每服二錢百沸湯調下

又方　治客忤中惡在途中得之令人心腹絞痛脹滿不急救殺人好京墨為末水調二錢服或瓦器盛湯用衣襯盞盪臍腹

又方　桃柳枝取東向者各三七寸煎湯嚾之

又方　竈中心土為末每二錢新汲水調下更桃半指甲許吹鼻中

絞腸沙　八　宜以樟木濃煎湯服之

又方　治絞腸沙證手足厥冷腹痛不可忍者以手蘸温水於病人膝彎内拍打有紫黒點處以針刺去惡血即愈

骨鯁　九　治骨鯁入喉

縮砂　甘草　各等分

右為末以綿裹少許噙之旋旋嚥津久之隨痰出

又方　治骨鯁以野苧根洗淨擣爛如泥每用龍眼大含化雞骨所傷以雞羮化下如被魚骨所傷以魚汁化下

又方　用金鳳花子嚼爛嚥下無子用根亦可口含骨自下忌用温水灌嗽免致損齒雞骨尤效

又方　朴消末對入雞蘇丸別丸如弾大仰卧含化

又方　鵬砂末新汲水調嚥化

又方　貫衆濃煎一盞半分三服一咯而骨出

又方　多食橄欖其骨下魚骨尤妙

又方　獺爪於咽喉下外爬自下治魚骨

又方　象牙磨濃汁嚥之并治諸獸骨哽

十一　誤吞蜈蚣　以生猪血令病喫須臾生清油灌口中惡心其蜈蚣裹在血中吐出即以雄黄末水調服之

十二　誤吞銅物　不化濃煎砂仁湯服之銅自下或用生荸薺研

爛服之其銅自化或以堅炭爲末米飲調服於大便瀉下烏梅狀

折傷

折傷者謂其有所傷於身躰者也或爲刃斧所刃或墜墮險地打撲身躰皆能使血出不止又恐瘀血停積于臟腑結而不散去之不早恐有入腹攻心之患治療之法須外用敷貼之藥散其血止其痛内則用花蘂石散之類化利瘀血然後欵欵調理生肌或因折傷而停欝其氣又當順之或因湯火所傷并具一二方以備搜討

（十二）花蘂石散　治一切金刃所傷打撲傷損身躰血出者急於傷處摻藥其血自化爲黃水如有内損血入臟腑熱煎童子小便入酒少許調一錢服之立效若牛觝腸出不損者急送入用細絲桑白皮尖茸爲線縫合肚皮縫上摻藥血止立活如無

桑白皮用生麻縷亦得並不得封裹瘡口恐作膿血如瘡乾以津液潤之然後摻藥婦人産後敗血不盡惡血奔心胎死腹中胎衣不下並用童子小便調下

硫黄上色明淨者四兩擣為粗末　花蘂石一兩擣為粗末

右二味相拌和令勻先用紙筋和鹽泥固濟瓦罐子一个候泥乾入藥於內再用泥封口候乾安在四方磚石上書八卦五行字用炭一秤籠疊周匝自巳午時從下着火令漸漸上徹直至經宿火冷炭消又放經宿罐冷取出細研以絹羅子羅至細甆合內盛依前法服

（十三）没藥降聖丹治打撲閃肭筋斷骨折攣急疼痛不能屈伸

自然銅火煅醋淬七次為末水飛過焙一兩

川烏頭生去臍　川芎　没藥別研　當歸洗焙

骨碎補炙去毛　乳香別研　生乾地黄　白芍藥各一兩半

右爲末令勻以生姜汁与煉蜜等分和圓每一两作四圓每服一圓水酒各半盞蘇木少許同煎八分去蘇木空心熱服

十四 **接骨散** 治從高墜下及馬上折傷筋骨碎痛不可忍者此藥能接骨續筋止痛活血

定粉　當歸各一錢　鵰砂一錢半

右爲末每服二錢煎蘇木湯調下服後時時進蘇木湯

十五 **補損當歸散** 療墜馬落車打傷身躰呼吸疼痛連進此藥其痛即止筋骨接續

澤蘭炒　附子炮去皮各一分　當歸炒

蜀椒炒出汗　甘草炙　桂心各三分　川芎炒六分

右爲末每服二錢溫酒調下日三服忌生葱猪肉冷水菘菜

十六 **淋渫頑荊散** 治從高失墜及一切傷折筋骨瘀血結痛

頑荊葉兩半　蔓荊子　白芷　細辛去苗

防風去芦 川芎 桂心 丁皮 羌活各一兩

右爲末每服一兩鹽半匙葱白連根五莖漿水五升煎五七沸去滓通手淋渫痛处冷即再換宜避風

（十七）**没藥乳香散** 治打撲傷損痛不可忍者

白术炒五兩 當歸焙 甘草炒 白芷

没藥別研 肉桂去皮 乳香別研各一兩

右爲末入研藥再研令勻每服二錢温酒調下不拘時

（十八）**加味芎藭湯** 治打撲傷損敗血流入胃脘嘔黑血如豆汁

當歸 白芍藥 芎藭 荆芥穗 百合水浸半日各等分

右㕮咀每服四錢水一盞酒半盞同煎七分不拘時候

（十九）**雞鳴散** 治從高墜下及木石所壓凡是傷損血瘀凝積痛不忍並以此藥推陳致新

大黃一兩酒蒸 杏仁三七粒去皮尖

右研細酒一椀煎至六分去滓雞鳴時服至曉取下瘀血即愈若使便覔氣絕不能言取藥不及急擘開口熱小便灌之

〔二十〕家藏方紫金散 治打撲傷折内損肺肝嘔血不止或有瘀血停積於内心腹脹悶

紫金藤皮二兩　降眞香　續斷　補骨指　無名異燒紅醋淬七次　琥珀別研　蒲黃　牛膝酒浸一夕　當歸洗焙　桃仁去皮炒各一兩　大黃紙裹煨　朴消別研各一兩半

右爲末每服二錢濃煎蘇木當歸酒調下并進三服利即安

〔二十一〕直指方茴香酒 治打墜肢躰凝滯瘀血腰脇疼痛

破故紙炒　茴香炒　辣桂各等分

右爲末每服二錢食前熱酒調服

〔二十二〕治從高墜下或打撲傷損腰脇心痛 木香調氣散 加紅麯末少許童子小便同酒調空心熱服如無紅麯紅酒亦好

〔二十三〕治打撲傷折手足用菉豆粉新鐵銚内炒令紫色用新汲井水調稀厚傅損処貼以紙將杉木片縛定立效

〔二十四〕治打攧折骨損斷服此藥自頂心尋病至下兩手同遍身遇受病處則颯颯有聲覺藥力習習往來則愈矣

自然銅火煅醋淬七次 川烏去皮尖 松明節 乳香 没藥 降真香 蘇木各一兩 血竭三分 龍骨生用 地龍去土油炒 水蛭油炒各半兩 土狗十个油炒焙干為末本草名螻蛄

右為末每服五錢無灰酒調下病在上食後服病在下食前服

〔二十五〕治打撲傷損用胡孫姜研爛取汁以酒煎服滓傅傷處

〔二十六〕走馬散 治折傷接骨

栢葉生 荷葉生 皂角生 骨碎補去毛各等分

右為末於折傷處揣定位入元位以薑汁調藥如糊攤在紙上貼骨斷處用杉木片子夾定以繩縛之莫令搖動三五日

後開看以温葱湯洗之後再貼藥復夾七日如痛甚加没藥

〔三十七〕**應痛圓** 治折傷後爲四氣所侵手足疼痛

生蒼朮一斤　破故紙一斤一半炒半生　舶上茴香十二两炒

骨碎補一斤去毛　穿山甲去膜去皮炒脹爲度柴灰亦可

生草烏一斤剉如麥大

右除草烏一斤用生葱二斤連皮生姜二斤擂爛將草烏一處淹两宿焙乾連前藥一處焙為末酒煮麪糊圓如梧桐子每服五十圓酒湯任下忌熱物

〔三十八〕**家藏方内托黄耆圓** 治鍼灸傷經絡流膿不止

黄耆八两　當歸二两洗　肉桂去皮　木香

乳香别研　沉香各一两

右爲末用菉豆粉四两姜汁煮糊圓如梧桐子每服五十元熟水送下

〔二十九〕治打損接骨方

接骨木半两　乳香半分　赤芍藥　川當歸

川芎　自然銅各一两

右爲末用黄蠟四两溶藥末攪勻候温衆手圓如龍眼大如止打傷筋骨及閃抐疼痛者用藥一圓好舊酒一盞浸化藥承熱服之若碎折筋骨先用此藥貼之然後服食

〔三十〕治打撲内損筋骨疼痛

没藥　乳香　芍藥　川椒去子及閉口者

川芎　當歸各半两　自然銅三分半炭火燒

右爲末用黄蠟二两溶開入藥末不住手攪勻圓如弾子大每服一圓用好酒煎開乘熱服之隨痛處卧霎時連進有效

〔三十一〕奪命散治刀刃所傷及從高墜下木石壓損瘀血凝積心腹疼痛大小便不通

紅蛭用石灰慢火炒令乾黃色半兩　大黃　黑牽牛各二兩

右爲末每服二錢用熱酒調下約行四五里再用熱酒調牽牛末二錢催之須下惡血成塊以盡爲愈

〔三十二〕治打撲傷損骨折此藥專能接骨

夜合樹俗謂之萌葛即合歡花亇人謂之烏顆樹去粗皮炒黑色四兩　芥菜子炒一兩

右爲末酒調二錢澄清臨卧服之以粗滓罨瘡上扎縛之又方用葱白砂糖二味相等爛研傅之痛立止仍無瘢痕

〔三十三〕救急療墜馬落車傷腕折臂

當歸炒　桂心　甘草炙　蜀椒去汗各七錢半

川芎兩半　附子炮　澤蘭炒各一兩

右爲末酒服二三錢立效忌海藻菘菜生葱冷水等物

〔三十四〕秘方治打撲傷損落馬墜車一切疼痛

乳香　沒藥　川芎　白芷

芍藥　甘草　牡丹皮　生地黄各半两

右爲細末每服二錢温酒并童子小便調下不拘時候服

秘方 治折傷損

南星　白芷　半夏　白及

黄柏皮　赤小豆各半两

右爲細末姜汁付患处蜜糖亦好

三十五 沒藥散 治箭傷止血定痛

定粉一两　枯白礬三錢另研　沒藥另研

乳香另研　風化石灰各一两

右各研爲末和匀摻上

三十六 接骨散 并治惡瘡

金頭蜈蚣一个　金色自然銅半两燒紅醋碎研為細末用

乳香二豸研為細末用銅錢重半两者取三文或五文燒紅醋研碎細
金絲水蛭一豸半每个作三截瓦上煿去氣道為度
右為細末如瘡腫処津調半錢塗立止痛如見出膿先用粗
藥末少許麻油少半匙同打匀再入少半匙再打匀又入前
藥接骨散半豸再都用銀釵子打成膏子用雞翎掃在瘡腫
処立止痛天明一宿自破便効
如打破骨頭并損傷可用前項接骨散半錢加馬兜苓末半
錢同好酒一大盞热調連滓溫服如骨折損立接定不疼如
不折損喫了藥立便止住疼痛此方累經効驗不可具述

蠱毒

蠱之爲毒醫書所載雖有数種而中土少見之今古相傳多是
閩廣深山之人於端午日以蛇虺蜈蚣蝦蟇三物同器貯之聽

其互相食啖後一物獨存者則謂之蠱欲害其人密取其毒於酒食中啖之若中其毒者令人心腹絞痛如有虫咬吐下血皆如爛肉若不即治食人五臟即死然此毒中人有緩有急〻者中數日便死緩者待以歲月氣力羸敗食盡五臟而後死〻則其毒流注於傍人亦成蠱注大抵試驗蠱毒之法令病人唾水中沉者是毒浮者非也或含一大豆其豆脹皮脫者蠱也豆不脹皮不脫又非也又以鵠皮至病人卧下勿令知覺病甚者是否則非也治療之法必須審而後行試而後可令人凡有積聚脹滿之病類乎蠱者便以爲蠱亦爲非也世說閩廣深山之人專有以蠱行毒於人者若欲知其姓名呼喚將去其病自愈又一說病者善能知元中毒於何物之中終身不服此物其毒亦不復作雖相傳如此俱未之見謹用載之以備捜覽

〔三十七〕治蠱毒　用升麻末三錢溪水調服水

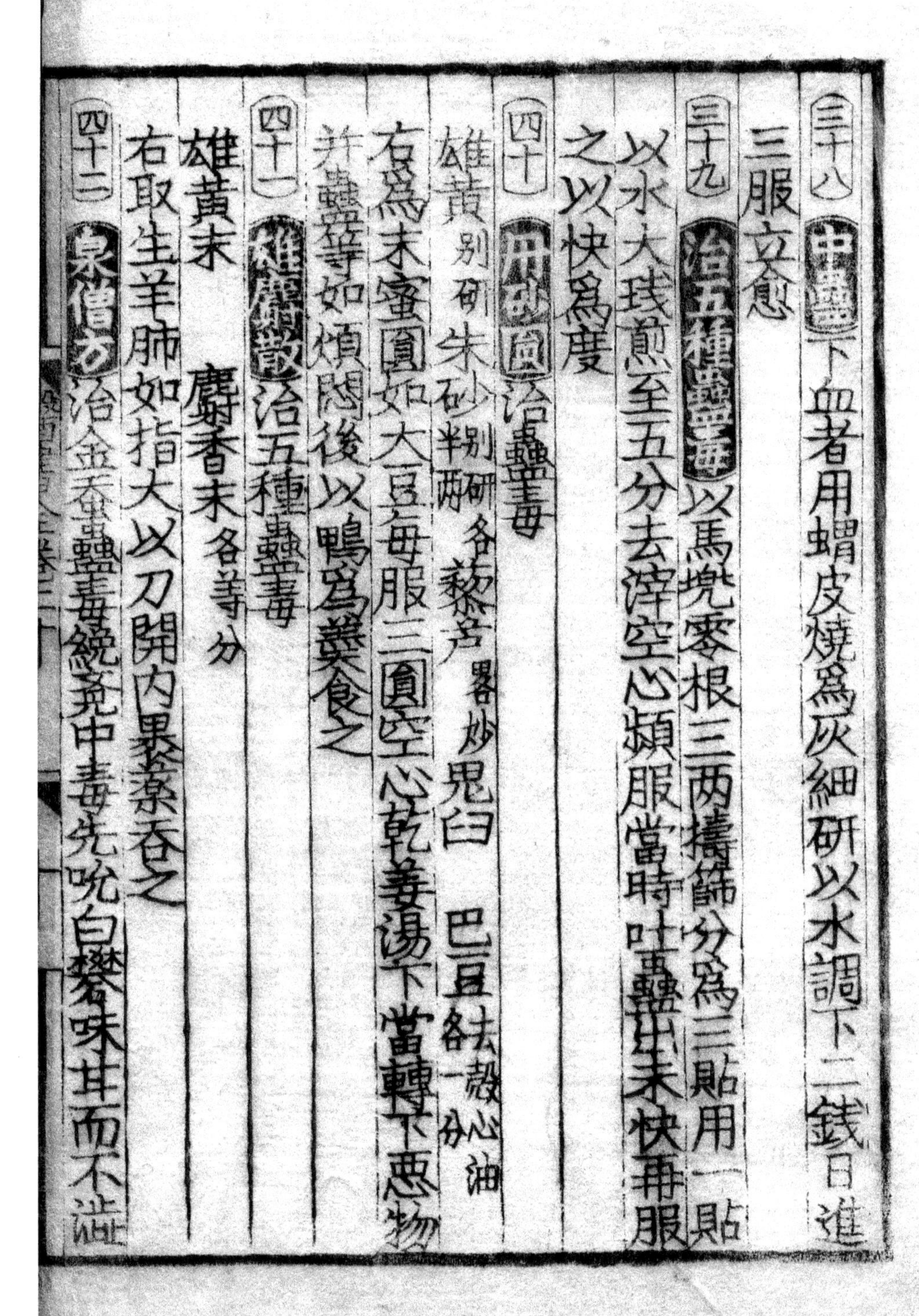

（三十八）中蠱下血者用蝟皮燒爲灰細研以水調下二錢日進三服立愈

（三十九）治五種蠱毒　以馬兜零根三兩擣篩分爲三貼用一貼以水大盞煎至五分去滓空心頓服當時吐蠱出未快再服之以快爲度

（四十）丹砂圓　治蠱毒

雄黃別研　朱砂別研各半兩　藜蘆略炒　鬼臼　巴豆去殼心油各一分

右爲末蜜圓如大豆每服二圓空心乾姜湯下當轉下惡物并蠱等如煩悶後以鴨爲羹食之

（四十一）雄麝散　治五種蠱毒

雄黃末　麝香末各等分

右取生羊肺如指大以刀開內裹藥吞之

（四十二）泉僧方　治金蠶蠱毒纔覺中毒先吮白礬味甘而不澁

次曳黑豆不腥者是也
右以石榴根皮煎汁飲之即吐出活虫而愈

四十三 **丹砂丸** 治蠱毒從酒食中着者端午日合

辰砂　雄黄　赤脚蜈蚣　續隨子各一兩　射香一分

右為末糯米飲丸雞頭大酒下一丸蛇蝎所螫醋磨塗之

四十四 **國老飲** 治蠱毒

白礬　甘草

等分為末水調下吐出黑涎一兩椀或瀉下

四十五 **薺苨湯** 治蠱毒多因假毒藥以投之知時宜煮大豆甘草薺苨汁飲之又治諸藥毒

四十六 **蚕退散** 治中蠱面青脉絶迷悶口噤吐血服之即甦

蚕退紙以麻油灯上焚燒存性為末新汲水調下一錢

四十七 **藍青水** 治中金蚕蠱毒

藍青葉多研水服之專解諸毒殺腹內毒虫

解諸毒

解諸毒 四十八 解諸毒用黃連甘草節水一椀煎服

又方 解諸毒用玉簪花根擂水服

四十九 礬灰散 治中諸物毒

晋礬 建茶 各等分

右爲末每服二錢新汲水調下得吐即效未吐再服

五十 解毒圓 治誤食諸毒草并百物毒救人於必死

板藍根生者四兩 貫衆去土二兩 青黛別研 甘草生各一兩

右爲末蜜圓如梧桐子以青黛別爲衣如稍覺精神恍忽惡心即是誤中諸毒急取藥十五圓爛嚼用新汲水下

五十一 青黛雄黃散 凡中毒及蛇虫咬傷即服此藥令毒氣不聚

青黛　雄黄各等分

右爲末新汲水調服二錢

五十二 奇方 解一切毒

白扁豆爲末新汲水下二三錢得利即安

五十三 萬病解毒丸 能解一切毒　方見癰疽門

挑生毒

五十四 升麻湯 治肋下忽然腫起如生癰癤狀頃刻間大如椀即中挑生毒也俟五更以菉豆細嚼香甜不腥則是川升麻爲末冷熟水調二錢連服之若洞泄出如葱數莖根鬚皆具即消宜煎平胃散補調兼進白粥

又方 治魚肉瓜果湯茶皆可挑生初中毒覺胸腹稍痛明日漸加刺痛十日則物生能動騰上胸痛沉下則腹滿積以瘦悴其法在上膈則取之用熱茶一盞投膽礬半錢於中候礬化通口呷服良久以雞領探喉即吐出毒物在下即瀉之以米

飲下鬱金末二錢，毒即瀉下，乃擇人參、白木各半兩研末，同好酒半升納瓶中，慢火煎半日度酒熟，溫溫飲之，日一盞，五日乃止，任便飲食。

解砒毒　五十五　方十二道

菉豆半升，細擂，去滓，以新汲水調下。

又方　青靛花二錢，分兩服，水調下。

又方　黑鉛井水磨下。

又方　濃研青藍汁，磨甘草節同服。

又方　生麻油一盞飲之，不能飲，灌之。

百一選方　解砒毒

漢椒四十九粒　黑豆十四粒　烏梅二个，打碎　甘草節三寸，碎之

右㕮咀，用水一椀，煎至七分，溫服。

百一選方　解砒毒

白扁豆　青黛　甘草各等分　巴豆一粒去殼不去油

右同爲末以沙糖一大塊水化開調一大盞飲之毒隨利去却服五苓散之類

經驗方解砒毒用早禾稈燒灰新汲水淋汁絹帛濾過冷服一椀毒從下利即安又方用井花水調水粉或菉豆擂水皆可

秘方中砒毒以地漿調鉛粉末服之立解豉汁又佳

便宜方藍飲子解砒毒及巴豆毒用藍根沙糖二味相和擂水服之或更入薄荷汁尤妙

秘方解砒毒鼠莽毒用旋刺下羊血及雞鴨血熱服

又方解砒毒鼠莽毒用金線重磨水服之即愈又有用烏桕根擂水亦好

解鼠莽毒　五七六　枯白礬好茶末等分冷水調下

又方解鼠莽草毒用大黑江豆煮汁服之如欲試其驗先刈鼠

菌葉以豆汁澆其根從此敗爛不復生矣

（菌毒）（五十七）解一切菌毒掘新地窟以冷水於内攪之令濁澄少頃取飲之此方見本草陶隱居注謂之地漿

（又方）用芫花生爲末每一錢以新水下以利爲度蓋菌之毒者蓋因蛇虫毒氣熏蒸以致

（中諸藥毒）（五十八）治中諸藥毒

甘草生　黑豆　淡竹葉各等分

右㕮咀用水一椀濃煎連服

（秘方）中巴豆毒以黄連大豆菖蒲汁並解之

（秘方）中烏頭天雄附子毒用大豆汁遠志防風棗肉飴糖並能解之

（河豚毒）（五十九）食河豚魚中毒一時困殆倉卒無藥急以清油多灌之使毒物盡吐出爲愈

【蛇傷毒】（六十一）惡蛇咬傷頻仆不可治者香白芷為末麥門冬去心濃煎湯調下頃刻咬処出黄水尽腫消仍用此藥滓塗傷処

【又方】五灵脂一两雄黄半两為末温酒下二錢仍塗患処

【又方】冷水洗後用茱萸二合水一椀研汁服以滓傅

【經驗方】治毒蛇所傷

細辛　白芷各五錢　雄黄二錢

右為末入麝香少許每服二錢温酒調服

【又方】應蛇虺蜈蚣咬傷用艾炷於傷處灸三五壯拔去毒即愈

【得效方】治一切蛇虫所傷用貝母為末酒調令病者盡量飲之頃久酒自傷處為水流出候水盡却以藥滓傅瘡上即愈

【蜈蚣毒】治蜈蚣諸毒虫所傷用清油灯心點燈以傷處於煙上熏之其痛即愈【又方】用雞糞塗之【又方】嚼呉茱萸擦之立效

【狗咬】（六十二）狗咬用杏仁去皮尖同馬藺根研細先以葱湯洗

然後以此塗傷處

【經驗方】治犬咬傷用草麻子五十粒去殼以井水研成膏先以塩水洗咬處次以此膏敷貼一方用虎骨屑傅

【秘方】治顛犬所傷或經久復發無藥可療者用之極驗

雄黃色黃而明者五分重　麝香五分重

右各研勻用酒調二分服如不肯服者則撚其鼻而灌之服藥後必使得睡切勿驚起任其自醒候利下惡物再進前藥即見效矣

【又方】治顛犬所傷用班猫大者二十一隻去頭翅并足用糯米一勺先將班猫七隻入米內於微火上炒不令米赤去此班猫別入七隻再於前米內炒令斑猫色變復去之又別用七隻如前法炒以米出青烟爲度去班猫不用以米研爲粉用冷水入清油少許空心調服須臾再進一服以小便利下惡

毒為度如不利再進一服利後腹肚疼痛急用冷水調青靛服之以解其毒否則有傷或煎黃連水亦可不宜便食熱物

蜂蠆螫毒（六十三）用野芋葉擦之　又方　或用鹽擦之

又方　以手就頭爬垢膩傳之

班猫毒（六十四）用澤蘭葉挼汁飲之乾者為末白湯下

鱔鱉蝦蟆毒（六十五）中此三物毒令人小便秘臍下痛有至死者以生豉一大合新汲水半椀浸濃汁服之

虎傷（六十六）生葛汁服兼洗傷処白礬為末納瘡口中痛即止

馬咬（六十七）用馬鞭稍燒灰傳之

猫咬（六十八）薄荷汁塗之

蚕咬（六十九）苧汁塗之

鼠咬（七十）猫毛燒灰射香少許津唾調傳

壁鏡咬（七十一）毒人必死桑柴灰用水煎三四沸取汁調白礬

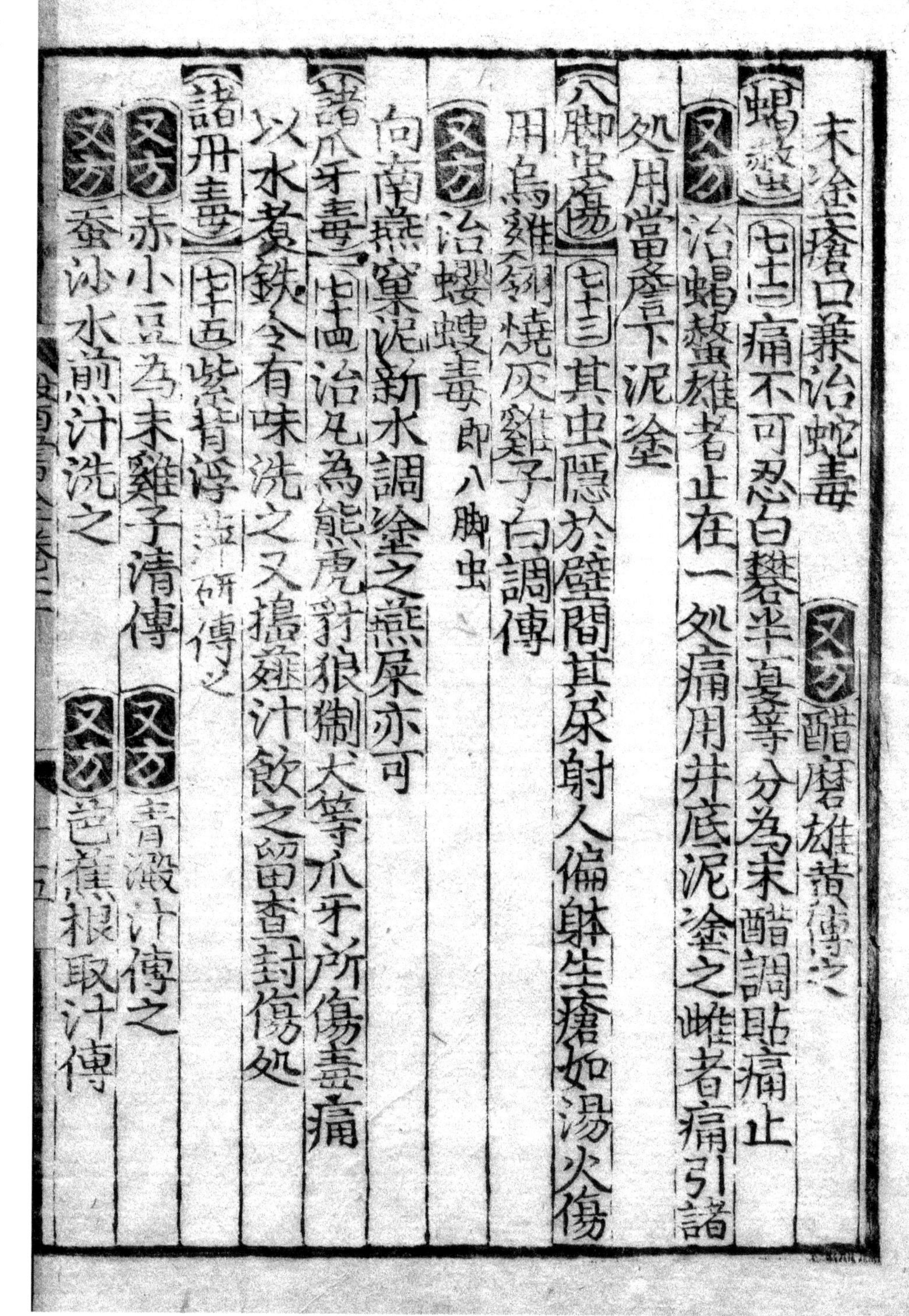

末塗蠆[?]瘡口兼治蛇毒

蝎螫（七十二）痛不可忍白礬半夏等分為末醋調貼痛止　又方　醋磨雄黄傅之

又方　治蝎螫雄者止在一処痛用井底泥塗之雌者痛引諸処用當簷下泥塗

八脚蟲傷（七十三）其虫隱於壁間其尿射人偏躰生瘡如湯火傷用烏雞翎燒灰雞子白調傅

又方　治蠼螋毒　即八脚虫　向南燕窠泥新水調塗之燕屎亦可

諸爪牙毒（七十四）治凡為熊虎豺狼猘犬等爪牙所傷毒痛以水煮鉄令有味洗之又搗薤汁飲之留查封傷処

諸冊[?]毒（七十五）紫背浮萍　研傅之

又方　赤小豆為末雞子清傅　又方　青澱汁傅之

又方　蚕沙水煎汁洗之　又方　芭蕉根取汁傅

又方 活蚯蚓七條研爛傅之 又方 水藻研爛傅之

又方 青白丹毒用伏龍肝一分豉半分爲末香油調傅

蜘蛛咬 七十六 雞白研傅 雄黄亦可 遍身腫服藍汁

蚯蚓咬 七十七 或於地上坐卧不覺咬腎陰腫塩湯洗數次效

或用蚯蚓糞爲末香油調傅

食豆腐毒 七十八 生蘿蔔煎汁飲之子亦可

誤食桐油 七十九 吐不止者食乾柿解之

中野蕈毒 八十 取雞子三枚灌呑之

湯藥

百選方 煮香湯

木香 丁香 檀香 沉香

人參 甘草各一两 檳榔五系 白茯苓去皮二两

右日乾為末沸湯點服

【百一選方】橙子湯

橙子十个　乾山藥一两　塩四两炒　甘草二两

塩白梅四两切研去仁不去核

右先用五味一處爛研捏作餅子焙乾再碾為末百沸湯調

【百一選方】橄欖湯

百藥煎三两切片　甘草炙分半　檀香　白芷各五錢

右為細末沸湯點服

【百一選方】桂香湯

桂花旋摘三升揀去蒂細研磁鑵盛覆鑵口罨蒸

乾姜　甘草各二两炒

右為末同桂花拌勻入炒塩少許磁罌盛貯沸湯點服

【百一選方】洞庭湯用薄皮黃柑子二斤於盆內薄切去核留汁

生姜去皮半斤甘草四兩鹽三兩炒神麯麥芽各四兩拌和罨一宿以橘汁盡爲度取出焙乾碾爲細末沸湯點服

秘方 楊梅煎取熟楊梅於瓷器內淹一宿即爛用絹袋擠出汁慢火熬成膏瓷罐盛貯每用入蜜少許沸湯點服

秘方 金櫻煎法霜時取金櫻子先擦洗去刺然後去穰杵爛用酒醅取汁絹帛濾過慢火熬成膏後入檀香諸香在內瓷罐收貯沸湯點服酒調能活血駐顏

秘方 木瓜煎用木瓜去穰子煮過爛研如泥入鹽少許用瓷罐盛貯每用入蜜少許沸湯點服

秘方 梅花湯旋摘梅花半開者溶蠟封花口投蜜罐子過時用之以匙挑花一兩朵連蜜一匙沸湯斟服

名方類證醫書大全卷二十

名方類證醫書大全卷二十一

婦人調經衆疾論

夫女子十四則月水行男子十六則陽精溢此皆合乎陰陽之數各及其時故男子之精氣宜盛女子之月水宜調調經之道貴乎耗其氣以行其血血盛氣衰是謂之從從則百病不生孕育無損矣且婦人之病四時所感六淫七情所傷悉與男子治法一同惟胎前產後七癥八瘕崩漏帶下之證爲異故別貯方究其所因多由月水不調變生諸證大槩婦人之疾以經候如期爲安或有愆期當審其冷熱虛實而調之先期而行者血熱故也法當清之過期而行者血寒故也法當溫之然又不可不察其有無外邪爲之寒熱而後投藥且經行之際與產後一般

將理失宜爲病不淺若被驚則血氣錯乱經脉斬然不行逆於上則從鼻口中出逆於身則爲血分勞瘵之疾若其時勞力太過則生虛熱變爲疼痛之根若恚怒則氣逆氣逆則血逆逆於腰腿心腹背脇之間遇經行時則痛而重着過期又安若怒極而傷於肝則又有眼暈嘔吐之證加之經脉滲漏於其間遂成竅穴淋瀝不已凡此之時中風則病風感冷則病冷久而不治崩漏帶下七癥八瘕可立而待若能治病於未然當以調經爲先故首論之名備諸方依次于后

【月水不調】**大溫經湯** 治衝任虛損月候不調或來多不已或過期不行或崩中去血過多或經損娠瘀血停留小腹急痛五心煩熱

阿膠碎炒　芎藭　當歸去芦　人參去芦

肉桂去皮　甘草炒　芍藥　牡丹皮各一兩

半夏二兩半　吳茱萸三兩各湯洗七次　麥門冬去心五兩半

右㕮咀每服三錢水一盞姜五片煎八分空心热服

（二）當歸去芦　川芎　白芍藥　熟乾地黄酒蒸焙各等分

【四物湯】治衝任虛損月水不調常服調益榮衛滋養血氣

右㕮咀每服四錢水一盞煎八分空心服崩中去血過多者加膠艾煎服

（三）【暖宫圓】治衝任虛損下焦久冷月事不調不成孕育崩漏下血赤白帶下並皆治之

生硫黄六兩　禹餘粮九兩醋淬　赤石脂煆紅　附子炮去皮臍　海螵蛸去殼各三兩

右為末醋糊圓如梧桐子每服三十元空心温酒醋湯任下

（四）【内補當歸丸】治血氣虛損月水不調或崩中漏下去血過多肌体羸困及月水將行腰腿重痛並皆治之

真蒲黄炒三分半　熟乾地黄十兩　阿膠炒

當歸去芦炒 白芷 續斷 乾姜炮 甘草炙
芎藭各四两 肉桂 附子炮去皮臍 白芍藥各一两
白朮 吳茱萸湯洗七次塩炒各三两
右爲末煉蜜圓如梧桐子每服五十元食前温酒下

（五）熟乾地黄圓 治婦人風虚勞冷胃弱谷水不化或腸虚受冷大便時泄或月水不調淋瀝不止或閉斷不通結聚癥瘕久不成胎一切諸虚之證並治之

芎藭 栢子仁炒別研各两半 肉桂去皮一两一分
牛膝去苗三分 酒浸一宿焙乾 澤蘭去梗 二两一分
石斛去根一两二分半 禹余粮火煅醋淬研一两
當歸去芦炒 藁本去芦各一两三分 肉蓯蓉酒浸宿焙
白茯苓各一两 川椒去目及閉口者 蛇床子揀淨
艾葉炒各三分 紫石英煅淬研飛三两 卷栢去根 山茱萸各一

續斷三分　厚朴去皮姜製一兩　赤石脂火煅淬二兩　乾姜炮
白芷各一兩　熟乾地黃一兩半　人參去芦三分　石膏火煅研飛二兩
羌活炒三分　細辛去苗一兩　白朮一兩二錢半
杜仲去皮炒去絲三分　防風去芦一兩　五味子一兩半　甘草炙一兩七錢半
右爲末煉蜜丸如梧桐子每服五十丸空心温酒米飲任下

(六)南嶽魏夫人濟陰丹　治婦人血海虛冷久無孕育及數
墮胎一切經候不調崩中漏下積聚諸證並皆治之

秦艽二兩　京墨煅醋淬研一兩　香附子炒去毛四兩
糯米炒一升　川芎一兩半　木香炮一兩　熟地黃酒蒸四兩
茯苓去皮三兩　人參去芦　石斛去根酒浸各二兩
藁本去芦二兩　當歸去芦酒浸　肉桂去粗皮　乾姜炮各一兩半
山茱三分　澤蘭葉四兩　細辛去苗葉一兩半　桔梗炒二兩
川椒去目炒三分　桃仁去皮尖一兩炒　大豆黃卷炒半升

蚕布燒灰　甘草炙各　牡丹皮兩半　蒼朮米泔浸八兩

右爲末煉蜜爲劑每兩作六丸每服一丸細嚼空心温酒醋湯任下以醋糊爲丸如梧桐子亦可

（七）**活血散** 治衝任經虛經事不調不以多少前後並治

當歸　川芎　白芍藥　玄胡索　肉桂去皮各二兩

右㕮咀每服四錢水一盞煎至七分食後熱服

（八）**紫石英丸** 治婦人諸病補煖下元然當知諸病皆由經候不調陰陽相勝所致若陰氣乗陽則胞寒氣冷血不運行經所謂天寒地凍水凝成冰故令乍少而在月後若陽乗陰則血流散溢經所謂天暑地濕經水沸溢故令乍多而在月前須和其陰陽調其血氣則百病不生矣

紫石英細研水飛　禹餘粮煅醋淬　杜仲炒去絲

遠志去心　桂心　川烏頭炮　澤瀉　人參　龍骨

乾姜炮　當歸　桑寄生　蓯蓉酒浸　甘草炙　五味子
石斛各一两　牡砺煅　川椒去子并合口者炒出汗各半两
右為末煉蜜圓如梧桐子每服五十元空心米飲下

（九）**小温經湯**治經候不調血臟冷痛
當歸　附子炮各等分
右㕮咀每服三钱水一盞煎至八分空心温服

（十）**皺血圓**治婦人血海虛冷百病变生或月候不調崩中帶下癥瘕癖塊等疾並皆治之
菊花　茴香　當歸　香附子炒去毛湯浸焙
熟乾地黄　肉桂　牛膝　芍药　蒲黄
蓬莪术　延胡索炒各三两
右為末用烏豆一升醋煮焙乾為末再入醋二椀煮至一椀留為糊元如梧桐子每服三十元温酒醋湯任下血气攻刺

炒姜酒下　癥塊絞痛當歸酒下　忌鴨肉羊血

（十一）椒紅丸　治血氣不調臟腑積冷臍腹疞痛肌体日瘦

沉香　蓬莪朮　訶黎勒煨去核各一两

麝香另研一分　肉豆蔻　丁香　高良姜去芦各半两

椒紅　當歸去芦炒　白朮　附子炮去皮臍各一两

右為末入麝香和匀酒糊元如梧桐子每服三十元温酒下

（十二）當歸散　治婦人經脉不匀或三四月不行或一月再至

白朮　黄芩　山茱萸湯洗　當歸　川芎

白芍藥一同剉炒各一两　病証若冷去黄芩加肉桂

右為末每服二不空心酒調下日三服

（十三）逍遥散　治血虚煩熱月水不調臍腹脹痛痰嗽潮熱

甘草炙半两　當歸去芦炒　茯苓去皮　芍藥

白朮　柴胡去苗各一两

右㕮咀每服三錢水一盞煨姜一塊薄荷少許煎服不拘時

（十四）**禹余糧丸** 治氣血虛損月水不調赤白帶下漸成崩漏

桑寄生一兩 狗脊去毛三分 栢葉炒一兩 白石脂二兩

白芍藥三分 當歸去蘆 乾姜炮 厚朴去皮姜製

白朮各一兩 附子炮去皮臍一兩 鱉甲醋浸去裙炙黃一兩

禹余糧煅醋淬七次飛過研二兩 吳茱萸湯洗七次炒一兩

右為末煉蜜元如梧桐子每服三十元溫酒米飲空心任下

（十五）**神仙聚寶丹** 治婦人血海虛冷外乘風冷搏結不散積聚成塊血氣攻注腹脇疼痛及經候不調崩中帶下並宜服之

沒藥 琥珀各別研一兩 辰砂一錢別研 木香煨取末一兩

滴乳香別研一分 當歸洗焙取末一兩 麝香別研一錢

右研細合勻滴水為元每一兩作十五元每服一元溫酒磨下如一切難產及產後敗血衝心惡露未盡並入童子小便

（十六）**醋煮香附圓** 治婦人經候不調血氣刺痛腹脇膨脹頭暈惡心崩漏帶下便血癥瘕並宜服之

大香附子 砂盆中擦去皮以米醋浸半日用瓦銚慢火煮令醋盡漉出切薄片焙研為末

右用米醋煮糊圓如梧桐子日乾每服五十圓淡醋湯下一方香附子一斤艾葉四兩當歸二兩製如前法治證一同名艾附圓

月水不行

（十七）**六合湯** 治婦人經事不行腹中結塊腰腿重痛

當歸 白芍藥 官桂去皮 熟地黃洗

川芎 蓬朮炮各等分

右㕮咀每服四錢水一盞煎七分空心服

（十八）**白薇丸** 治婦人月水不利四肢羸瘦漸至虛乏

當歸 白薇 柏子仁 白芍藥 白茯苓

白朮　桂心　附子　萆解　人參　石斛
川芎　呉茱萸　木香　細辛　川牛膝各三分
澤蘭葉　檳榔半兩　熟地黃二兩　牡丹皮　紫石英各一兩
右為末煉蜜丸如梧桐子每服五十丸空心温酒下

（十九）**温經湯**治婦人血海虛冷月水不利
當歸　川芎　芍藥　桂心　牡丹皮
莪朮各半兩　人參　甘草　牛膝各一兩
右㕮咀每服五錢水一盞半煎至八分温服不拘時

（二十）**滋血湯**治婦人血熱氣虛經候不調血聚四肢或為浮腫肌体發热疑為勞瘵宜以此藥滋養通利
馬鞭草　荊芥穗各四兩　牡丹皮一兩　枳殼去白麩炒
赤芍藥　肉桂去皮　當歸去苗炒　川芎各二兩
右㕮咀每服四錢水一盞烏梅一个煎服以經行為愈

（二十一）凌花散　治婦人月水不行發热腹脹

當歸酒浸　凌霄花　劉寄奴　紅花酒浸候煎藥一二沸即入

官桂去皮　牡丹皮　洗川白芷　赤芍藥　延胡索各等分

右㕮咀每服四錢水一盞酒半盞煎八分再入紅花煎热服

（二十二）加減四物湯　衝任虛損月水不行肌膚發热如瘵狀

當歸　地黃　芍藥　川芎各一两

柴胡半两　黄芩二錢半

右㕮咀每服四錢水一盞煎七分空心温服

（二十三）牡丹散　治血氣虛損内則月水不行外發潮热肢体羸

因漸成骨蒸並宜服之

桂心　牡丹皮　芍藥　延胡索炒　没藥别研

陳皮去白各一两　蓬莪术　鬼箭各一分　紅花　當歸去芦各一两

乾膝炒一两　蘇木一分　甘草　烏藥各一两

右㕮咀每服三錢水一盞煎七分不拘時服

二十四 **紅花當歸散** 治婦人血臟虛竭經候不調或斷續不來或積瘀塊腰腹刺痛肢体瘦弱

刘寄奴草五兩 當歸去芦 牛膝酒浸各二兩 肉桂去皮 紅花 白芷各兩半 甘草炙二兩 赤芍藥九兩 紫葳 蘇木剉二

右為末每服二錢空心熱酒調下如經秘濃煎紅花酒調下

二十五 **通經圓** 治婦人室女經候不通臍腹疼痛或成血瘕

川椒炒出汗 蓬木炮 乾漆炒出煙 當歸去芦 青皮去白 乾薑炮 大黃 桃仁炒 川烏炮 桂心各等分

右為末將一半用米醋熬成膏和餘藥一半成劑臼中杵之圓如梧桐子陰乾每服五十圓醋湯溫酒空心任下濟生方不用川烏有紅花等分

二十六 **琥珀散** 治婦人室女月水凝滯腹脇脹痛及血逆攻心

眩暈不省並皆治之

劉寄奴去梗　牡丹皮　熟地黄酒浸　玄胡索炒去皮　烏藥

赤芍藥　蓬莪术　京三稜　當歸去蘆酒浸　官桂去皮不見火各一兩

右前五味用烏豆一升生姜半斤切片米醋四升同煮豆爛為度焙乾入後五味同為末每服二錢空心温酒調下

月水不斷（三十七）

膠艾湯　治勞傷血氣衝任虛損月水過多淋瀝不斷及姙娠調攝失宜胎氣不安或因損動漏血傷胎並宜服之

阿膠炒　芎藭　甘草炙各一兩　當歸

艾葉炒各二兩　熟乾地黄　白芍藥各四兩

右㕮咀每服三錢水一盞酒半盞煎至八分空心熱服

（三十八）**鹿茸丸**　治衝任虛損又為風冷所乘以致經候過多其色黑瘀尺脈微小甚者可灸關元百壯

鹿茸燎去毛醋炙　赤石脂　禹餘粮醋淬各一兩　續斷二兩　柏葉

附子炮去皮臍　熟地黄洗焙　當歸酒浸各二两　艾葉半两

右爲末酒糊丸如梧桐子每服五十丸空心温酒下

〔二十九〕**十灰散** 治下血不止

錦片　木賊　棕櫚　栢葉　艾葉

乾漆　鯽鱗　鯉鱗　血餘　當歸

右逐味火化存性各等分爲末和合入麝香少許温酒調服

〔三十〕**茯苓補心湯** 治婦人去血過多虚勞發熱用四物湯一两半參蘇飲三两和匀生姜五片煎八分温服

〔崩漏〕

〔三十一〕**鎮宫丸** 治婦人崩漏不止或下五色或如豆汁或狀若豚肝或下瘀血臍腹脹痛頭暈眼昡

代赭石　紫石英　禹餘粮各煆醋淬七次

香附子醋煑各二两　川芎　陽起石煆紅研

鹿茸火去毛醋蒸焙　茯神去木　阿膠蛤粉炒成珠

蒲黄炒　當歸去芦酒浸各一两　血竭別研半两

右爲末用艾煎醋汁打糯米糊丸如梧桐子每服七十丸空心用米飲送下

〔三十二〕**十灰丸** 治崩中下血不止

黄絹灰　馬尾灰　藕節灰　艾葉灰　蒲黄灰
蓮蓬灰　油髪灰　棕櫚灰　赤松皮灰　綿灰等分

右爲末用醋煮糯米糊丸如梧桐子每服一百丸米飲下

〔三十三〕**栢子仁湯** 治婦人憂思過度勞傷心經不能藏血遂致崩中下血不止

鹿茸火去毛酒蒸焙　栢子仁炒　芎藭
當歸各一两　香附子炒去毛二两　甘草炙半两
川續斷一两半　阿膠　小草　茯神去木各一两

右㕮咀每服四錢水一盞姜五片煎七分空心温服

三十四　艾煎圓　治崩傷淋瀝不已小腹滿痛常服益榮調經
食茱萸湯洗　當歸各七錢半　熟地黃　白芍藥各一兩半　川芎
石菖蒲炒　人參各一兩　熟艾四兩用糯米飲調作餅焙
右爲末酒糊圓如梧桐子每服五十圓酒飲任下

三十五　黃芩湯　治崩中下血今人多用止血補血之藥少能見
效此是陽乘陰則經水沸溢宜清之爲愈用黃芩碾爲細末
燒秤鎚淬酒調下

三十六　荊芥散　治婦人崩下不止用荊芥穗以灯盞多着灯心
好清油點灯就上燒荊芥焦色爲末每服三錢童子小便調下

三十七　獨聖散　治婦人血崩不止用防風去芦叉隨多少爲末
酒煮麪清調下二錢空心日二服更以麪作糊酒投之極驗

三十八　金華散　治婦人經血得熱崩漏不止
延胡索　當歸　瞿麥　牡丹皮　威靈仙各七錢半

乾葛五分 蒲黃五分 石膏二兩 桂心三分

右為末每服二分水一盞薑三片煎六分食前溫服

（三十九）**家藏方黑金散** 治婦人血氣虛損經候不調崩中漏下

鯉魚皮 乾薑炮 破故紙 椶櫚皮 黃牛角腮

亂髮各一兩 烏賊魚 熟乾地黃 當歸洗焙 木賊各半兩

右剉碎拌勻入在甆瓶內鹽泥固濟候乾以炭火五斤煅令通赤煙盡取於土內埋令冷取出研細每服三錢入麝香少許米飲空心調下

（四十）**家藏方補宮圓** 治婦人諸虛不足久不妊娠骨熱形羸崩中帶下並宜服之

鹿角霜 白茯苓 香白芷 白朮 烏賊魚骨

白薇 白芍藥 牡砺煅 山藥各等分

右為末麩糊圓如梧桐子每服五十圓米飲空心送下

帶下 四十一 白堊圓 治婦人白帶久而不止腰臍冷痛日漸羸困

白堊煆 禹餘粮 鱉甲 烏賊魚骨各用醋炙

鵲巢灰 當歸酒浸去蘆 金毛狗脊 附子炮去皮臍

乾薑 紫石英煆醋七淬 川芎各一兩

艾葉灰半兩 香附子醋煮 鹿茸燎去毛切片醋炙各一兩

右爲末醋煮糯米糊圓如梧桐子每服七十圓温酒下

四十二 白斂圓 治室女衝任虛寒帶下純白

白斂 金毛狗脊燎去毛各一兩 鹿茸酒蒸焙二兩

右爲末用艾煎醋汁打糯米糊圓如梧桐子每服五十圓空心温酒送下

四十三 當歸煎 治婦人赤白帶下腹内疼痛不飲食日漸羸瘦

當歸酒浸去蘆 赤芍藥 牡蠣火煆取粉 熟地黄酒浸蒸焙

阿膠炒 白芍藥 續斷酒浸各一兩 地榆五錢

右爲末醋糊圓如梧桐子每服五十圓空心米飲下

（四十四）卷栢圓 治婦人室女腹臟冷熱相攻心腹疞痛赤白帶下面色萎黄四肢羸乏黄者

熟地黄 洗各一兩半 卷栢 醋炙 赤石脂 煅醋淬七次

鹿茸 白石脂 川芎 代赭石 煅醋七淬

艾葉 桑寄生 鱉甲 醋炙 當歸 去芦酒浸炒

地榆各一兩 木香 不見火 龍骨 各半兩 乾姜 三分

右爲末醋煮糯米糊圓如梧桐子每服七十圓空心米飲下

（血氣）大調經散 治榮衛不調陰陽相乘增寒發热自汗腫滿

大豆 炒去皮一兩半 茯神 一兩 真琥珀 一分

右爲末每用一錢濃煎烏豆紫蘇湯調 （四十五）

（四十六）異功散 治婦人血氣虛冷時發刺痛頭目昏悶四肢乏力寒熱往來狀似勞倦並宜服之

牡丹皮　芍藥　白芷　乾薑各一分
當歸　玄胡索　陳皮　官桂
烏藥　川芎　桔梗各半兩
右生爲末每服二錢生姜三片酒水各半盞煎七分温服

（四十七）**伏龍肝散** 治血氣勞傷衝任脉虚經血非時注下或如豆汁或成血片或五色相雜臍腹冷痛經久不止

川芎三兩　肉桂去皮五錢　當歸去芦炒　乾姜炮各三分
赤石脂一兩　艾葉炒二兩　甘草炙半兩　熟乾地黄二兩
麥門冬　伏龍肝即竈心土各一兩
右㕮咀每服四錢水一盞棗二枚煎七分食前温服

（四十八）**當歸建中湯** 治婦人一切血氣不足虚損羸乏

當歸去芦四兩　肉桂去皮二兩　甘草炙二兩　白芍藥六兩
右㕮咀每服三錢水一盞姜五片棗一枚同煎空心熱服

〔四十九〕灵宝散 治血氣攻刺痛引两脇并治痃癖冷氣

丁香 木香 乳香各一各半 當歸

延胡索 白芍藥各半两

右為末每服三錢食前温酒調下

〔五十〕六神湯 治血氣不足肌体煩熱四肢倦怠不進飲食

當歸 熟地黄 白芍藥 川芎

地骨皮 黄耆各一两

右㕮咀每服四錢水一盞煎七分空心温服

〔五十一〕吴茱萸湯 治女人素虚又爲風冷乘氣停滯腹脇刺痛

桔梗去苗 防風 乾姜炮 甘草炙 當歸去苗炒

細辛去苗各五錢 熟乾地黄三分 吴茱萸湯洗七次炒二两

右㕮咀每服三錢水一盞煎至八分空心熱服

〔五十二〕加減吴茱萸湯 治證与前茱萸湯同藥味但有加減

防風去芦　乾姜　細辛　當歸去芦酒浸炒
桂心不見火　茯苓去皮　甘草炙　半夏湯洗七次
麥門冬去心　牡丹皮　桔梗炒各一两　吳茱萸湯洗七次炒三两
右㕮咀每服四錢水一盞煎至七分食前热服

（五十三）**一神丸** 治室女血氣相搏腹中刺痛經候不調
橘紅二两　玄胡索去皮醋煮　當歸去芦酒浸剉炒各一两
右為末酒煮米糊圓如梧桐子每服一百圓空心艾醋湯下

（五十四）**人參養血丸** 治女人禀受素弱血氣虛損常服補衝任調月候暖下元生血氣
烏梅肉三两　熟乾地黃五两　當歸去芦二两
人參去芦　川芎　赤芍藥　蒲黃炒各一两
右為末煉蜜搜丸如梧桐子每服八十元温酒米飲任下

（五十五）**抑氣散** 治婦人氣盛於血亦生諸證頭暈膈滿皆可服之

香附子炒淨四兩　茯神去木一兩　橘紅二兩　甘草炙一兩

右爲末每服二錢食前用沸湯調服

五十六　玄胡索湯　治婦人室女七情所感血與氣併心腹作痛

或引腰脇甚作搐搦但是一切血氣經候不調並可服之

當歸去芦　蒲黄　玄胡索　赤芍藥　片子姜黄

官桂不見火各半兩　乳香　木香不見火　没藥各三　甘草二錢半

右㕮咀每服四錢水一盞姜七片煎至七分食前温服吐逆

加半夏橘紅各半兩

五十七　内灸散　治婦人血氣虚損崩下漏下淋瀝不已或凝積

血塊腰腹刺痛凡月水不調血暈頭玄七癥八瘕並宜服之

藿香葉　丁香皮　熟乾地黄洗焙　肉桂去皮各一兩半

甘草炙　山茱　當歸去芦洗　白术　白芷各八錢

川芎　藁本去芦　乾姜炮　黄耆去苗各一兩

茴香一两半　木香一两　陳皮去白四两　白芍藥十两
右爲末每服三錢水一盞姜五片艾十葉同煎空心热服温
酒調下亦可如産後下血過多加蒲黄煎惡露不快加當歸
紅花煎嘔吐加藿香生姜煎上热下冷加荆芥煎

血風（五十八）虎骨散　治婦人血風走注疼痛不常
虎骨酥炙　敗亀醋炙　肉桂去皮　當歸
延胡索　地龍去土炒　威灵仙　牛膝去苗酒浸
漏芦　自然銅煆醋淬七遍
右爲末每服一錢热酒調下

（五十九）油煎散　治婦人血風發熱喘满多汗口乾舌澁
五加皮　牡丹皮　赤芍藥　當歸去芦各一两
右爲末每服一錢水一盞將青銅錢一文蘸油入藥内慢火
同煎七分煎不得攪喫不得吹常服此藥能肥婦人

六十 人參荊芥散 治婦人血風發熱身体疼痛頭昏目澁煩渴盜汗或月水不調臍腹疞痛痃癖塊硬並皆治之

赤芍藥五兩 柴胡去苗七兩半 牡丹皮五兩 鱉甲醋浸去裙炙黄

荊芥穗 羚羊角 酸棗仁 枳殼去穰麸炒

生乾地黄 人參去芦 白朮 肉桂去皮各七兩半

當歸 防風去叉 甘草 芎藭各五兩

右㕮咀每服三錢水一盞姜三片煎八分温服不拘時

癥瘕

六十一 千金桃仁煎 治婦人血積癥瘕月水不行並宜服之

桃仁去皮尖麸炒 朴消 大黄各二兩 蝱蟲半兩炒令黑色

右和勻以酸醋二升半於銀石器中慢火煎取一半却以桃仁大黄蝱蟲末入内不住手攪度可圓時却下朴消更不住攪良久出之圓如梧桐子五更初温酒下五圓至日午取下如赤豆汁雞肝蝦蟆衣樣以盡為愈

〔六十二〕**琥珀丸** 治婦人血瘕腹中有塊攻刺小腹痛引腰背

琥珀 別研　白芍藥　川烏 炮去皮　川牛膝 酒浸製

鱉甲　蓬朮　當歸　厚朴 姜汁製各一兩

木香　澤蘭葉　官桂 各半兩　麝香 別研半分

右為末酒糊圓如梧桐子每服七十圓空心溫酒米飲任下

〔六十三〕**楊氏家藏方磨積丸** 婦人積氣內攻經候不調腹脇膨脹刺痛

京三稜　莪朮 各一兩煨　茴香 炒　附子

川練子肉 炒　白芍藥　乾姜 炮各半兩　巴戟 去心炒一兩

當歸 洗　艾葉 醋炒各一兩七分半

右為末酒糊圓如梧桐子每服五十圓空心溫酒下

〔六十四〕**三稜煎** 治婦人血癥血瘕食積痰滯

三稜　蓬朮 各四兩　青皮　半夏 湯洗七次　麥糵 各三兩

右用好醋六升煑乾焙爲末醋糊丸如梧桐子每服五十丸醋湯下痰積薑湯下

（六十五）**小三稜煎** 治食癥酒癖血瘕氣塊時發刺痛及積滯不消心腹堅脹痰逆嘔穢

京三稜　蓬莪朮各四两　芫花一两

右同入瓷罐内用米醋五升浸封罐口以灰火煨令乾却取出稜朮將芫花以餘醋炒令焦焙乾同爲末醋糊圓如菉豆大每服十五圓薑湯桑白皮湯任下

（六十六）**大腹皮飲** 治婦人血癭單單腹痛

大腹皮　防巳　木通　厚朴薑製

瓜蔞　黄耆　枳殼麸炒　桑白皮

大黄蒸　陳皮　青皮　五味子各等分

右㕮咀每服五錢水一盞半煎六分去滓入酒一分温服

通治 〔六十七〕烏雞煎 治婦人百病

吳茱萸醋炒 良姜 白姜炮 當歸 赤芍藥

生乾地黄 延胡索炒 破故紙 川椒並炒 刘寄奴

蓬莪术 橘皮 青皮 川芎各一两

荷葉灰四两 白熟艾用糯米飲調作餅焙二两

右為末醋糊元如梧桐子每服五十元月經不調紅花蘇木酒下白帶牡砺粉調酒下子宫久冷白茯苓煎湯下血崩豆淋酒調綿灰下胎不安蜜和酒下腸風陳米飲調百草霜下心疼菖蒲煎酒下漏阻下血烏梅酒下胎死不動斑猫三十箇煎酒下腰脚痛當歸酒下胎衣不下芸薹研水下頭風薄荷湯下血風眼黑豆甘草湯下生瘡地黄湯下身躰疼痛黄芪末調酒下四肢浮腫麝香湯下咳嗽喘痛杏仁桑白皮湯下腹痛芍藥調酒下産前後痢白者姜湯下赤者甘草湯下

常服溫酒醋湯任下並空心服

〔雜病〕〔六十八〕**桂香散**治婦人脾血久冷時作腹痛泄瀉

草豆蔻去殼炒　甘草　白朮　高良姜剉炒香

縮砂仁各一兩　青皮去白炒　訶子肉各半兩　肉桂一分　生姜

厚朴去皮　棗肉各一兩以水一椀煳煑令乾同研為餅焙

右為末每服二錢入鹽少許空心沸湯點服

〔六十九〕**人參白朮散**治偏身燥濕相搏玄府緻密煩心忪悸發渴飲食減少不為肌膚

人參三分　白朮焙七分　薄荷半兩　縮砂仁一兩三分

生地黃　茯苓去皮　甘草各半兩　黃芩二分

滑石二兩　藿香三分半　石膏一兩

右為末每服三錢水一盞煎至六分去滓溫服食前日二三服

〔七十〕**治婦人諸淋方**用苦杖根俗呼名杜牛膝淨洗搥碎一

搓水五盞煎至一盞去滓入麝香乳香末各少許調服小便內當下砂石剥剥有聲是其效也

（七十一）**家藏方內金鹿茸圓**　治婦人勞傷血脉胞絡受寒小便白濁晝夜無度臍腹疼痛腰膝無力

黄耆　雞内金　牡礪　鹿茸　遠志

肉從蓉　五味子　龍骨　附子　桑螵蛸各等分

右爲末煉蜜圓如梧桐子每服五十圓温酒米飲任下

（七十二）**麝香杏人散**　治婦人陰瘡

麝香少許　杏人不以多少燒存性

右爲細末如瘡口深用小絹袋子一箇盛藥满繫口臨上藥炙熱安在陰内立愈

（七十三）**白礬散**　治婦人陰腫堅痛

白礬半兩　甘草半分生　大黄一分生

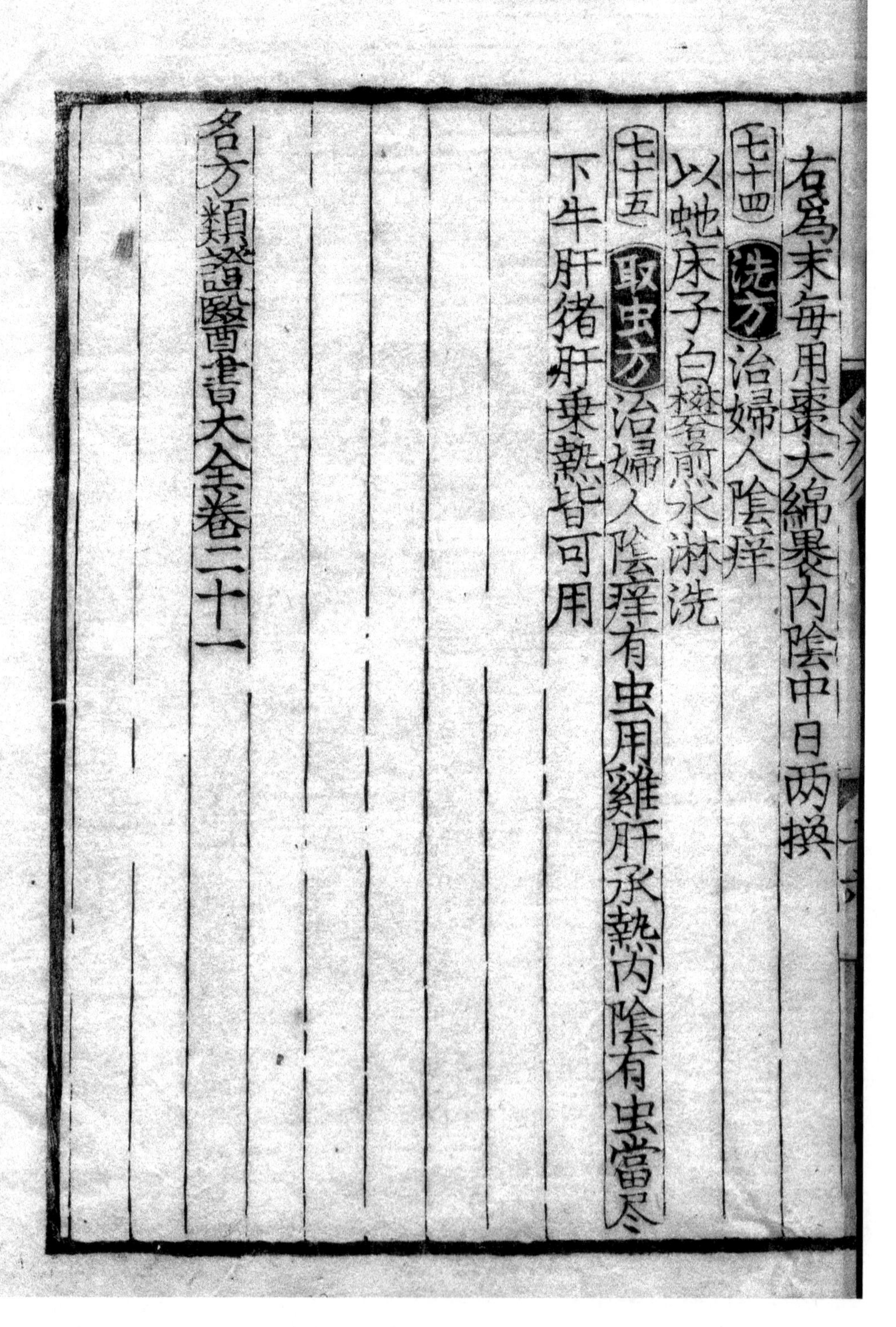
右為末每用棗大綿裹內陰中日兩換

（七十四）洗方 治婦人陰痒

以虵床子白礬煎水淋洗

（七十五）取虫方 治婦人陰痒有虫用雞肝承熱內陰有虫當盡

下牛肝猪肝乘熱皆可用

名方類證醫書大全卷二十一

名方類證　九

名方類證醫書大全卷二十二

鰲峯熊　宗立　道軒　編集

姙育 附 轉女成男法

生育之道陰陽二氣交感而成胎若陰血先至陽精後衝血開裹精陽內陰外陰抱陽胎而男形成矣若陽精先入陰血後叅精開裹血陰內陽外陽抱陰胎而女形成矣又云婦人月信初止一日三日五日及男女生命旺相陽日時交合則有子皆男若二日四日六日又值男女生命休囚死絕陰日時交合有子多女過此之外皆不成胎又有所謂轉女成男法女子但懷娠始三月名曰始胎血脉不流象形而變是時男女未定故令於未滿三月之間服藥方術轉令生男也

〔求嗣〕〔一〕秦桂丸　治婦人血海久冷不能孕育

秦艽　桂心　杜仲　防風　厚朴各三分

人參一兩　附子生　白茯苓各一兩半　細辛二兩一分

白薇　乾薑　沙參　牛膝　半夏各半兩

右並生碾為末，煉蜜丸如赤豆大，每服五十丸，空心醋湯米飲任下。無效更加丸數，已覺有孕便不可服，極有神效。

〔二〕續嗣降生丹　治婦人稟受氣弱，子宮冷憊，難子息者

當歸　桂心　龍骨　益智　烏藥真天台者

茯神　秦艽　川牛膝　石菖蒲　白芍藥各三分

苦梗　半夏　防風　杜仲　吳茱萸酪半一

乾薑二兩，生一半，炒一半　川椒二兩，湯浸半日，焙　細辛三分

附子一隻八錢，中剜心作竅如皂子大，入朱砂一錢，中以濕麪裹煨，去麪　牡蠣一大片，要取漳泉二州者，却用

亭堂童子小便浸四十九日五日一换取出用硫黄末一
两米醋塗遍却用皮帋裹又用米泔浸令帋湿盐泥厚
固济乾用炭五斤煅每用入二两余者留後次合药用

右為末取附子内朱砂别研為衣糯米糊元如梧桐子每服
一百元空心温酒盐汤淡醋汤任下

（三）**陽起石圓** 治丈夫精气不濃不能施化是以無子

陽起石火煅紅研令極細　兎絲子水淘洗酒浸蒸别研
鹿茸酒蒸焙　天雄　蓯蓉酒浸各一两　韭子　原蠶蛾酒浸
覆盆子酒浸　石斛　沉香别研　桑寄生　五味子各五分

右為末醋煮糯米糊圓如梧桐子每服七十圓盐酒盐汤下

（四）**澤蘭圓** 治婦人衝任虚寒胎孕不成或多損墮

澤蘭葉两半　肉桂去皮五分　當歸洗焙　熟地黄洗焙各一两
白术两半　川芎　石斛酒浸炒各一两

乾薑炮半两　白芍藥　牡丹皮　延胡索各一两

右爲末醋糊元如梧桐子每服五十元空心温酒下

（五）紫石英圓治婦人子宫久冷不成孕育及数經墮胎月候不匀崩中漏下七癥八瘕白淫白帶並宜服之

川烏炮去皮尖　紫葳　辛夷仁　川芎　石斛去根

肉桂去皮　卷栢去根　當歸去芦微炒各二两　牡蒙

甘草　烏賊魚骨燒灰　栢子仁炒　山蕷各一两半

紫石英　天門冬去心各三两　食茱萸　桑寄生　熟乾地黄

牡丹皮　人参去芦　細辛去苗　厚朴去皮姜製

乾姜炮　牛膝去苗　續斷各一两　禹餘粮煆醋淬两半

右爲末蜜圓如梧桐子每服五十元温酒米飲空心任下

（轉女成男法）（六）以斧置姙婦床下繫刃向下勿令人知恐不信者令待雞抱卵時依此置窠下一窠盡出雄雞

又方　初覺有娠取弓弩弦縛娠婦腰下滿百日去之

又方　取雄雞尾上長毛三莖潛安娠婦卧席下勿令知

又方　取夫髮及手足甲潛安卧席下勿令知之　已上四法皆在孕三[illegible]月前用之

胎前

人之夫婦猶天地也天地之道陰陽和而萬物生矣夫婦之道陰陽和而男女生矣故婦人先須調其經而百病不生百病不生而成孕育然猶當知氣盛血衰則無孕血盛氣衰乃有孕須以抑氣生血爲先若有胚腪則服安胎順氣之劑及善將理以候分免如胎前產後亦生諸證皆由不善調攝所致茲已詳具各方于後臨病之際又當對證求藥若外感四氣內傷七情以成諸疾治法則與男子無異當於各類求之但胎前治病損動

胎气之藥尤宜避忌可也

（惡阻）（七）半夏茯苓湯 治姙娠惡阻惡聞食氣胷膈痰逆嘔吐惡心

白芍藥　旋覆花　桔梗　陳皮去白麸炒
人參去芦　甘草炙　川芎各半两　熟乾地黄
赤茯苓去皮各三分　半夏湯洗七次焙一两一分

右㕮咀每服三錢水一盞姜四片煎八分空心熱服

（八）茯苓圓 治姙娠惡阻停飲惡聞食气當與茯苓湯兼進

赤茯苓去皮　白术　人參去芦　枳实去白麸炒黄
乾薑炮　葛根　肉桂去皮　陳皮
甘草炙　半夏湯洗七次焙各二两

右爲末煉蜜圓如梧桐子每服五十圓空心米飲下

（九）安胎飲 治姙娠惡阻嘔吐不食胎動不安或時下血

甘草炙　茯苓去皮　熟乾地黄酒蒸焙
川芎　白朮　半夏湯洗七次
膠　黄耆去蘆　白芍藥各等分
㕮咀每服三錢水一盞煎八分温服不拘時
竹茹湯治妊娠嘔吐頭疼眩暈
橘紅去白　人參去蘆　白朮　麥門冬去心各一兩
甘草一分　白茯苓　厚朴薑製各半兩
㕮咀每服三錢水一盞薑五片入竹茹一塊如彈子大同
煎至七分温服不拘時
小地黄圓治妊娠惡心嘔吐清水腹痛不食
人參　乾薑炮各等分
右為末用生地黄汁圓如梧桐子每服五十圓米湯下
參橘散治妊娠三月惡阻吐逆不食或心虛煩悶

赤茯苓 厚朴姜制 甘草炙各半两 橘皮去白 麥門冬去心 白术

右㕮咀每服四錢水一盞姜七片竹茹少許煎七分温服

（十三）人参半夏丸 治妊娠惡阻醋心胷腹冷痛吐逆不食

半夏湯泡七次 人參 乾生姜各半两

右為末以生地黄汁浸蒸餅圓如梧桐子每服四十丸米飲下

（十四）旋覆半夏湯 治妊娠惡阻吐逆酸水惡聞食氣多卧少起

旋覆花去枝 川芎 半夏湯洗七次 甘草炙 赤茯苓去皮 當歸去芦酒浸 乾生姜 細辛洗去土 人参 陳皮去白各一两

右㕮咀每服四錢水一盞姜五片煎七分温服不拘時

（十五）鯉魚湯 治妊娠胎水不利胷滿腹脹小便不通遍身浮腫或胎動腹中並能治之

白芍藥 白茯苓 白术各等分

右㕮咀每服四錢用鯉魚一尾不拘大小破洗鱗腸白水煮熟去魚每服用魚汁一盞半生姜七片橘皮少許同煎一盞空心服以胎水去盡爲度

（十六）全生白朮散 治妊娠面目虚浮如水腫狀

白朮二兩　生姜皮　大腹皮　陳皮　茯苓皮各半兩

右爲末每服二分米飲調下

（十七）歸凉接命散 治妊娠面赤口苦心煩腹脹

川芎　苧根　白芍藥　麥門冬去心

當歸去芦酒浸　白朮各一兩　糯米半合　甘草炙半兩

右㕮咀每服四分水一盞半煎至一半温服不拘時

（十八）大聖散 治妊娠忪悸睡裏多驚腹脹膨脹坐卧不寧

白茯苓去皮　川芎　麥門冬去心　黄蓍去芦蜜炙

當歸去芦酒浸各一兩　木香不見火　人參　甘草炙各半兩

右㕮咀每服四錢水一盞姜五片煎七分溫服不拘時

（十九）平安散 治妊娠上氣喘急大便不通嘔吐不食腹脇脹痛

厚朴去皮姜汁炒 生薑各二錢 乾薑炮 陳皮去白各一錢

川芎半錢 木香二錢半 乾地黄洗焙 甘草炙四錢

右㕮咀每服四錢水一盞入燒鹽一捻煎服不拘時

（二十）勝金散 治妊娠脾胃氣冷小腹虚脹

吴茱萸 陳皮 生薑 乾薑

川芎 厚朴 縮砂仁 甘草各等分

右為末每服二錢鹽湯調服不拘時

（二十一）安胎和氣飲 治胎冷腹脹痛引兩脇小便頻數大便虚滑

訶子麪裹煨去核 白术各一两 陳皮去白 高良姜炒

木香不見火 白芍藥 陳米炒 甘草各半两

右㕮咀每服四錢水一盞姜五片煎服忌食生冷之物

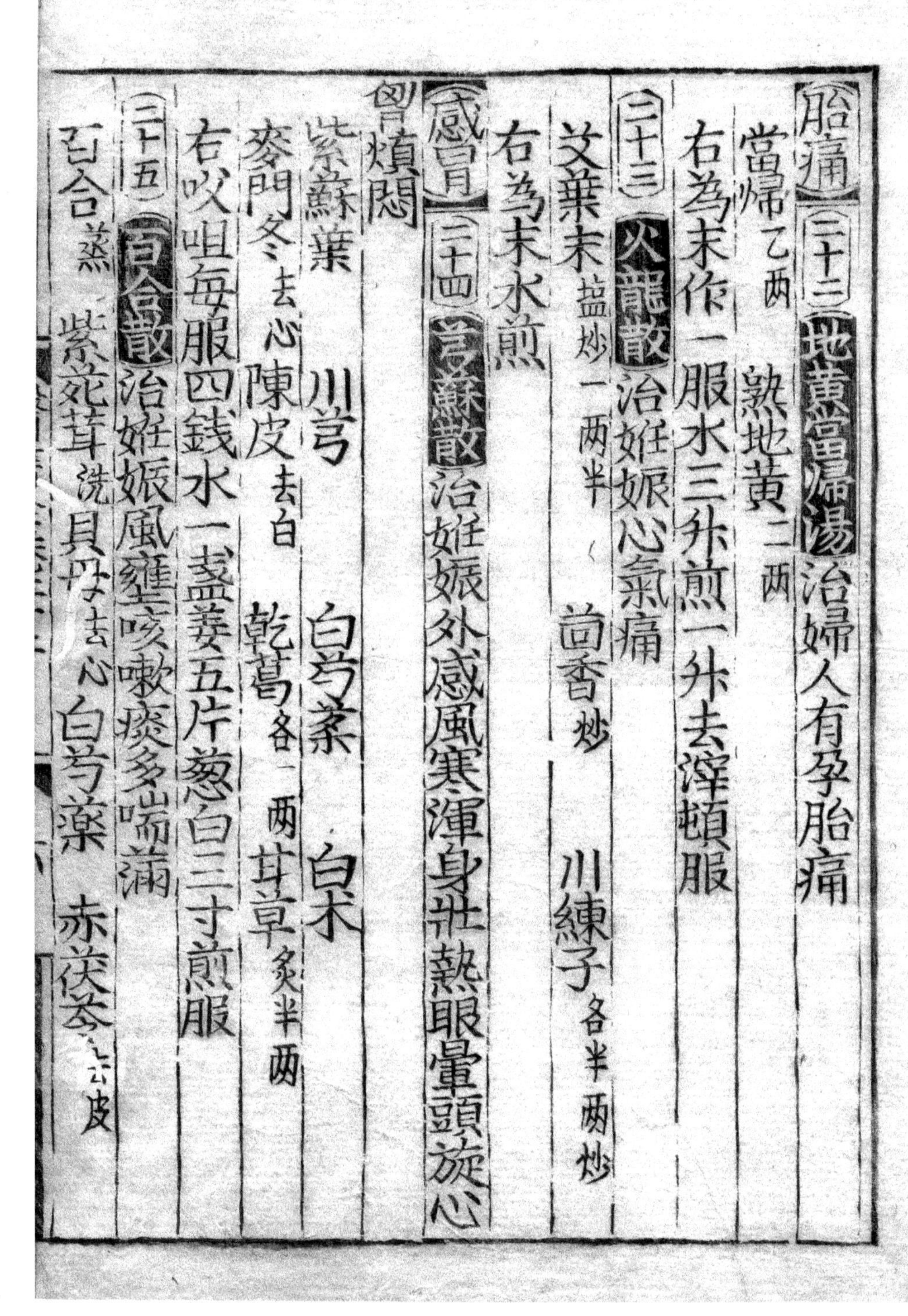
胎痛 〔二十二〕地黄當歸湯 治婦人有孕胎痛
當歸乙两 熟地黄二两
右為末作一服水三升煎一升去滓頓服
〔二十三〕火龍散 治姙娠心氣痛
艾葉末塩炒一两半 茴香炒 川練子各半两炒
右為末水煎
感冒 〔二十四〕芎蘇散 治姙娠外感風寒渾身壯熱眼暈頭旋心胸煩悶
紫蘇葉 川芎 白芍藥 白朮
麥門冬去心 陳皮去白 乾葛各一两 甘草炙半两
右㕮咀每服四銭水一盞姜五片葱白三寸煎服
〔二十五〕百合散 治姙娠風壅咳嗽痰多喘滿
百合蒸 紫菀茸洗 貝母去心 白芍藥 赤茯苓去皮

前胡去芦 桔梗去芦炒各一两 甘草炙半两

右㕮咀每服四錢水一盞姜五片煎八分温服不拘時

〔傷寒〕〔二十六〕**白术散** 治姙娠傷寒煩熱頭痛胎氣未安或時吐逆不下食

白术 橘紅 人参 前胡 川芎

麥門冬 赤茯苓已上各一两 甘草 半夏洗炒各半两

右㕮咀每服四錢姜四片竹茹二錢半水煎

〔二十七〕**升麻散** 治姙娠傷寒頭痛身体熱

升麻 蒼术 麥門冬 麻黄去節各一两

黄芩 大青各半两 石膏二两

右為粗末每服四錢生姜四片淡竹葉二七片水煎

〔二十八〕**芎藭散** 治婦人姙娠傷寒自利腹中痛食飲不下脉沉者太陰也宜此藥

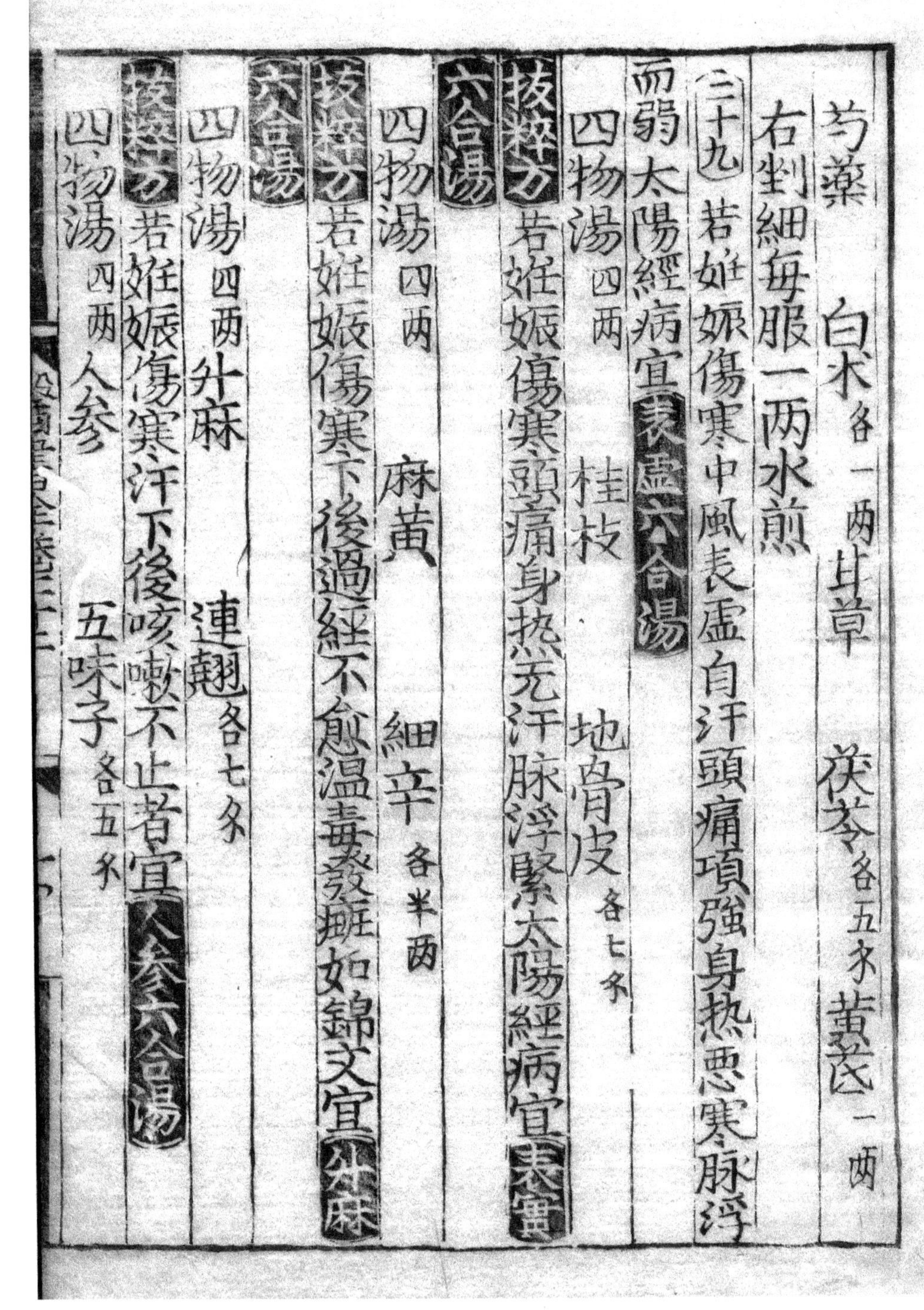
芍藥　白朮各一兩　甘草　茯苓各五分　黃芪一兩

右剉細每服一兩水煎

（三十九）若妊娠傷寒中風表虛自汗頭痛項强身熱惡寒脉浮而弱太陽經病宜表虛六合湯

四物湯四兩　桂枝　地骨皮各七分

拔粹方若妊娠傷寒頭痛身熱无汗脉浮緊太陽經病宜表實六合湯

四物湯四兩　麻黃　細辛各半兩

拔粹方若妊娠傷寒下後過經不愈温毒發斑如錦文宜升麻六合湯

四物湯四兩　升麻　連翹各七分

拔粹方若妊娠傷寒汗下後咳嗽不止者宜人參六合湯

四物湯四兩　人參　五味子各五分

拔萃方若妊娠傷寒汗下虛痞脹滿者陽明本虛也宜厚朴六合湯

四物湯四兩 厚朴 枳實麩炒各五錢

〔瘧證〕〔三十〕驅邪散 治妊娠停食感冷發為瘧疾

高良姜炒 白朮 草菓仁 橘紅 藿香葉

縮砂仁 白茯苓去皮各一兩 甘草炙半兩

右㕮咀每服四錢水一盞姜五片棗一枚煎服不拘時

〔風熱〕〔三十一〕消風散 治妊娠肝臟熱毒上攻太陽穴胷膈涎壅頭旋目暈或腮項腫核

石膏煆 甘菊花去梗 防風去芦 荆芥穗

川羌活去芦 羚羊角鎊 川芎 當歸去芦酒浸

大豆黃卷炒 白芷各一兩 甘草炙半兩

右㕮咀每服四錢水一盞入好茶半錢煎至八分溫服

三十二　天門冬飲子　治妊娠肝經風熱上攻眼目帶吊失明

天門冬　茺蔚子　知母各一两　防風去芦半两

五味子　茯苓去皮　川羌活去芦　人參各七分半

右㕮咀每服四錢水一盞姜三片煎八分食後温服

胎漏

三十三　榆白皮散　治妊娠漏胎去血恐其難產常宜服之

榆白皮　葵根　瞿麥各一两　大麻仁去殼

木通半两　牛膝三分去苗酒浸焙

右㕮咀每服三錢水一盞煎八分温服

三十四　如聖湯　治胎動腹痛或為漏胎

鯉魚皮　當歸去芦酒浸　熟地黄酒蒸　阿膠蛤粉炒成珠

白芍藥　川芎　川續斷酒浸　甘草炙各等分

右㕮咀每服四錢水一盞苧根少許姜五片同煎温服

三十五　桑寄生散　治胎漏經血妄行淋瀝不已

當歸去芦酒浸　桑寄生　川續断酒浸　香附子炒去毛

阿膠蛤粉炒如珠子　茯神去木　川芎

白术各一两　人参　甘草炙各半两

右㕮咀每服四錢水一盞姜五片煎七分不拘時温服

三十六　枳殼湯　治婦人胎漏下血及因事下血

枳殼去穣炒　黄芩各半两　白术一两

右為末水煎食前温服

淋秘　三十七　全生茯苓散　治姙娠小便不通

赤茯苓　葵子各等分　水煎每服三錢

三十八　安榮散　治姙娠小便澁少遂成淋瀝

麥門冬去心　通草　滑石各一錢　當歸去芦酒浸

燈心　甘草各半两　人参　細辛各一两

右為細末每服二錢煎麥門冬湯調服不拘時

三十九 桑螵蛸散 治妊娠小便不禁用桑螵蛸二十箇炙為細末每服二錢空心米飲調下

四十 白薇散 治妊娠遺尿不禁

白薇　白芍藥各等分

右為末空心米飲調下二錢

四十一 大腹皮散 治妊娠大小便赤澁

枳殼去白麩炒　大腹皮　甘草炙各一兩　赤茯苓去皮三兩

右為末每服二兩濃煎葱白湯調下不拘時

四十二 冬葵子散 治妊娠小便不利身重惡寒起則眩暈欲倒

冬葵子三兩　赤茯苓去皮二兩

右為末每服二錢米飲調服不拘時如小便利則住服如不通恐是轉胞加髮灰少許極妙

四十三 八味圓 治妊孕小便不通名曰轉泡方見痰氣門

（痢證）（四十四）乾姜黃連圓治妊娠下利赤白穀道腫痛冷熱皆可服之良效

乾姜炮　黃連去鬚　縮砂仁炒　川芎

阿膠蛤粉炒　白朮各一兩　乳香三錢別研　枳殼去白麸炒半兩

右為末用鹽梅三箇取肉入少醋糊同杵圓如梧桐子每服四十圓白痢乾姜湯下赤痢甘草湯下赤白痢乾姜甘草湯

（四十五）當歸芍藥湯治妊娠腹中㽲痛下痢

白芍藥　白茯苓去皮　當歸　澤瀉

川芎各一兩　白朮一兩半

右為末每服二錢空心溫酒米飲任下

（子煩）（四十六）麥門冬湯治妊娠心驚膽怯煩悶名曰子煩

麥門冬去心　防風　白茯苓各一兩　人参半兩

右㕮咀每服四錢水一盞姜五片淡竹葉十片煎八分溫服

（四十七）竹瀝湯治姙娠心驚膽怯終日煩悶謂曰子煩

白茯苓四兩　防風　麥門冬去心　黄芩各三兩

右㕮咀每服四錢水一盞竹葉五片煎服不拘時

（四十八）知母飲治姙娠心脾壅熱咽膈渇苦煩悶多驚

赤茯苓　黄芩　黄耆各三兩　知母

麥門冬去心　甘草各二兩

右㕮咀每服四錢水一盞入桑白皮煎熟再入竹瀝同服

（子懸）（四十九）紫蘇飲治胎氣不和湊上心腹脹滿疼痛謂之子懸

大腹皮　川芎　白芍藥　陳皮去白　紫蘇葉

當歸去芦酒浸各一兩　人參　甘草各半兩

右㕮咀每服四錢水一盞姜五片葱白七寸煎空心温服

（子癇）（五十）羚羊角散治姙娠中風頭項強直筋脉攣急言語

蹇澁痰涎不消或時發搐不省人事名曰子癇

羚羊角鎊　川獨活去苗　酸棗仁炒去殼　五加皮去木各半兩
薏苡仁炒　防風去芦　當歸去芦酒浸　川芎　茯神去木
杏仁去皮尖各四兩　木香不見火　甘草各二分半
右㕮咀每服四錢水一盞姜五片煎七分不拘時服

安護　（五十一）川芎散治妊婦從高墜下胎氣不和轉動不能臍腹疼痛用川芎為末每服二錢温酒調下

（五十二）白朮散治妊娠胎氣不和飲食不進
白朮炒　紫蘇各一兩　白芷炒　人參各二兩
訶子　青皮去白　川芎各三分　甘草炙一分
右㕮咀每服三錢水一盞姜三片煎七分不拘時服

（五十三）佛手散治妊娠胎動不安血氣衝心欲絕者
當歸去芦酒浸　芎藭各一兩
右㕮咀每服四錢酒一盞煎乾再入水一盞煎三二沸温服

〔五十四〕**膠艾湯** 治妊娠或因頓仆胎動不安腰腹疼痛

熟地黃洗　艾葉炒　白芍藥　川芎　黃耆去芦

阿膠蛤粉炒成珠　當歸去芦酒浸　甘草炙各一两

右㕮咀每服四钱水一盞姜五片棗一枚同煎空心温服

〔五十五〕**安胎散** 治妊娠自高墜下或為重物所壓觸動胎气腹痛下血用縮砂不拘多少於熨斗內炒令熟去皮研為細末每服二钱熱酒調服艾盐湯亦可胃虛嘔吐者更宜服之

〔五十六〕**立効散** 治婦人胎動不安如重物所墜冷如氷

川芎　當歸各等分

右為粗末秤三钱水煎食前温服

〔五十七〕**芎藭補中湯** 治懷孕血氣虛弱不能衛養以致數月而墜名曰半産

乾姜炮　阿膠蛤粉炒　芎藭　五味子各一两

黄耆去芦蜜炙　當歸酒浸去芦　白术

木香不見火　人参　赤芍藥各兩半

右㕮咀每服四錢水一盞煎服不拘時　杜仲去皮炒　甘草各半两

（五十八）救生散　治胎氣本怯不宜瘦胎合服此藥安胎益氣易産

人参　訶子煨去核　麥芽　白术

神麯　陳皮各炒等分

右爲末每服二錢水一盞煎七分空心温服

（五十九）杜仲圓　治姙娠三两月胎動不安防其欲墮預宜服之

杜仲去皮剉姜汁炒去絲　川續斷酒浸各二两

右爲末棗肉煮爛杵和爲丸如梧桐子每服七十圓米飲下

（六十）枳實檳榔丸　治安養胎氣調和經候癥瘕癖塊有似妊

孕可以久服血氣通和兼寬膈美食

枳實生　檳榔　黄連　黄蘗

黄芩　當歸　阿膠炒　木香各半兩

右爲末水和丸如小豆大温米飲下三十丸不計時

六十一 **黄芩湯** 治婦人孕胎不安

白朮　黄芩各等分

右爲末每服三錢水一盞入當歸一根同煎至一盞温服

六十二 **白朮散** 治婦人妊娠宿有風冷胎痿不長或失於將理動傷胎氣多致損墮常服壯氣益血保護胎臟

牡蠣煅五分　白朮　川芎各一兩　蜀椒去目炒七分半

右爲末每服一分空心温酒調下

滑胎

六十三 **瘦胎枳殼散** 治妊孕七八月常宜服之滑胎易產

粉草一兩半炙　商州枳殼五兩去白麩炒赤

右爲末每服一錢空心白湯點服一方加香附子尤佳

或㕮咀每服五錢水一盞煎一盞温服亦可

六十四 無憂散 治胎肥氣不安臨蓐難產

當歸去蘆 川芎 白芍藥各三分 木香不見火

甘草炙各一分半 枳殼去白麩炒 乳香別研各三分

血餘髮灰一分半獖猪血和之

右㕮咀每服三分水一盞煎八分溫服不拘時

難產

六十五 勝金散 治血氣不旺臨蓐難產

麝香一分 鹽豉一兩舊青布裹燒令紅急研令細

右為末取秤鎚燒紅以酒淬之調藥二錢服

六十六 獨聖散 治難產

黃葵子炒七十粒 研爛酒服濟君急

若也臨危難產時 免得全家俱哭泣

六十七 金液圓 治胎氣大肥橫逆難產

飛生毛半分火燒如腋下毛尤佳 父母羊糞燒灰

血餘 无病女人髮燒灰各半分　竈心土 一分

朱砂 半分别研　黑鉛 二分用銚子火上溶投水銀半分

急攪結成砂子傾出研令極細

右爲末用粽子角爲圓如菉豆大遇難産以倒流水吞五圓

（六十八）**催生鉛丹** 治横逆難産用黑鉛一錢用小銚子火上溶投水銀一錢急攪結成砂子傾出用熟絹衫角紐作圓子如菉豆大臨産時香水吞下二圓立便生下

（六十九）**霹靂奪命丹** 治臨産驀然氣痿目翻口噤面黑唇青沫出口中子母俱隕兩臉微紅子死母活修合時勿令婦女雞犬見

蛇退 一條入瓦瓶内煅　金銀箔 各七片　乳香 半分别研

千里馬 路上左脚草鞋一隻洗淨燒灰一分　髮灰 一分

馬鳴退 蚕退燒灰一分　黑鉛 二分半水銀七分一依前法

右爲末以豶猪心血圓如梧桐子倒流水灌二圓化開亦得

（七十）益母圓 專治産難横逆并安胎順氣用益母草其葉類火麻葉莖方花紫色白者不是五月五日採其葉蔭乾不見日忌鐵器以石磨爲末煉蜜圓如彈子大每服一圓臨産以童子小便温酒送下若氣不順用木香參湯并艾醋湯送下此草今人喚作猪麻

（七十一）催生丹 治産婦生理不順臨蓐艱難

十二月兎腦髓 去皮擂研　乳香 研如粉一分

母丁香末 一分　麝香 細研一字

右研匀用兎髓和圓如雞頭大陰乾用油紙密封貼每一圓破水後温水下即時産下隨男左女右手握藥出是驗

（七十二）集效催生神應黒散 兼治横生逆産

百草霜 研　香白芷末 各等分

右和匀每用二錢童便并好醋調稀更以沸湯浸服之甚效

（七十三）香桂散　下死胎

麝香半分別研　官桂三分為末

右和匀只作一服温酒調下須臾即下

（七十四）來甦散　治臨産用力太過氣血暈悶不省人事

木香不見火　神麯炒　陳皮去白　麥蘖炒

黄耆去芦　生薑炒黑　阿膠蛤粉炒　白芍藥各一分

糯米一合半　苧根洗淨　甘草炙各三分

右㕮咀每服四錢水一盞煎斡開口灌連進為愈

産後

凡婦人生産畢且令飲童子小便一盞不得便卧且宜閉目而坐須臾方可扶上床仰卧宜立膝高倚枕頭厚鋪茵蓐使無賊風吹着兼時時令人以手從心擀至臍下使惡露不滯如此

者兩三日常令産婦聞醋炭或燒乾漆煙若無乾漆以破舊漆器燒之以防血逆迷運之患分免之後須吏且食白粥一味不可令太飽逐日漸增之仍時與童子小便一琖飲之或童子小便以好酒和半琖温服三日過後方可進醇酒并些鹽味及喫爛猪蹄肉或雌雞亦不可太過若縂産便與酒恐産毋藏府方虚不禁酒力必引血迸入四肢致生諸証或熱酒入腹致昏悶況不善飲者乎縂産食肉太早縁藏府方虚恐成泄瀉或變積滯亦不可喜怒憂思動力太早恣食生冷及不避風寒或冷水洗濯當時雖未覺大損滿月之後致病百端或成産後諸疾小可虚羸失於將補便成大患終身悔而不及其産後倘有諸証不論巨細並有方藥可治

【胎衣不下】（七十五）黑神散 治婦人産後惡露不盡胎衣不下血氣攻心

黑豆炒半升 熟乾地黃 當歸去蘆酒浸 肉桂去皮

乾薑炮　甘草炙　芎藭　蒲黃各四两

右爲末每服二錢熱酒調下入童子小便尤爲佳濟生方除蒲黃加附子

七十六　花蕊石散　治産後胎衣不下極有神効方載傷折門

七十七　奪命丹　治産後血入衣中脹滿衝心久而不下或去血過多肺氣喘促謂之孤陽絶陰亦難治之證急宜取鞋底炙熱小腹上下熨之次進此藥

附子炮去皮臍半两　牡丹皮去心　乾漆炒令烟盡各一两

右爲末用酸醋一升大黃末一两同熬成膏和藥圓如梧桐子每服五七圓温酒送下

血暈　七十八　芎歸湯　治産後去血過多暈煩不醒一切去血並宜服之

當歸去芦洗焙　芎藭各二分

右㕮咀每服三錢水一盞煎七分熱服不拘時腹中刺痛加白芍藥口乾煩渴加烏梅麥門冬發寒熱加乾薑白芍藥水停心下微有嘔逆加茯苓生薑虛煩不得眠加人參竹葉大便閉澁加熟地黄橘紅杏仁小便不利加車前子腹脇膨脹加厚朴血崩不止加香附子咳嗽痰多加紫菀半夏生姜腰痛脚痛加牛膝心下疼痛加玄胡索惡血不下腰腹重痛加牡丹皮煎

（七十九）卷荷散　治產後血上冲心血刺血暈腹痛惡露不快

初出卷荷　紅花　當歸　蒲黄紙炒　牡丹皮各乙两

右爲細末每服三錢空心鹽酒調下一臈内用童子小便調下

（八十）黑龍丹　一切產難又治妊娠臨產難生或胎衣不下產後血暈不省人事及惡露不盡腹中刺痛血入心經語言恍惚並宜服之

當歸去芦酒浸　生地黄　五靈脂　川芎　高良姜各二两

以上剉入沙鍋内紙筋塩泥固濟炭火煅令通紅火冷取出

細研入後藥

生硫黄　花蕋石　百草霜　乳香　琥珀各二钱半

右五味一两二分細末同前藥和匀米醋煮麫糊圓如彈子

大每服一圓服时再入炭火煅藥通紅入姜汁内浸碎以無

灰酒合童子小便頻服神效不可述

（八十二）**神仙索金散**治婦人産後血暈血虚積血不散寒熱往

來鬲不快氣喘不進飲食骨節疼痛生血風瘡此藥逐惡血生

新血止肚痛

紫金皮　川牛膝　當歸　川芎　麻黄

玄胡索炒　官桂　神曲　荆芥　粉草

赤芍藥　熟地黄　淡豆豉各二两

右爲末温酒調或當少童子小便任下

（八十二）清魂散 治產後血暈昏不知人更宜取乾漆燒煙鼻中熏之類宜醋炭房中次進此藥

澤蘭葉 人參去蘆各一兩 荆芥穗三兩 甘草炙八分 川芎二兩

右爲末每服二錢熱湯温酒各半盞調勻灌下

（新產）（八十三）四順理中圓 治新產血氣俱傷脾胃不調百日內宜常服

甘草炙 人參去蘆 乾姜炮 白术各一兩

右爲末煉蜜圓如梧桐子每服三十圓空心米飲下

（惡露）（八十四）增損四物湯 治產後陰陽不和乍寒乍熱如有惡露未盡停滯胞絡亦能令人寒熱但小腹急痛爲異

當歸酒浸去蘆 白芍藥 川芎 人參各一兩

甘草炙半兩 乾姜一兩

右㕮咀每服四錢水一盞姜三片煎服不拘時

〔八十五〕當歸養血圓 治產後惡血不盡發熱身痛經閉者並治之

肉桂一兩　當歸去芦　赤芍藥　牡丹皮　延胡索炒各二兩

右為末煉蜜圓如梧桐子每服五十圓空心温酒米飲任下

〔八十六〕地黃散 治產後惡物不盡腹中疞痛

生乾地黃　當歸並炒各乙兩

生姜半兩細切如蠅頭大新瓦上炒令焦黑

右為細末姜酒調下二錢服

〔惡露不止〕

〔八十七〕治產敗血不止

乾地黃生者

右器內搗為末每服二錢食前熱酒調服連進三服

〔八十八〕固經丸 治產後崩中暴下淋瀝不已如有腹脹則是瘀血使然此藥又非其治

赤石脂煅　文蕪　禹餘脂　木賊各半两

附子一个炮去皮臍

右爲末陳米飲和圓如梧桐子每服五十圓温酒送下

〔通治〕〔八十九〕〔經驗加減四物湯〕治婦人諸虚不足胎前産後諸病加減于後

當歸酒浸一宿　熟乾地黄　白芍藥　川芎各一两

右㕮咀爲剉散隨病證加減後藥煎服

血氣不調加吴茱萸一两甘草半两○胎動下血加熟艾一塊阿膠七片末一錢○補下元加乾姜半两甘草七分○血崩淋瀝不斷加炮附子一个赤石脂一两○便血及帶下加荆芥地榆○血氣滯腹内刺痛加桂○産後傷風頭痛加石膏一两甘草半两○血風勞加荆芥柴胡○潮熱加前胡子乾葛人參黄芩○虚熱口乾加門冬半两黄芩一两○嘔吐

不止加藿香白朮半兩人參一錢◎產後虛煩血熱煩悶加生地黃◎產後腹脹加枳殼肉桂各三錢◎產惡露腹痛不止加桃仁蘇木牛膝◎產後寒熱往來加柴胡門冬各半兩◎經血淋瀝不斷加乾薑蓮房炒入藥◎血滯不通加紅花桃仁各一分◎大便閉加大黃桃仁各一分◎產後悶亂加茯神遠志各半兩◎虛而多汗加煆牡蠣麻黃根各半兩◎妊娠心煩加竹茹一塊◎如有敗血則用當歸近上節白芍藥以赤者熟地黃以生者

血虛　九十　**人參當歸散**　治產後去血過多血虛則陰虛陰虛生內熱其證心胸煩滿吸吸短氣頭痛悶亂䀹時輒其與大病後虛煩相類急宜服之

乾地黃　人參去芦　當歸去芦　肉桂去皮

麥門冬去心各一兩　白芍藥二兩

右㕮咀每服四錢水一盞半先以粳米一合淡竹葉十片煎至一盞去米葉入藥并棗三枚煎温服血熱甚者加生地黄

（九十一）當歸黄耆湯 治産後失血過多腰脚疼痛壯熱自汗

當歸去芦三兩　黄耆　芍藥各二兩

右㕮咀每服四錢水一盞薑五片煎服不拘時

（九十二）濟危上丹 治産後下血過多虚極生風唇青肉冷汗不止

太陰玄精石別研　乳香別研　五灵脂　卷栢生

硫黄別研　桑寄生　陳皮去白　阿膠蛤粉炒各等分

右將前四味同研匀石器内微火炒勿令焦再研極細却入後四味藥末用生地黄汁圓如梧桐子每服五十圓當歸酒下

（九十三）熟地黄湯 治産後虚渴不止少氣脚弱眼眩飲食無味

熟地黄一兩淨洗酒浸蒸焙　人參去芦

麥門冬去心各二兩　甘草炙半兩　括樓根四兩

右㕮咀每服四錢水盞半糯米一撮薑三片棗二个煎服

血氣 九十四 抵聖湯 治產後血氣傷于脾胃腹脇滿悶嘔逆惡心

赤芍藥 半夏湯泡 澤蘭葉 陳皮去白

人參各二錢 甘草炙一錢 生薑半兩

右㕮咀每服四錢水一盞煎服不拘時

九十五 太嚴蜜湯 治產後血氣衝心時發疼痛甚者宜進玄胡索湯

熟地黃酒蒸焙 當歸酒浸去芦 川獨活去芦 白芍藥

細辛洗各半兩 吳茱萸炒 桂心不見火 小草各一兩

干薑炮 甘草炙各三錢

右㕮咀每服四錢水一盞煎服不拘時

九十六 調中湯 治產後腸胃虛怯冷氣乘之腹脇刺痛洞泄不止

良薑炒 當歸酒浸去芦 肉桂不見火 白芍藥

附子炮去皮　川芎各一兩　甘草炙　人參各半兩

右㕮咀每服三錢水一盞煎服

（九十七）趂痛散　治產後血滯筋脉拘攣腰背強直遍身疼痛

當歸酒浸去蘆　官桂不見火　白术　川牛膝　黄耆去蘆　獨活去蘆　生薑各半兩　甘草炙二錢　薤白二錢半

右㕮咀每服四錢水一盞煎服加桑寄生半兩尤佳

（九十八）調經散　治產後敗血停積五臟流入四肢令人浮腫不可作水氣治之但調經水腫自消又有去血過多心虛易驚加生龍腦一握煎服

没藥別研　肉桂不見火各一錢　細辛洗半錢　琥珀別研一錢　赤芍藥　當歸去蘆酒浸各一兩　麝香半錢別研　甘草炙二錢

右爲末每服一錢生薑汁温酒任意調下

（九十九）見現圓　治產後血氣耗散口乾煩悶心下痞痛

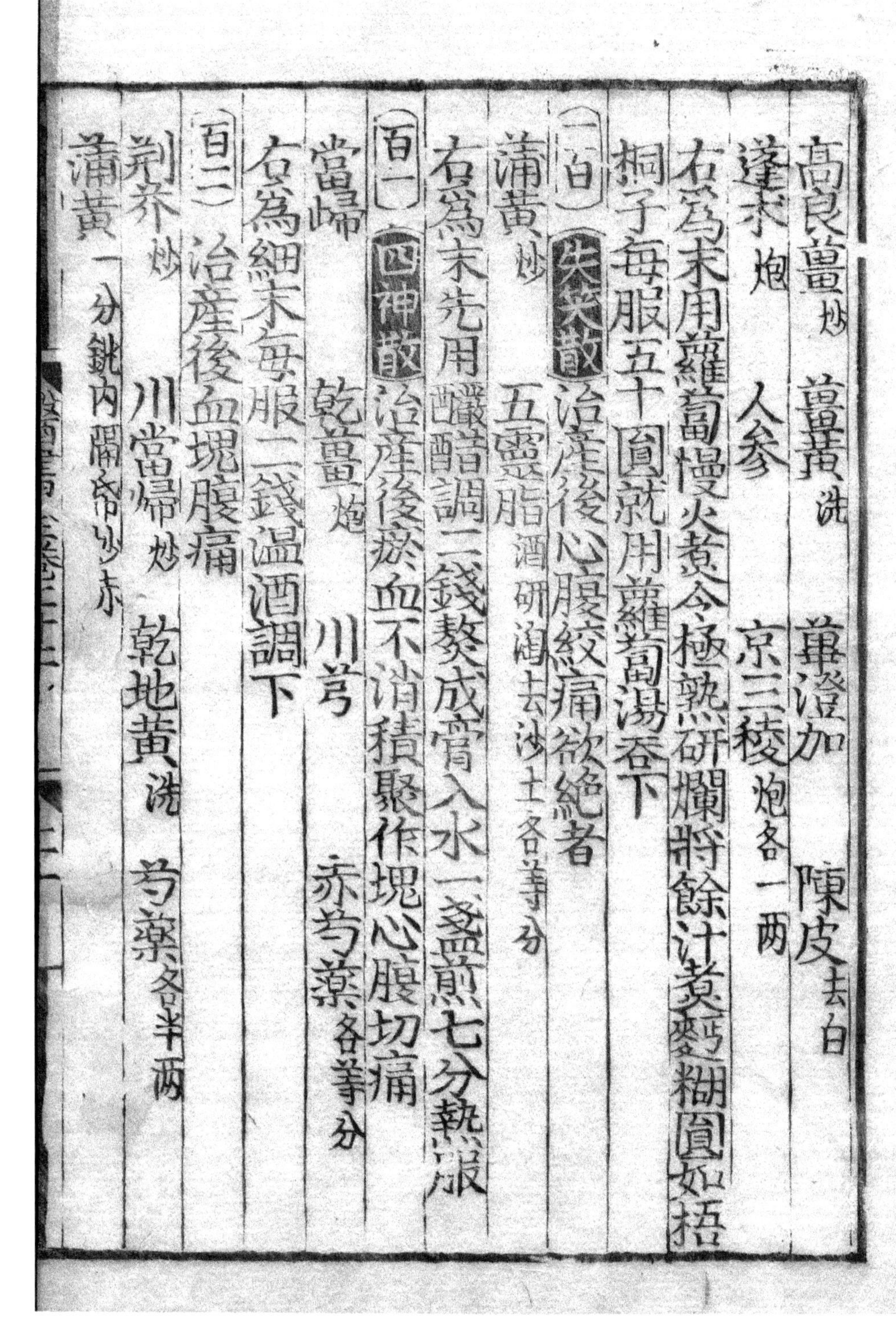
高良薑炒　薑黃洗　蓽澄加　陳皮去白
蓬朮炮　人參　京三稜炮各一两
右爲末用蘿蔔慢火煮令極熟研爛將餘汁煮麪糊圓如梧
桐子每服五十圓就用蘿蔔湯吞下
（一百）失笑散　治產後心腹絞痛欲絶者
蒲黃炒　五靈脂酒研淘去沙土各等分
右爲末先用釅醋調二錢熬成膏入水一盞煎七分熱服
（百一）四神散　治產後瘀血不消積聚作塊心腹切痛
當歸　乾薑炮　川芎　赤芍藥各等分
右爲細末每服二錢溫酒調下
（百二）治產後血塊腹痛
荆芥炒　川當歸炒　乾地黃洗　芍藥各半两
蒲黃一分銚内隔帋炒赤

右爲末每服二錢食後熱酒下

〔虚秘〕〔百三〕麻仁圓 治產後去血過多津液枯竭不能傳送大便閉澁虚弱則用橘杏圓以潤滑之

麻子仁別研 枳殼去白麸 人參 大黄各半兩

右爲末煉蜜圓如梧桐子每服五十圓温酒米飲任下

〔百四〕橘杏圓 治產後體弱大便虚秘方載秘結門

〔蓐勞〕〔百五〕當歸羊肉湯 治產後發熱自汗肢體疼痛名曰蓐勞

當歸去蘆酒浸 人參各七錢 黄耆去蘆一兩 生薑半兩

右㕮咀用羊肉一斤煑清汁五大盞去肉入前藥煎四盞去滓作六服早晚頻進

〔百六〕猪腰子粥 治產後蓐勞發熱用猪腰子一隻去白膜切作柳葉片用鹽酒拌之先用粳米一合入葱椒煑粥塩醋調和將腰子鋪盌底用热粥盖之如作盦生粥狀空心服之

感冒（百七）旋覆花湯　治産後感冒風寒咳嗽喘滿痰涎壅塞

麻黄去節　前胡　五味子搥　旋覆花　杏仁去皮尖麸炒
甘草炙　茯苓　赤芍藥　荆芥去梗　半夏麯各等分

右㕮咀每服四錢水一盞薑五片棗一枚同煎七分溫服

下乳（百八）漏蘆散　治乳婦氣脉壅塞乳汁不行

漏蘆二两半　蛇蜕炙一十條　瓜蔞十个急火燒存性

右爲細末每服二錢溫酒調下不拘時候仍喫熱羹臰助之

（百九）猪蹄湯　治妳婦氣少力衰脉澁不行絶無乳汁

猪蹄一隻　通草五两

右將猪蹄浄洗依食法事治次用水一斗同通草浸煮得四
五升取汁飲之

中風（百十）交加散　治産後中風腰脇不得轉動

生地黄五两研取汁　生薑五两研取汁

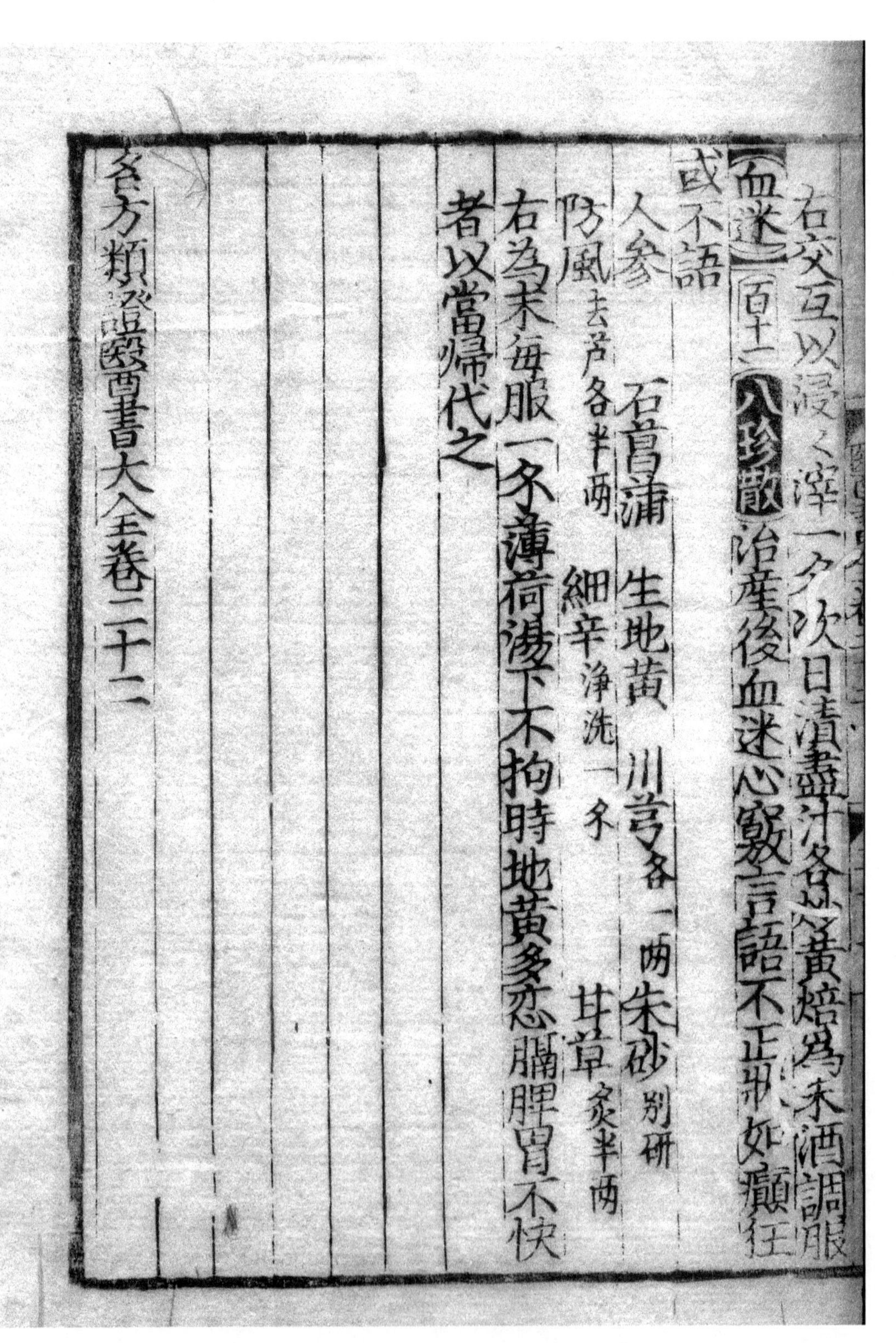

右交互以浸之淬一夕次日清晝汁各盡入黃焙爲末酒調服

〔血迷〕〔百十二〕〔八珍散〕治産後血迷心竅言語不正如癲狂或不語

人參　石菖蒲　生地黄　川芎各一兩　朱砂別研
防風去芦各半兩　細辛淨洗一兩　甘草炙半兩

右爲末每服一錢薄荷湯下不拘時地黄多恐膈脾胃不快者以當歸代之

名方類證醫書大全卷二十二

名方類證醫書大全卷二十三

鰲峯熊宗立道軒編集

小兒方

小兒初生受胎氣之厚者疾病自少禀賦怯弱者又藉藥力以扶植元氣何況養護不謹或受驚觸或飲食過度衝冒寒暑以致變生諸證調治之法又須察脉觀證審之而後投以藥餌略備數方于後以備倉卒

○臍風撮口

小兒初生一七日內忽患臍風撮口十無一活坐視其斃良可憫也有一法極驗世罕有知者凡患此證兒齒齦上有小泡子如粟米狀以温水蘸熟帛包手指輕輕擦破即口開便安不用服藥

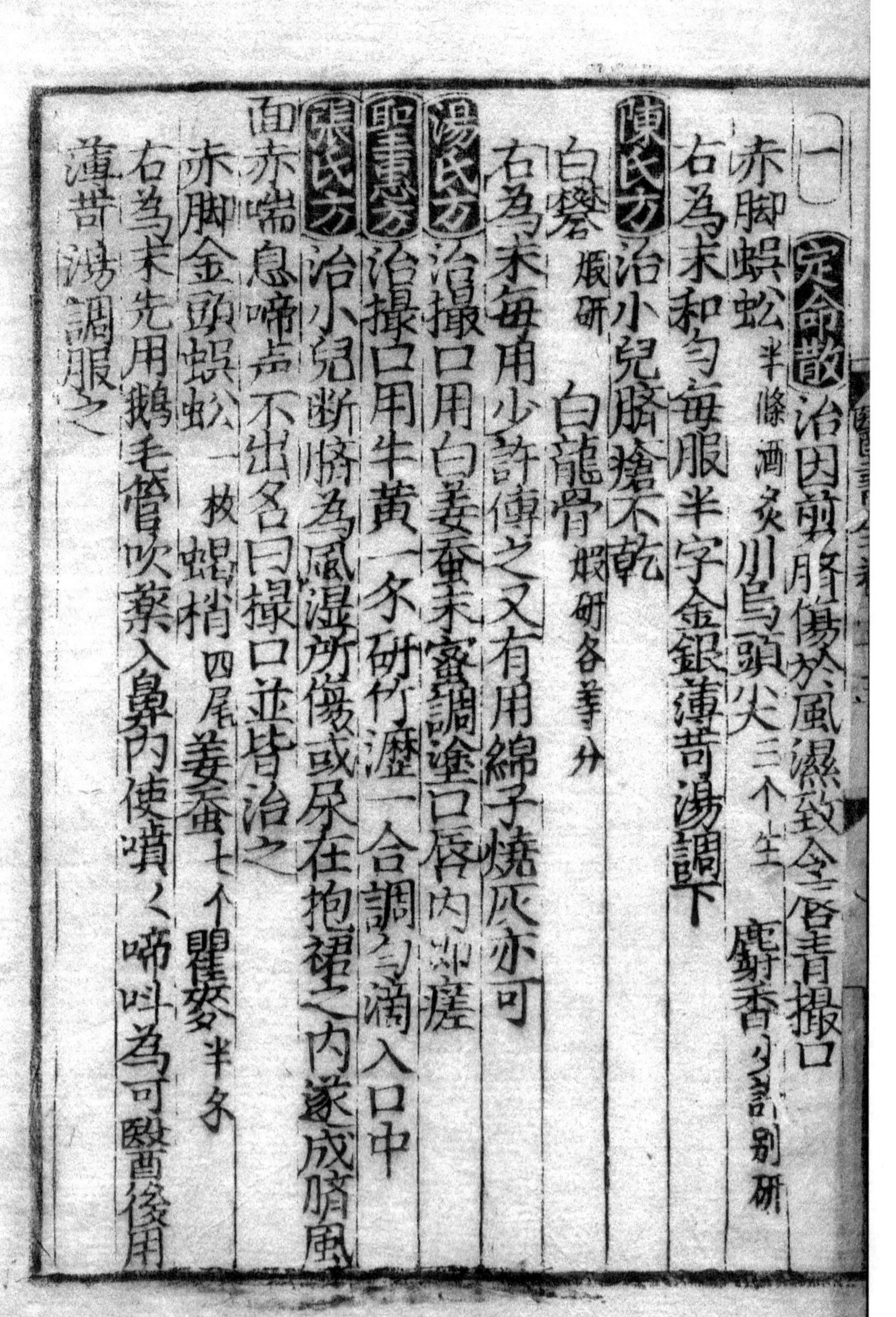

一 定命散 治因剪臍傷於風濕致令唇青撮口

赤脚蜈蚣半條酒炙 川烏頭尖三个生 麝香少許别研

右爲末和勻每服半字金銀薄荷湯調下

陳氏方 治小兒臍瘡不乾

白礬煅研 白龍骨煅研各等分

右爲末每用少許傅之又有用綿子燒灰亦可

湯氏方 治撮口用白姜蚕末蜜調塗口唇内瘥

聖惠方 治撮口用牛黄一分研竹瀝一合調勻滴入口中

張氏方 治小兒斷臍爲風濕所傷或尿在抱裙之内遂成臍風

面赤喘息啼声不出名曰撮口並皆治之

赤脚金頭蜈蚣一枚 蝎梢四尾 姜蚕七个 瞿麥半分

右爲末先用鵝毛管吹藥入鼻内使噴〻啼叫爲可醫後用

薄荷湯調服之

口瘡重舌

小兒夜啼要飲乳若口到乳上即啼而不乳者必身額皆微熱急取燈照口若無瘡舌必腫也隨證施治

口瘡

三　瀉心湯　治口瘡用黃連去鬚為末蜜水調服

三　珠礬散　治口瘡鵝口不能乳者朱砂細研白礬等分為末使乱髮纏指揩舌上令淨以藥傅之

秘方　治鵝口不能乳者用地雞擂水塗瘡即愈（地雞扁虫也人家壁下多有之）

秘方　治小兒白屑滿舌狀如鵝口用髮纏指頭蘸井花水拭舌上如不脫濃煮粟殼汁以綿纏筯頭拭之却用煅過黃丹摻之小兒初生舌下有膜如石榴子連於舌根令兒言語不發可摘斷之微有血無害如不止燒髮灰摻之

湯氏方　治小兒心有客熱滿口生瘡用天南星末醋調貼脚心又有用吳茱萸末米醋調塗亦可

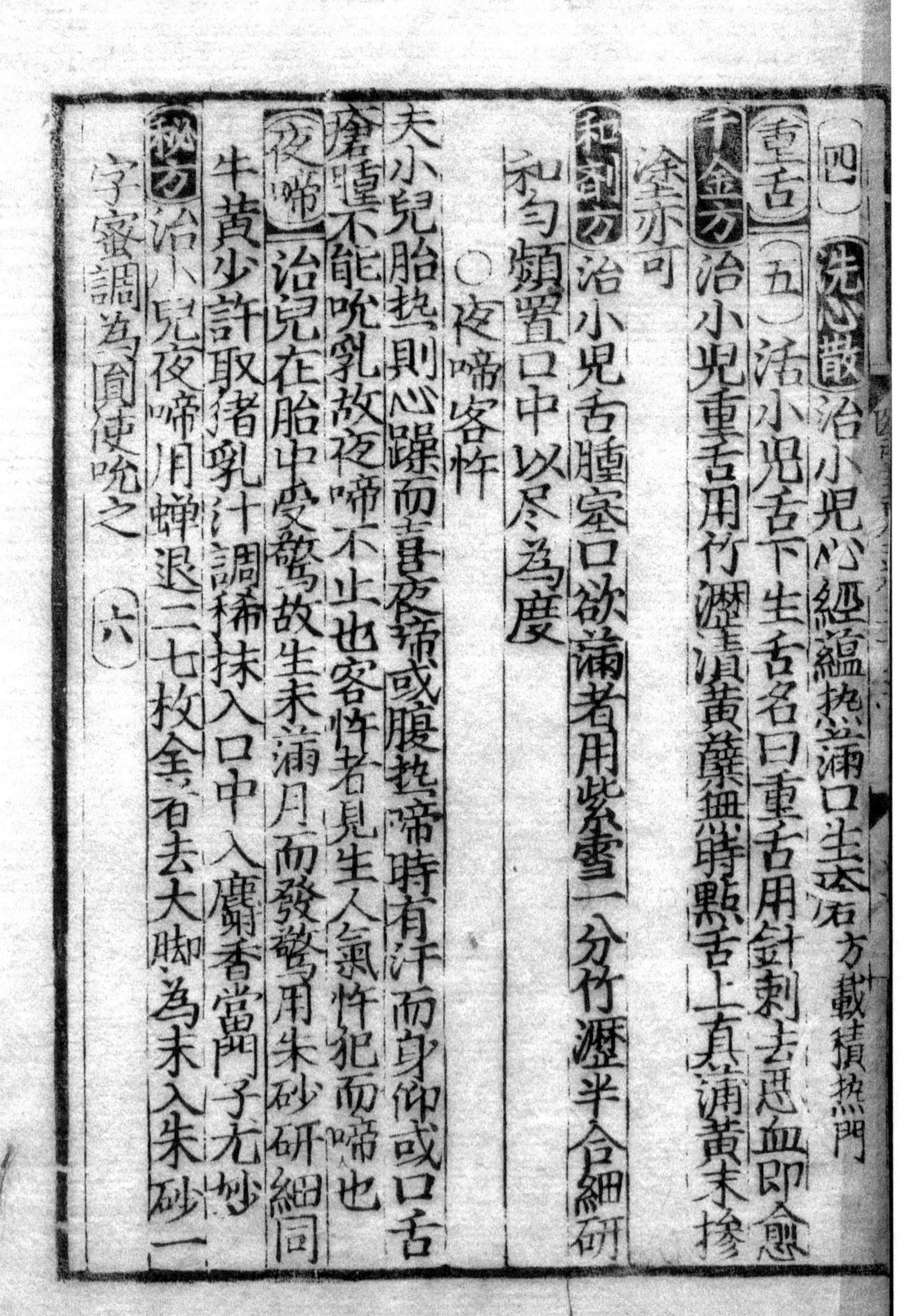

（四）先心散　治小兒心經蘊熱滿口生瘡　右方載積熱門

（重舌）（五）治小兒舌下生舌名曰重舌用針刺去惡血即愈

千金方　治小兒重舌用竹瀝漬黄蘗細時點舌上亦蒲黄末摻

塗亦可

和劑方　治小兒舌腫塞口欲滿者用紫雪一分竹瀝半合細研

和勻頻置口中以盡為度

○夜啼客忤

夫小兒胎熱則心躁而晝夜啼或腹熱啼時有汗而身仰或口舌

瘡腫不能吮乳故夜啼不止也客忤者見生人氣忤犯而啼也

（夜啼）治兒在胎中受驚故生未滿月而發驚用朱砂研細同

牛黄少許取猪乳汁調稀抹入口中入麝香當門子尤妙

秘方　治小兒夜啼用蟬退二七枚全者去大脚為末入朱砂一

字蜜調為圓使吮之　（六）

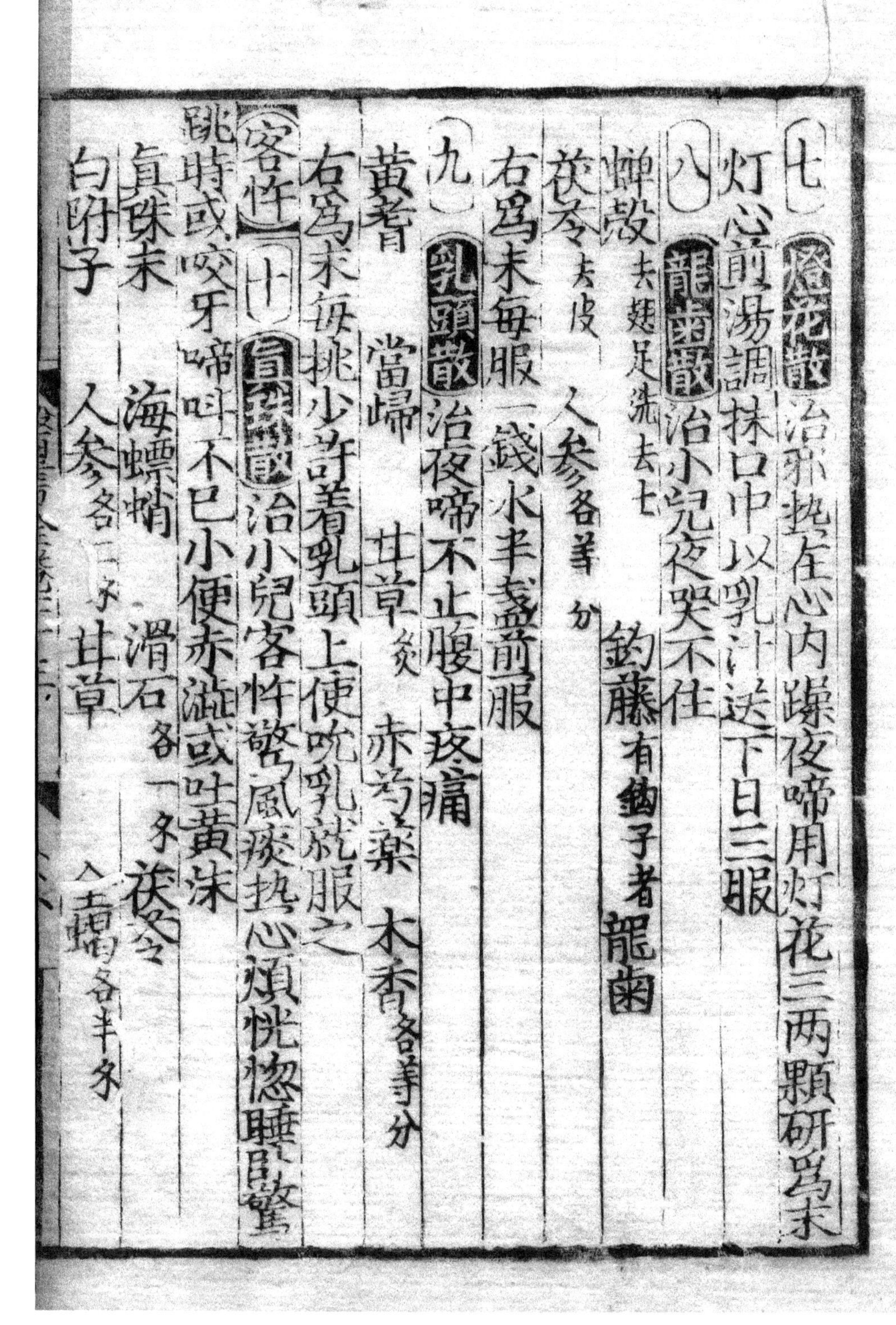

七　燈花散　治邪熱在心内躁夜啼用灯花三两顆研爲末
灯心煎湯調抹口中以乳汁送下日三服

八　龍齒散　治小兒夜哭不住
蟬殼去翅足洗去土　鈎藤有鈎子者　龍齒
茯苓去皮　人參各等分
右爲末每服一錢水半盞煎服

九　乳頭散　治夜啼不止腹中疼痛
黄耆　當歸　甘草炙　赤芍藥　木香各等分
右爲末每挑少許着乳頭上使吮乳就服之

客忤　十　真珠散　治小兒客忤驚風痰熱心煩恍惚瞑目驚
跳時或咬牙啼叫不已小便赤澁或吐黄沫
真珠末　海螵蛸　滑石各一分　茯苓
白附子　人參各二分　甘草　全蝎各半分

朱砂一分　腦子　麝香各一分　金銀箔五片

右爲末每服半分灯心麥門冬煎湯入蜜少許下

(十一)黄土散治小兒卒然客忤

伏龍肝　蚯蚓糞

等分研匀和水塗兒頭上及五心良

〇胎熱胎寒　(附)盤腸内吊

凡小兒胎中受熱生下則多驚啼身熱或大小便不通治中受寒生下則身青肢冷或腹痛盤腸内吊須察其候而治之

(胎熱)(十二)釀乳方解胎中受熱生下面赤眼閉不開大小便不通不能進乳食

澤瀉二兩半　猪苓　赤茯苓　天花粉各兩半

生地黄一兩　茵陳　甘草各一兩

右㕮咀每服三不水一盞煎食後令乳母捏去宿乳却服

（十三）生地黃湯治小兒生下遍体皆黃狀如金色身上壯熱大小便不通乳食不進啼叫不止此胎黃之候皆因母受熱而傳於胎也凡有此證乳母宜服此藥并略与兒服

生乾地黃　當歸　赤芍藥　川芎　天花粉各等分

右㕮咀每服五錢水一盞煎服

（胎寒）（十四）當歸散治小兒胎中受寒生下再感外風面色青白四肢厥冷大便青黑心腹疼盤腸內吊並皆治之

當歸剉微炒　黃耆蜜炙　細辛　黃芩

龍骨細研　桂心　赤芍藥各半兩

右為末每服以乳汁調下一字日三服看兒大小加減服之

（內吊）（十五）鈎藤膏治內吊腹疼

沒藥　乳香各三錢　木鱉十二个　木香　姜黃各四錢

右先將後三味為細末同前二味拌和煉蜜成劑收沙罐內

量兒大小加減煎鈎藤湯化下次服魏香散

（盤腸氣）（十六）（魏香散）治盤腸内吊

蓬莪术半两　真阿魏一么

右先用温水化阿魏浸蓬莪术一晝夜焙乾為末每服一字

煎紫蘇米飲空心調下

（十七）治盤腸氣痛用没藥乳香各少許研細用木香一塊於

乳鉢内磨水半盞調乳香没藥末煎数沸服之立效

（十八）（茴香散）治小兒盤腸氣痛

茴香炒　木香　黑附子炮　金鈴子去核用皮

蘿葍子炒　檳郎　破故紙炒　白豆蔻煨各等分

右㕮咀每服一錢水半盞入塩煎服

（十九）（木香散）治小兒盤腸氣痛不已面青手冷日夜啼叫屎

如米泔

川練子七个去皮核用巴豆二十五粒去皮同炒令巴豆黄去豆不用　木香　黄史君子肉　延胡索　茴香各一分

右同爲末清米飲空心調下量兒大小服之

○急慢驚風

驚風有陰陽二證身熱面赤而發搐搦上視牙關緊硬者陽證也因吐瀉或只吐不瀉日漸困面色白脾虚或冷而發驚不甚搐搦微微目上視手足微動者陰證也陽證急驚風用凉劑陰證慢驚風用温藥不可一槩作驚風治也又有一證欲發瘡疹先身熱驚跳或發搐搦此非驚風當宣解散

〔急驚〕（二十）大青膏

蝎尾去毒生半錢　朱砂研一字七　青黛一錢研

天麻末一錢分作一分　天竺黄一七　麝香一字七

白附子末生二錢半　烏稍蛇肉酒浸焙干取末半錢

右爲末蜜和成膏每服一丸如皂角子大同生黄膏溫薄荷湯化一丸服之五歲已上同甘露散服

（二十一）瀉青丸

當歸去芦　龍膽焙秤　川芎　山梔子仁

川大黄濕紙裹煨本无大黄　羌活　防風去芦焙各等分

右爲末煉蜜圓如雞頭大每服半丸至一丸煎竹葉湯同沙糖水化下

（二十二）金箔鎮心丸　治風痰壅熱心神恍惚急驚搐搦

紫荷車黑豆水煮軟二分半　山藥兩半　甘草五分

牙硝一两　麝香研五分　人參五分　金箔用十片為衣

龍腦一分　茯苓五分　朱砂研飛一两

右為末煉蜜成劑每两作五十丸以金箔為衣每服一丸薄荷湯化下常服安心止驚散邪涼膈

（二十三）**睡驚丸** 治心蘊邪熱，怔忡不安，睡中驚啼，風痰壅盛。

茯苓去皮　鐵粉　蛇黃煅醋淬　南星炮　史君子去殼各半兩

腦子半兩別研　麝香一兩別研　銀箔　金箔各一百片研

右為末，糯米糊丸如皂莢子大，朱砂為衣，薄荷湯化下。

（二十四）**天麻防風丸** 治一切驚風壯熱，痰盛驚悸。

姜蚕去絲觜炒半兩　天麻煨　防風　人參各一兩

牛黃一錢研　全蝎去毒炒半兩　朱砂

雄黃　麝香各二錢半研細　甘草炙二兩

右為末，煉蜜丸如梧桐子大，每服三丸，薄荷湯化下。

（二十五）**寧眠散** 治小兒風痰搐搦，夜卧多驚。

天南星炮製　人參去芦　白附子炮各半兩　干蝎二十一个生用

乾赤頭蜈蚣一條酒浸醋炙微黃　乳香　血蝎各一分

右為末，每服一字，用好酒少許浸薄荷酒調下。

（二十六）**金星丸** 治急驚壯熱上壅痰涎大小便不通

鬱金末 雄黄各一分 膩粉半乄 巴豆七个去油心膜

右為末醋糊丸如黍米大一歲二丸薄苛湯臈茶清下

（二十七）**天麻丸** 治急驚風四肢拘急壯熱口噤

天麻 雄黄細研 烏蛇肉 蟬殼 乾蝎

麝香細研 天竺黄細研 桂心 天南星 白附子

膩粉 白芷 半夏湯洗七次各一分

右為末煮棗肉丸如菉豆大每服三五丸薄苛酒下

（二十八）**紅綿散** 治夾驚傷寒

麻黄去節 全蝎炒 甘草炙 大黄濕帋裹煨

天麻 白附子炮 蘇木炒各等分

右為末每服一乄水半盞煎服

（二十九）**抱龍丸** 治痰嗽驚風時作潮熱

牛膽南星二兩 天竺黃半兩 雄黃 辰砂各一分別研 麝香一分別研

右為末煉蜜丸如芡實大甘草薄荷湯化下

慢驚（三十）吉州醒脾散

人參去芦 橘紅 甘草炙 白朮 白茯苓 木香

全蝎各半兩 半夏麯 白附子四个炮 南星 陳倉米二百粒

右為末每服一錢水半盞姜二片棗一枚煎服

（三十一）蝎烏湯 治驚風手足搐搦涎潮上壅

川烏一兩去皮臍生用 全蝎十个去梢後毒

右作三服水一盞姜七片煎溫服

（三十二）朮附湯 治慢脾風身弓强直吐乳貪睡汗流不已

大附子一个炮 白朮一兩煨 木香半兩 肉豆蔻一枚麵煨 甘草

右㕮咀每服二錢水半盞姜三片棗一枚煎服

（三十三）八仙散 治慢驚虛風

天麻　白附子　花蛇肉　防風去芦
南星炮　半夏麯　冬瓜子　全蝎各等分
右㕮咀每服一錢水半盞姜棗薄荷煎服加川烏尤妙

〔三十四〕〔醖乳法〕治慢驚睡多驚啼凡面黄脉細者雖治
人參　木香　藿香　沉香
陳皮　神麯　麥糵　丁香減半餘各等分
右㕮咀每服四錢水一椀姜十片紫蘇十葉棗三枚砂瓶內煮至半椀乳母食後捏去宿汁服之即仰卧霎時令藥入乳之絡次令兒吮不可過飽亦良法也

〔通治〕〔三十五〕〔生珠膏〕治急慢驚風
天麻一分　朱砂一錢　姜蚕　白附子爆各二錢　全蝎二十一个
黑附子炮一錢　麝香半字　蜈蚣一條酒浸　南星半錢爆　花蛇酒浸炙干二錢
右爲末和勻煉蜜圓如雞頭大每服一圓金銀薄荷湯化下

（三十六）浴体法

天麻二分　蝎尾去毒　朱砂各半分　烏蛇肉酒浸焙

白礬各三分　麝香一字　青黛三分

右爲末每用三分水一椀桃枝同煎溫熱浴兒勿浴背上

（三十七）封顖法

麝香一字七　蝎尾去毒為末半分七　一方作半字七

薄荷葉半字七　蜈蚣末　牛黃末　青黛末各一字七

右為末熟棗肉和成膏新綿上塗勻貼於顖上四方可出一指許火上炙手頻熨百日裏外兒可用此塗并浴法

（三十八）奪命散　治急慢驚風痰潮壅滯塞於咽間命在須臾服此藥者无有不愈

青礞石一兩入旧窩内同焰消一兩用白炭火煅令通紅須消尽為度候藥冷如金色取出研為細末

右為末急驚風痰發熱者薄荷自然汁入蜜調服慢驚脾虛
者有以青州白圓子再碾煎稀糊入熟蜜調下神效

（三十九）直指方全蝎散 治小兒驚風
人參 陳皮各七分 全蝎炙三个 甘草炙半分
木香二分 天南星温紙煨三分
右㕮咀每服一分紫蘇姜棗煎服有熱加防風

（四十）硃砂丸 治小兒急慢驚風風熱生涎喉咽不利取驚積
珠砂 天南星 巴豆霜各半分
右為末麪糊和丸如黍粒大看病虛實大小每服二丸或天
吊戴上眼每服四五丸薄荷水下立愈

（四十一）大天南星圓 治小兒急慢驚風涎潮發搐目睛上視
天南星牛膽製半两 朱砂三分另研 腦子
人參 乳香各半分 全蝎十四个去毒炒 麝香一分半

牛黄　天麻　防風各二钱半

右爲末煉蜜圓如雞頭大每服一圓荆芥薄荷湯下

四十二 **安神丹** 治小兒心神不寧困卧多驚痰涎壅盛

朱砂二钱半　人參二钱半　乳香半两各别研

酸棗仁炒去皮一两　遠志去心一钱半

右爲末蜜圓如榛子大金箔爲衣每服一圓人參湯化下

又方 治小兒急慢驚風

烏藥磨水煖服之土烏藥亦可用一名傍其

○變蒸發熱

四十三 **惺惺散** 治小兒變蒸發热或咳嗽痰涎鼻塞聲重

人參去芦　白术　白茯苓　甘草　白芍藥

天花粉　桔梗去芦各半两　細辛一分去葉只用根

右爲末每服一钱水半盏薑一片薄荷一葉煎服

（四十四）神仙黑散　治小兒變蒸與傷寒相似者當詳其證若上唇中心有白點子者爲變蒸宜服此藥

麻黄去節　大黄　杏仁和皮各一分

右燒存性爲末每服一字水半盞煎服抱兒於温煖處連進之有微汗身涼即瘥

○中惡風癇　附天吊

（中惡）（四十五）蘇合香圓　治小兒卒中惡毒心腹刺痛方載卷要氣門

（四十六）辟邪膏　治小兒卒中惡毒心腹刺痛悶乱欲死凡腹大而滿診其脉緊細而微者生緊大而浮則死急服蘇合香圓再以皂角末搐鼻次服沉香降氣湯加人參茯苓不愈進以辟邪膏無不效者客忤亦可服

降真香　白膠香　沉香　虎頭骨炙

鬼臼　龍膽草　人參　茯苓各半兩

右為末入雄黃半兩麝香一分煉蜜為丸乳香湯下及令兒帶燒臥內尤妙

〔風癇〕四十七 〔珍珠丸〕治小兒虛中積熱驚癇等疾

芭豆霜　膩粉二分　滑石三分　天南星

粉霜半各一分　蝎梢　續隨子去皮各二十四个

右為末研令極細以糯粥為丸如黃米大小兒二歲已下每服三丸至五丸十五歲每服五丸至十丸煎茶湯下荆芥湯亦得量虛實加減

四十八 〔斷癇丹〕治癇疾愈而復作者

黃耆蜜水塗炙　鈎藤鈎子　細辛去苗葉　甘草炙各半兩

蛇退皮三寸酒炙　蟬殼四个洗去土　牛黃一字別研

右為末棗肉為丸如麻子大煎人參湯下一歲十丸大小加減

四十九 〔細辛大黃湯〕治風癇熱癇

細辛去土葉 大黄炮 防風去蘆各十兩 甘草炙一分

右㕮咀每服一錢水半盞加犀角屑少許煎服

五十七 大聖一粒金丹 治丈夫小兒急患中風左癱右瘓口眼喎斜涎潮語澁遍身疼痛一切風癎之證並皆治之

大黑附子炮去皮尖 大川烏頭炮去皮臍尖各二兩

新羅白附子炮 白姜蚕洗去絲微炒 五靈脂去石研各一兩

白礬枯 沒藥 白蒺藜炒去尖刺 朱砂

麝香各半兩各别研 金泊二百片爲衣 細香墨半兩

右前六味同爲細末後四味研停合和用井花水一盞研墨盡爲度將墨汁搜和杵臼内擣五百下丸如彈子大金泊爲衣陰乾每服一粒食後臨卧生姜自然汁磨化入熱酒服葬以熱酒隨多少飲之就無風暖處卧用衣被蓋得汗爲忌病少者每粒分作二服忌發風等物孕婦不可服

〔五十一〕竹瀝膏 治小兒諸癇

白朮一分蜜炒 大附子去皮臍一錢 犀角鎊末一錢

全蝎七个每一个用大葉薄荷裹湯炮麻黃令軟纏定慢火炙黃色 厚朴甘草水煮焙一分

右為末取竹瀝為膏丸如黑豆大每服用金銀薄荷湯化下一丸隨兒大小加減

〔五十二〕至宝丹 治諸癇急驚卒中客忤並宜服之

安息香兩半為末无灰酒飛過濾去沙石約取一兩慢火熬成膏入藥內用 琥珀研 朱砂 雄黃各一兩研水飛

金泊五十片半為衣 銀泊五十片研 龍腦 麝香各一分

牛黃半兩各研 生烏犀角鎊 生玳瑁屑各一兩

右生犀玳瑁搗羅為細末研入餘藥令勻將安息香膏以重湯煮凝成和搜為劑如乾即入少熟蜜丸如梧桐子二歲服

二圓人參湯化下大小以意加減

五十三 得效方 治小兒癲癇及婦人心風諸疾用甘遂末一錢猪心一个取三管頭血三條和甘遂末將猪心批作两片以藥入在內用線縛定外以皮紙包裹水濕入文武火內煨熱不可過度除紙以藥細研辰砂末一錢和勻分作四丸每服一丸猪心煎湯化下再服別取猪心煎湯此方神効

五十四 分肢散 治小兒卒風大人口眼喎斜風涎裹心驚癇天吊走馬喉閉急驚一切風熱等疾

巴豆不去油 朴消各半两 川大黄一两

右大黄為末後入巴豆霜朴消一处細研用油單貼起如有前患每服半錢熱茶下吐下頑涎立愈如小兒胃喉驚垂先服龍腦地黄膏一服次服此藥一字茶下時間上吐下瀉微瀉或吐利得快為効大人半錢小兒一字看虛實加減只

是一两服見効不宜頻服如吐瀉不定以葱白湯立止

（五十五）治胎癇驚風用全蝎頭尾全者以生薄荷葉裹之以線扎定火上炙焦碾為末入麝香朱砂少許麥門冬湯下

天吊（五十六）**九龍控涎散** 治小兒蘊熱痰塞經絡頭目仰視名為天吊

滴乳香二分別研　天竺黄二分半　雄黄別研　臈茶

白礬枯各一分　甘草炙二分　荊芥穗炒二分

菉豆一百粒半生半炒　赤脚蜈蚣一條酒浸炙

右為末每服半錢至一錢煎人參湯薄荷湯調下

（五十七）**鈎藤飲** 治天吊潮热

鈎藤　人參去芦　犀角屑各半两

甘草炙半分　全蝎　天麻各一分

右為末每服一錢水半盞煎至一半温服

○感冒四氣

〔傷風〕〔五十八〕麻黃湯　治傷風發熱咳嗽喘急

麻黃去節根剉三錢水煮　肉桂去粗皮　甘草各一錢

杏仁四錢去皮尖炒令黃色

右㕮咀每服二錢水一盞煎服有汗者不宜服

〔五十九〕金沸草散　治肺感風寒咳嗽声重方載傷寒門

〔六十〕潤肺散　治肺感風寒咳嗽喘急鼻流清涕

貝母麸炒黃　杏仁去皮麸炒各二錢半　麻黃去根節

人参各二兩　阿膠炒半兩　陳皮二錢半　甘草一兩　桔梗半兩

右㕮咀每服一錢水一盞食後煎服

〔六十一〕薄荷散　治熱極生風痰涎壅盛

薄荷葉半兩　羌活　全蝎　麻黃去節

甘草半分　僵蚕　天竺黃　白附子炮各一分

右爲末每服一錢水半盞煎服加竹瀝少許尤妙

感寒　六十二　人參羌活散　治傷寒發熱

羌活　白獨活　柴胡去芦　川芎　人參去芦

甘草炙　白茯苓各一兩　前胡　桔梗去芦

地骨皮　天麻酒浸焙各半兩　枳殼一兩去穰麥麸炒赤

右㕮咀每服一錢水半盞姜一片薄荷一葉棗半枚煎服瘡

疹未發亦可服

六十三　小柴胡湯　治感寒發熱或作瘧疾湯氏方加生地黃

方見傷寒門

六十四　麥湯散　治傷寒寒熱爲寒熱食氣急嗽声發熱

滑石　石交　知母　貝母　麻黃

杏仁　甘草　甜葶藶　人參　地骨皮各等分

右爲末每一錢小麥二十粒煎湯下涎盛氣促加桑白皮

（六十五）七寶散治感冒頭昏体热小兒乳母同服

紫蘇葉　香附子炒去毛各三戋　橘皮　甘草

桔梗去芦　白芷　川芎各一两　加麻黄少許

右㕮咀每服二不水半盏姜一片棗半枚煎服

（六十六）加減建中湯治傷寒發热自汗虚煩

熟地黄半两　白芍藥三两　甘草炙　黄耆一两　人参半两

右㕮咀每服二不水半盏煎服

（六十七）解肌湯治傷寒發热心煩燥渇

麻黄去節半两冬用三分　人参　芍藥各半戋

川芎　前胡各一分　独活半两

右㕮咀每服一不水半盏姜一片薄荷一葉煎服

（六十八）田又導赤散治小兒傷寒热煩小便赤色大便褐色面赤氣

生地黄　木通　甘草各等分

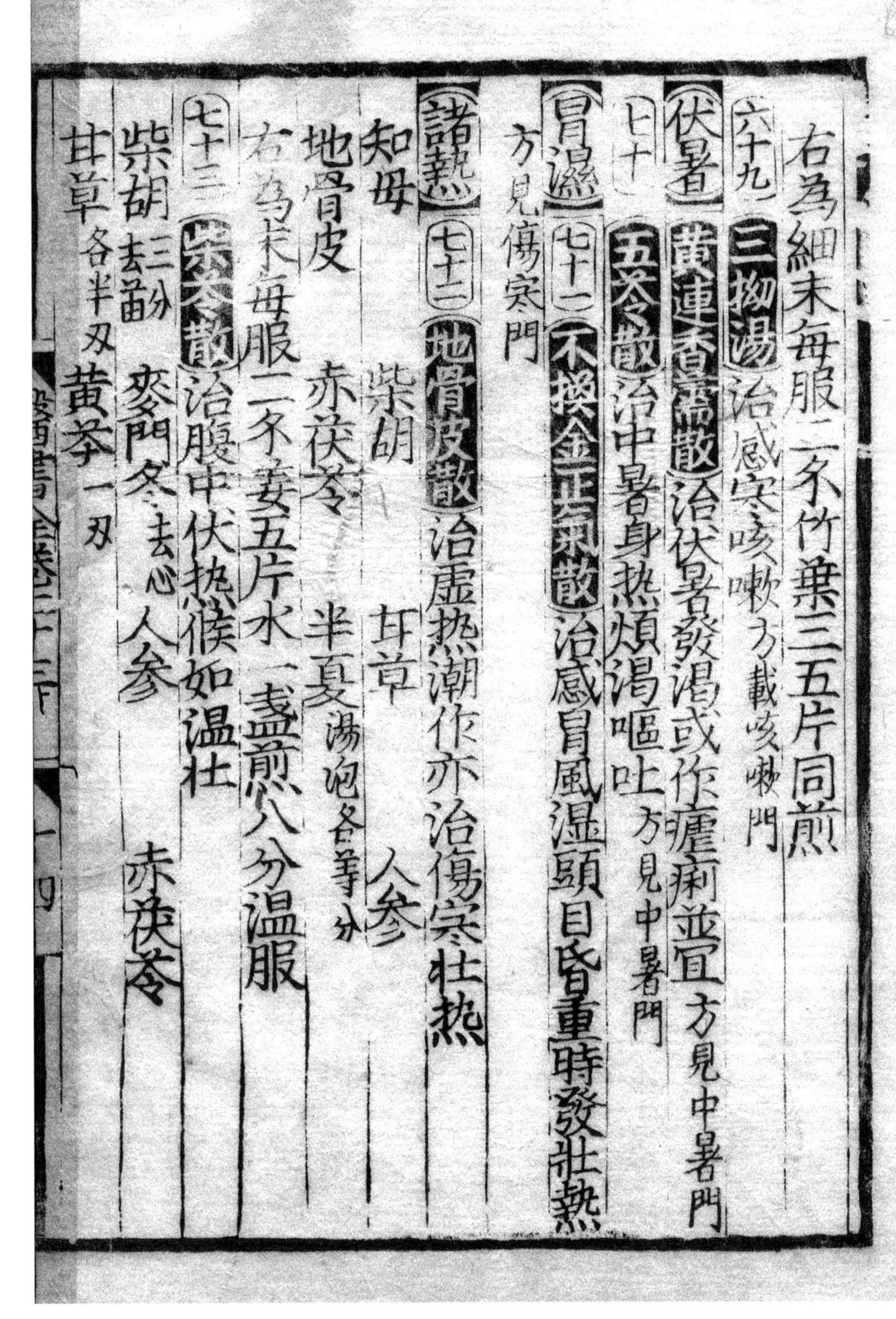

右為細末每服二錢竹葉三五片同煎

六十九　三拗湯　治感寒咳嗽　方載咳嗽門

伏暑　黃連香薷散　治伏暑發渴或作瘧痢並宜　方見中暑門

七十　五苓散　治中暑身熱煩渴嘔吐　方見中暑門

冒濕　七十一　不換金正氣散　治感冒風濕頭目昏重時發壯熱

方見傷寒門

諸熱　七十二　地骨皮散　治虛熱潮作亦治傷寒壯熱

知母　柴胡　甘草　人參

地骨皮　赤茯苓　半夏湯泡各等分

右為末每服二錢薑五片水一盞煎八分溫服

七十三　柴苓散　治腹中伏熱候如溫壯

柴胡三分去苗　麥門冬去心　人參

甘草各半兩　黃芩一兩　赤茯苓

右㕮咀每服二錢水半盞入小麥二十粒青竹葉一片煎服

（七十四）人參前胡湯治感冒發熱

前胡一兩　柴胡　黄芩去心　半夏湯洗七次

人參　桔梗各去蘆　甘草炙各半兩

右㕮咀每服二錢水半盞姜棗煎服一方治瘧加地骨皮

（七十五）二黄犀角散治大腑秘熱

犀角屑　大黄酒蒸　釣藤　梔子仁

甘草　黄芩各半兩

右為末看兒大小加減熱湯調服

（七十六）益黄散治小兒客熱在内不思乳食宜服導赤散次服

此藥

陳皮一兩　青皮　柯子肉　甘草各半兩　丁香二錢

右為細末每服二錢水煎

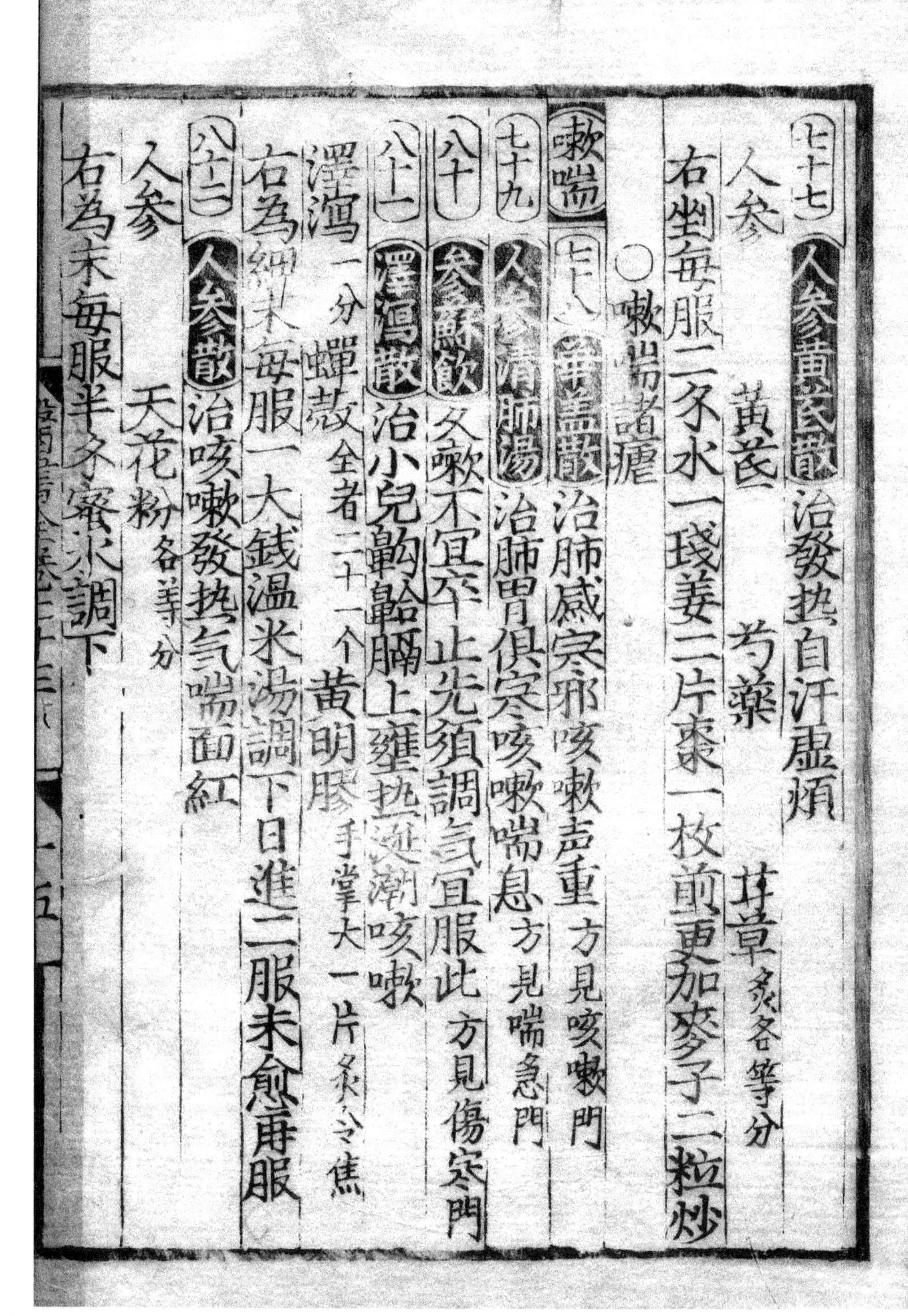

七十七 人參黃芪散 治發热自汗虛煩

人參　黃芪　芍藥　甘草炙各等分

右㕮咀每服二錢水一盞姜二片棗一枚煎更加麥子二粒炒

○嗽喘諸證

嗽喘

七十八 華蓋散 治肺感寒邪咳嗽声重 方見咳嗽門

七十九 人參清肺湯 治肺胃俱寒咳嗽喘息 方見喘急門

八十 參蘇飲 久嗽不宜卒止先須調氣宜服此 方見傷寒門

八十一 澤瀉散 治小兒齁鼾膈上壅热涎潮咳嗽

澤瀉一分　蟬殼全者二十一个　黃明膠手掌大一片炙令焦

右為細末每服一大錢温米湯調下日進二服未愈再服

八十二 人參散 治咳嗽發热氣喘面紅

人參　天花粉各等分

右為末每服半錢蜜水調下

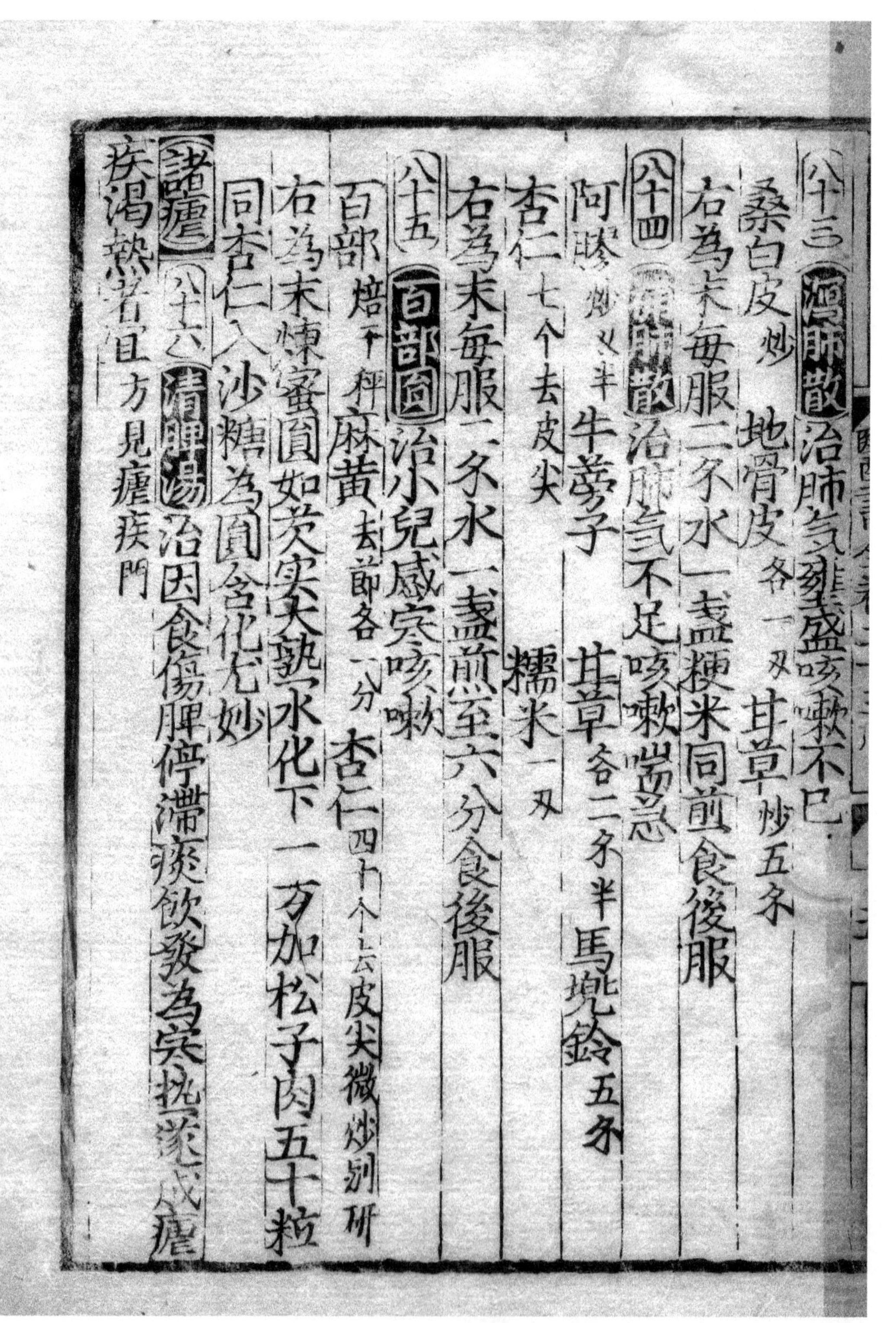

八十三 瀉肺散 治肺氣壅盛咳嗽不已
桑白皮炒 地骨皮各一兩 甘草炒五錢
右為末每服二錢水一盞粳米同煎食後服
八十四 補肺散 治肺氣不足咳嗽喘急
阿膠炒一兩半 牛蒡子 甘草各二錢半 馬兜鈴五錢
杏仁七个去皮尖 糯米一兩
右為末每服一錢水一盞煎至六分食後服
八十五 百部圓 治小兒感寒咳嗽
百部焙干秤 麻黃去節各一分 杏仁四十个去皮尖微炒別研
右為末煉蜜圓如芡實大熟水化下一方加松子肉五十粒
同杏仁入沙糖為圓含化尤妙
諸瘧 八十六 清脾湯 治因食傷脾停滯痰飲發為寒熱遂成瘧
疾渴熱者宜方見瘧疾門

方見傷寒門

八十七　養胃湯　治内傷生冷外感風寒增寒壯熱臟府寒者宜

八十八　常山飲　治一切瘧疾

常山　人參去芦　草菓　知母　貝母　甘草

半夏麯　茯苓　厚朴姜汁製一宿炒令黄色各等分

右㕮咀每服二錢水半盞姜三片棗一个空心煎服

八十九　鬼哭飲　治瘧疾久不愈者

常山　大腹皮　茯苓　鱉甲醋炙　甘草炙各等分

右為末用桃柳枝各七寸同煎瘧發時服之畧吐出涎不妨

九十　露星飲　治久瘧成勞

秦艽　白术　柴胡　茯苓　半夏曲

檳榔　黄芩　常山　甘草　官桂各等分

右㕮咀每服三錢酒醋合一盞薑三片煎露一宿次早服

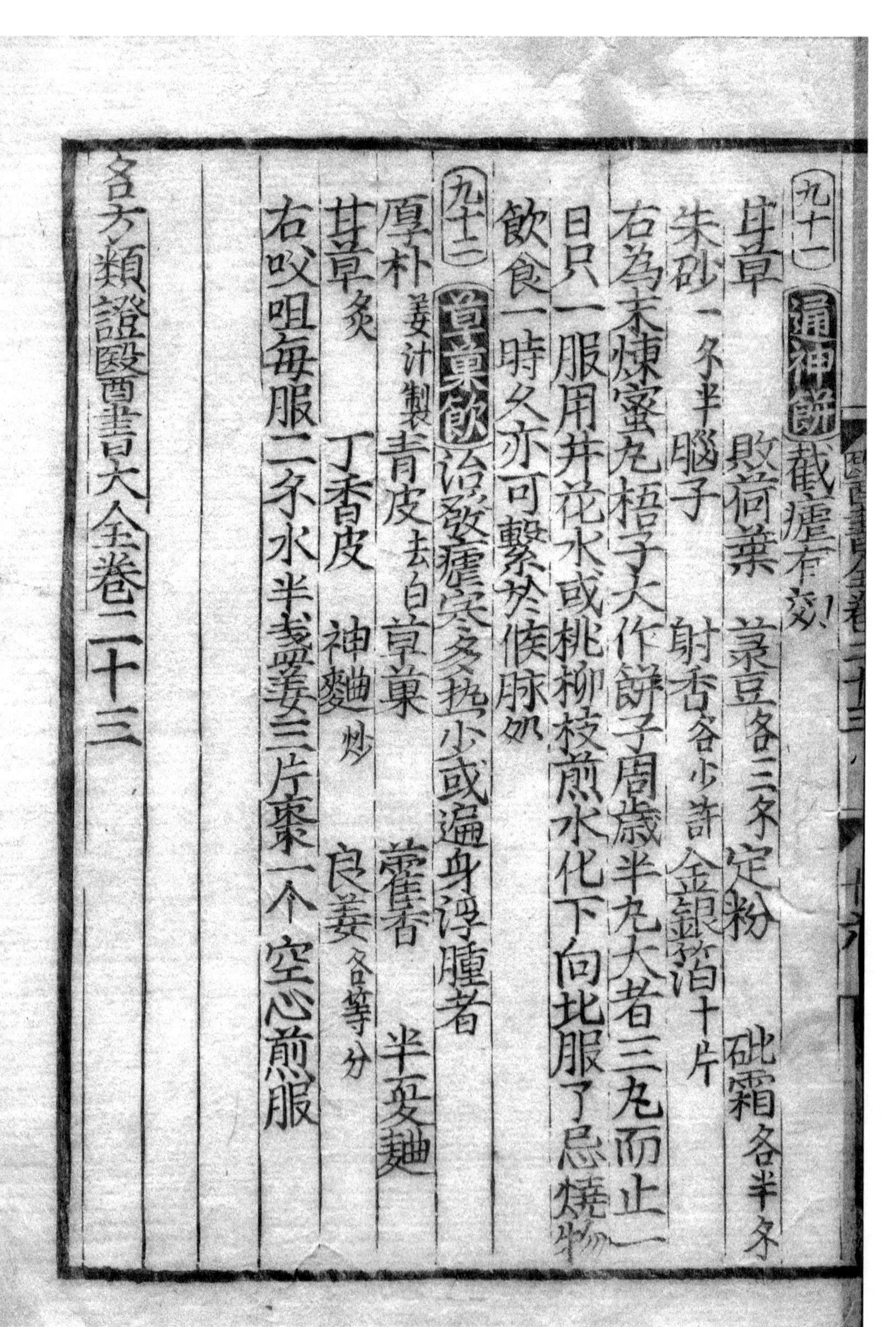

九十一 通神餅 截瘧有效

甘草 敗荷葉 菉豆各二錢 定粉 砒霜各半錢

朱砂一錢半 腦子 射香各少許 金銀箔十片

右為末煉蜜丸梧子大作餅子周歲半丸大者二丸而止一日只一服用井花水或桃柳枝煎水化下向北服了忌燒物飲食一時久亦可繫於候脉処

九十二 草菓飲 治發瘧寒多熱少或遍身浮腫者

厚朴姜汁製 青皮去白 草菓 藿香 半夏麯

甘草炙 丁香皮 神麯炒 良姜各等分

右㕮咀每服二錢水半盞姜三片棗一个空心煎服

名方類證醫書大全卷二十三

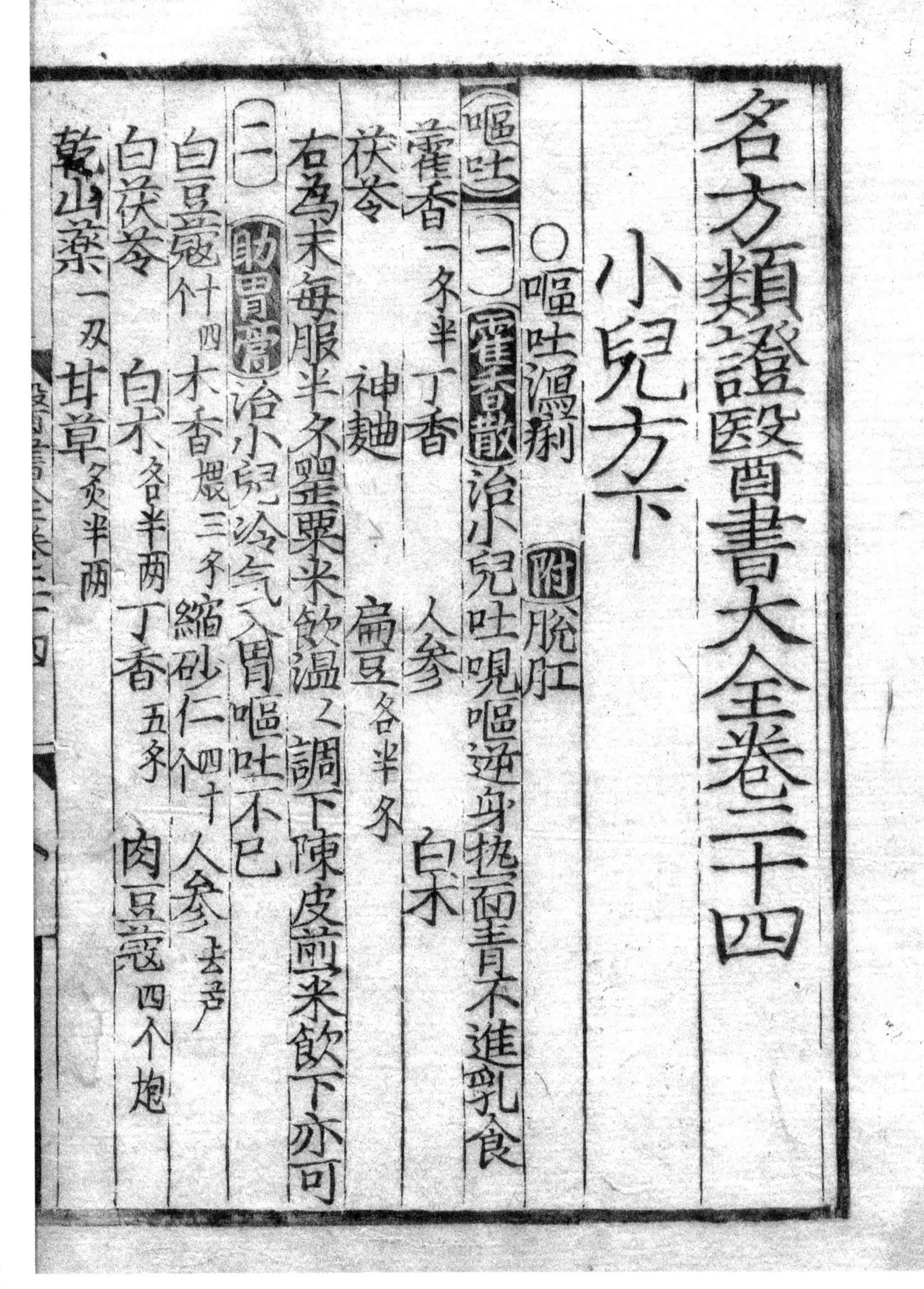

名方類證醫書大全卷二十四

小兒方下

○嘔吐瀉痢　附脫肛

嘔吐 一 藿香散 治小兒吐哯嘔逆身熱面青不進乳食

藿香一分半　丁香　人參　白术

茯苓　神麯　扁豆各半分

右為末每服半分罌粟米飲溫之調下陳皮煎米飲下亦可

二 助胃膏 治小兒冷氣入胃嘔吐不已

白豆蔻十四个　木香煨三分　縮砂仁四十个　人參去芦

白茯苓　白术各半兩　丁香五分　肉豆蔻四个炮

乾山藥一兩　甘草炙半兩

右為末每服一分陳紫蘇木瓜湯調下

〔三〕朱沉煎 治小兒嘔吐不止

朱砂二分水飛 沉香二分 藿香三分 滑石半两 丁香十四个

右為細末每服半分用新汲水一琖芝麻油點成花子抄藥在上須臾墜濾去水却用别水送下

〔吐瀉〕

〔四〕人參散 治小兒虛熱煩渴因吐瀉煩渴不止

人參一两半 茯苓二两半 生犀 桔梗各二分半 甘草 乾葛各半两

右為末每服一大錢水一中盞入燈心五莖同煎至六分放温不計時候煩渴者以新竹葉湯下量年紀加減

〔五〕觀音散 治小兒外感風冷内傷脾胃嘔逆吐瀉不進乳食

石蓮肉炒去心一分 茯苓一分半 人參 白芷 木香炮 綿耆各一分 神曲炒二分 白扁豆 甘草三錢

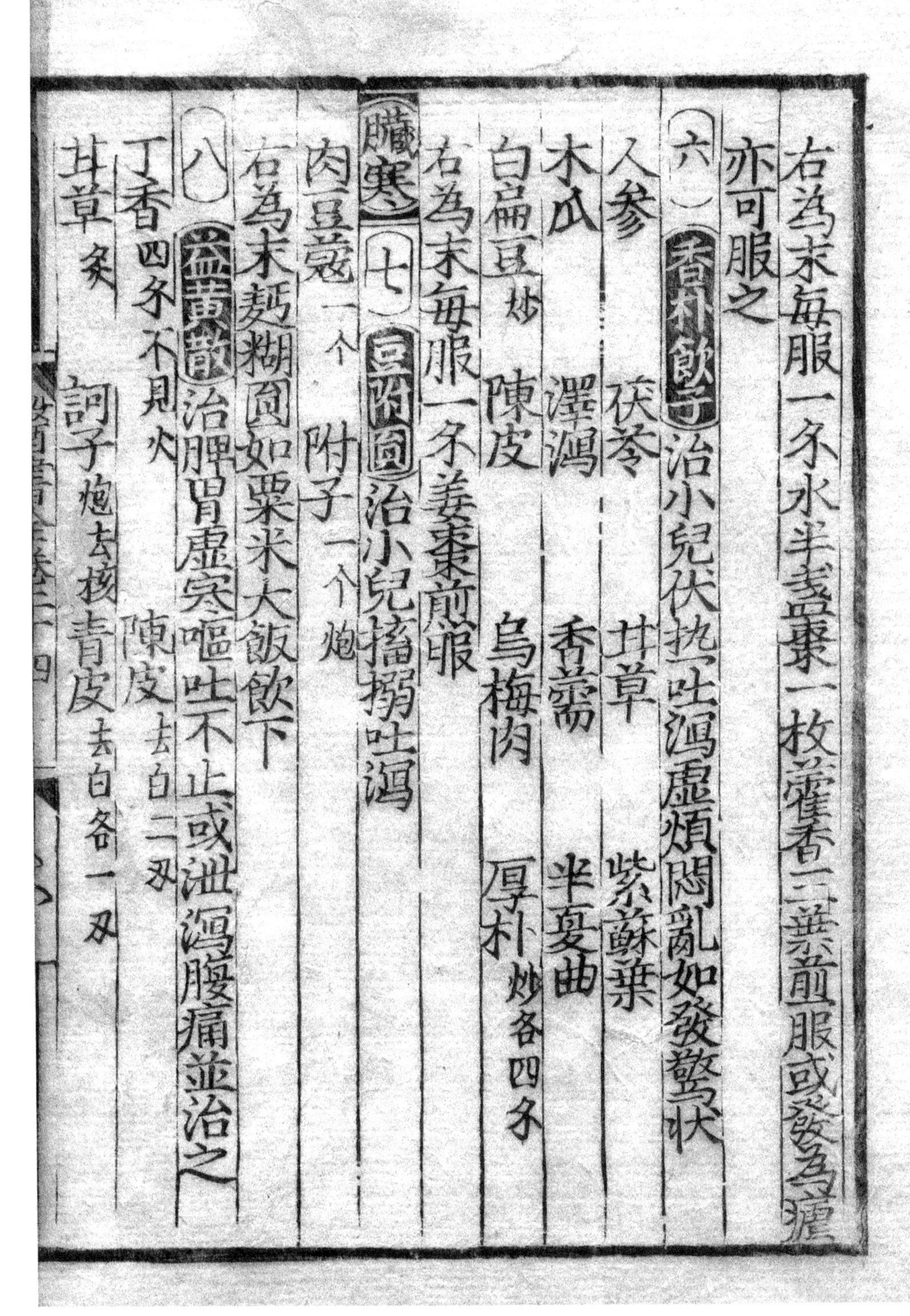
右為末每服一分水半盞棗一枚藿香二葉煎服或發為瘧亦可服之

（六）香朴飲子 治小兒伏热吐瀉虛煩悶亂如發驚狀

人参　茯苓　甘草　紫蘇葉
木瓜　澤瀉　香薷　半夏曲
白扁豆炒　陳皮　烏梅肉　厚朴炒各四分

右為末每服一分姜棗煎服

（臟寒）（七）豆附圓 治小兒搐搦吐瀉

肉豆蔻一个　附子一个炮

右為末麪糊圓如粟米大飯飲下

（八）益黄散 治脾胃虛寒嘔吐不止或泄瀉腹痛並治之

丁香四分不見火　陳皮去白二分
甘草炙　訶子炮去核　青皮去白各一分

右為末每服一錢水半盞食前煎服

九 四柱散 治小兒元臟氣虛泄瀉不止水穀不化四肢厥冷方見泄瀉門

十 訶子湯 治臟寒泄瀉

訶子炮取肉 人參去芦 白茯苓 白朮各一兩

木香炮 陳皮去白 甘草炙 豆蔻各半兩

右為末水半盞薑二片煎服寒甚者加附子

十一 六神圓 治痢腹肚瀉并聚瀉

肉豆蔻去皮 木香各炮一兩 丁香 訶子肉炮各半兩

史君子二錢半 芦薈分半別研

右末米飲為圓如黍米大一歲二十圓凡聚瀉不已者必須用金星圓等推去積滯而後調理脾胃

痢 十二 治休息痢及痢瀉日久不能安者用雞子一枚打破

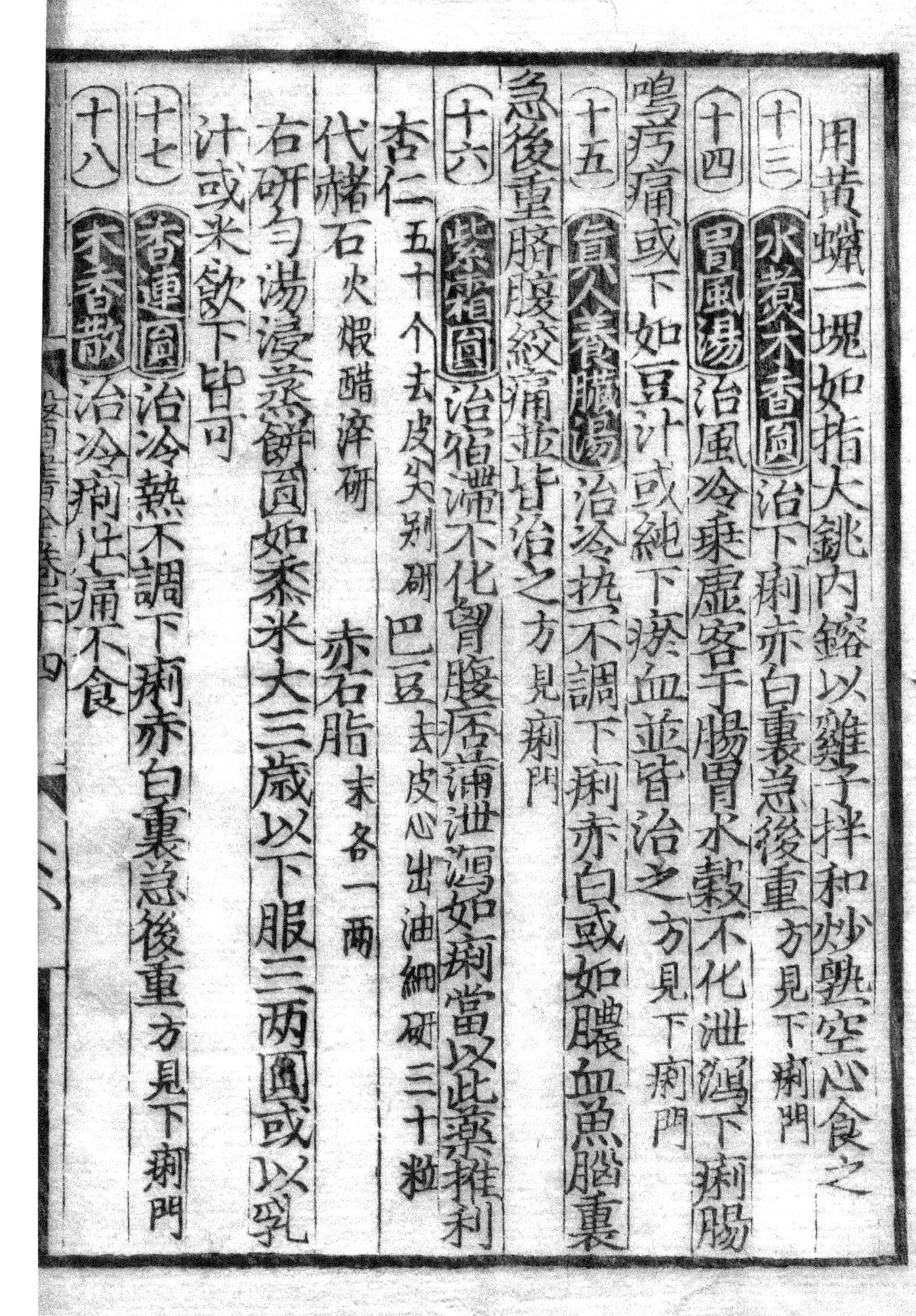

用黄蠟一塊如指大銚內鎔以雞子拌和炒熟空心食之

十三 水煮木香圓 治下痢赤白裏急後重 方見下痢門

十四 胃風湯 治風冷乘虛客于腸胃水穀不化泄瀉下痢腸鳴㽲痛或下如豆汁或純下瘀血並皆治之 方見下痢門

十五 真人養臟湯 治冷热不調下痢赤白或如膿血魚腦裏急後重臍腹絞痛並皆治之 方見痢門

十六 紫霜圓 治宿滯不化胸腹痞滿泄瀉如痢當以此藥推利

杏仁五十个去皮尖別研　巴豆去皮心出油細研三十粒

代赭石火煆醋淬研　赤石脂末各一两

右研勻湯浸蒸餅圓如黍米大三歲以下服三两圓或以乳汁或米飲下皆可

十七 香連圓 治冷熱不調下痢赤白裏急後重 方見下痢門

十八 木香散 治冷痢吐痛不食

木香炮　白术各一分　厚朴姜製　龍骨
當歸淨洗炒各半兩　乾姜炮　呵子肉各一分
右為末姜棗煎服隨大小加減

（十九）木香散 治諸般瀉痢日久不安並皆治之
白术用面炒　麥芽　木香　人參　陳紅曲同白术炒
茯苓　神曲　甘草　青皮　當歸各一分
右為末每服二錢姜二片米十粒煎溫服

（二十）厚朴散 治小兒虛滑瀉痢不止
厚朴半兩　呵子皮半兩　史君子一个　揀丁香十个
吳白术　茯苓　青皮各二分　甘草一寸炒
右為末每服一字量歲數加減用清米湯下

（二十一）木香圓 治下痢赤白
黃連一兩用吳茱萸炒去茱萸不用　肉豆蔻二个

木香一分二件一処麪煨

右為末麪糊圓如黍米大赤痢粟米飲下白痢厚朴湯下赤

白相雜陳米飲下

脫肛 二十二 **赤石脂散** 治因瀉痢後肛門不收

真赤石脂　伏龍肝各半分

右為末每服半錢傅腸頭上頻用

二十三 治瀉痢後脫肛用陳槐花不拘多少為末陳米飲調下

二十四 治大腸虛弱肛門脫下

龍骨　訶子肉炒去核各一分　沒食子大者一枚

罌粟殼去蒂醋塗炙二次

右為末白湯點服仍用葱湯薰洗令軟款款以手托上又用

新甎一片燒紅以醋澆之氣上即用脚布疊數重壓定使熱

氣上透不可過熱令病者以臀坐於布上如冷易布溫逐旋減

之以常得温熱為度并常服前藥

○調理脾胃

〔二十五〕參苓白术散　治小兒脾胃不和飲食不進方載脾胃門

〔二十六〕四君子湯　治調脾胃進飲食

人參　白术　茯苓　甘草各等分

右為末每服一錢盐湯點服一方加陳皮縮砂名六君子湯

〔二十七〕温脾散　治脾胃不和腹脇虛脹不進乳食困倦無力

訶子炮去核　人參各七錢半　白术　木香　桔梗各半兩

茯苓　藿香　陳皮　黃耆各半兩　甘草二分半

右㕮咀每服一錢水半盞薑棗煎服不拘時

〔二十八〕丁香散　治胃虛氣逆嘔乳不食

人參五分　丁香　藿香葉各二分半

右㕮咀每服一錢水半盞煎熟入乳汁少許煎服

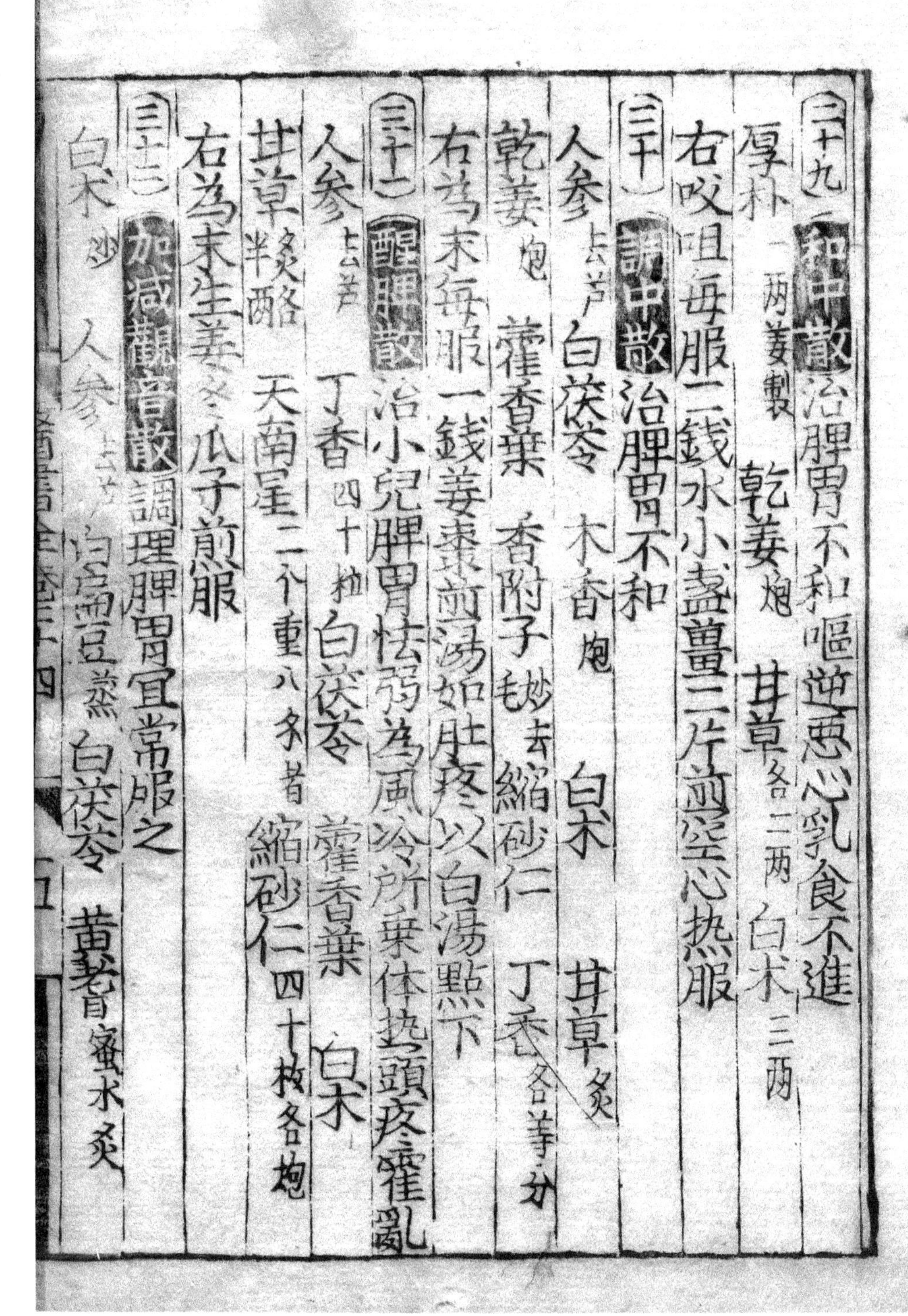

二十九　**和中散**　治脾胃不和嘔逆惡心乳食不進

厚朴一兩姜製　乾姜炮　甘草各二兩　白术三兩

右㕮咀每服二錢水小盞薑二片煎空心热服

三十　**調中散**　治脾胃不和

人參去芦　白茯苓　木香炮　白术　甘草炙

乾姜炮　藿香葉　香附子炒去毛　縮砂仁　丁香各等分

右為末每服一錢姜棗煎湯如肚疼以白湯點下

三十一　**醒脾散**　治小兒脾胃怯弱為風冷所乘体热頭疼霍亂

人參去芦　丁香四十粒　白茯苓　藿香葉　白术

甘草炙各半兩　天南星二个重八分者　縮砂仁四十枚各炮

右為末生姜冬瓜子煎服

三十二　**加減觀音散**　調理脾胃宜常服之

白术炒　人參去芦　白扁豆蒸　白茯苓　黄耆蜜水炙

麥蘖炒　甘草　乾山藥　神麯炒　香附子炒各等分

右爲末每服一錢空心米湯下

（三十三）白术散　治小兒脾胃虚弱

白术　甘草　肉豆蔻　丁香　青皮　茯苓各等分

右爲末每服一分紫蘇湯下

（三十四）平胃散　治吐逆頻併手足心熱不進乳食

紅麯三分半年久者　甘草炙一分　白术一分半麩炒

右爲末每服半分前棗子米飲下

（三十五）瑞蓮散　治脾胃一切虚寒嘔吐不食並皆治之

石蓮肉一兩去　木香　丁香各二分半　人參三分

澤瀉三分　訶子肉三个　紫蘇子炒半兩　肉豆蔻兩个煨

白芷半兩　陳皮五分

右爲末每服一分姜棗前湯下

〔三十六〕**銀白散** 治小兒百病調和脾胃

藿香去土半兩 白朮剉以菉豆同炒令香去豆不用一兩

殭蠶炒去絲觜 川升麻各一分 白扁豆微炒 山藥各一兩

糯米炒半兩一方用糯粟 白附子炮半 人參 白茯苓各一兩半

甘草炙半兩 天麻炒半兩 黃耆炒一兩 木香半分

右爲末隨證加減服之慢驚搐搦麝香飯飲下急驚定後吐不止陳米飲下夾驚傷寒發搐薄荷葱白湯下壯熱面赤乾嘔金銀薄荷湯下脾氣脹急多渴百合湯下飲食不知飢飽不生肌肉炒麥芽生姜煎湯下吐瀉藿香湯下暴瀉紫蘇湯木瓜湯下赤白痢不進飲食米飲煎罌粟殼湯下常服調理脾胃姜棗湯下和劑去木香白附子殭蠶糯米藿香加知母只八味各等分

〔三十七〕**快膈消食圓**

縮砂仁　橘皮　京三稜　莪术

神麯　麥糵各半兩　香附子一兩各炒

右爲末麪糊圓如麻子大食後白湯下隨大小加減圓数

（三十八）瀉黄散　瀉脾熱目黄口不能吮乳

藿香七分　山梔子仁一兩　甘草二兩　石膏半兩　防風四兩

右剉用蜜酒微炒香爲細末每一錢二錢水一盞煎清汁服

不拘時

（積聚）

（三十九）挨積丸　治宿食傷脾停滯不化腹肚脹痛

三稜炮　丁香各三兩　乾姜炮一分半

丁皮　青皮各一兩　巴豆二分半

右爲末醋糊圓如粟米大每服十圓生姜湯下大小加減

（四十）磨積丸　治臟腑怯弱内有積滞腹肚脹痛腸鳴泄瀉或

因食甘肥虫動作痛叫哭不已悉皆治之

乾漆炒一两　莪术半斤　三稜炮　青皮去白炒各六两　丁香一两

右為末水糊圓如粟米大每服十圓姜湯吞下

（四十一）進食圓　治乳食不化心胸脹滿疳積吐疼並宜服之

木香炮　枳殻去白炒　當歸去芦　代赭石

朱砂各二分别研　巴豆一分去油膜　麝香半分别研

右為末麪糊圓如黍米大一歲一圓以意加減米飲送下一方以巴豆炒枳殻去巴豆可常服

（四十二）紫霜丸　治小兒乳食失節宿滞不化胸腹脹痛大便酸臭方見吐瀉類

（四十三）塌氣圓　治小兒乳食不化腹急氣逆

青橘十个湯浸一宿不去皮穰每个入巴豆半个胡椒一粒丁香一个在内却用麻線縛之

巴豆十去殻一个去油各十粒　胡椒

丁香

右用米醋一椀煮乾焙乾取出細切青橘同諸藥爲末粟米糊圓如粟米大每服五七圓飯飲、日三服以意加減

（四十四）**三稜散** 治氣積腹痛

縮砂仁 甘草炙 益智炒去殼 三稜
莪术 青皮去白炒各等分

右爲末每服一字白湯調下

（四十五）**十全丹** 治乳哺不調傷於脾胃丁奚哺露積聚腹滿

枳殼去白麸炒 檳榔生用 青皮 陳皮各去白
木香炮各一分 莪术炒 三稜炒 縮砂仁各半两
丁香 香附子炒一两

右末以神麴末打糊圓如黍米大空心米湯下五十圓

（四十六）**七聖圓** 消積滯調脾胃

芫花先用醋浸一宿炒漸乾入三稜莪术同炒令赤色入

陳皮川楝同炒令微焦取出用　陳皮去白　蓬莪术

京三稜　川楝取肉　青皮去白　杏仁去皮尖各等分

右各件爲細末，入巴豆二十粒，去油膜，和勻，醋糊圓如黍米大。一歲常服二圓，臨睡熟水送下。常服宜去巴豆。

浮腫

（四十七）**退腫塌氣散**　治積水驚水，或飲水過多，停積於脾，故四肢腫而身熱，宜用藥內消之，其腫自退。

蘿蔔子　赤小豆　陳皮　甘草炙，各半兩　木香炮，一分

右㕮咀，每服二錢，水小盞，薑棗煎服。

（四十八）**海蛤散**　治小兒陰腫，由啼叫怒氣閉擊于下。

懷香子炒，三分　薏苡仁　海蛤　白术

檳榔麪裹煨，各半兩

右爲末，每服一錢，食前温酒下。

（四十九）**取水方**　積水腫水並宜服之

甘遂 青皮 陳皮各去白 木香炮各一兩 檳榔一个生用

右為末紫蘇木瓜湯點下忌服甘草

（五十）內消圓 治頭面手脚虛浮

青皮五个去白 木香一分 巴豆七个去殼

防巳一分半 丁香一十四个

右青皮同巴豆炒令色去巴豆不用以餘藥為末蒸餅圓如麻子大每服四五圓男用陳皮湯下女艾葉湯下日二服

脹滿

（五十一）甘遂散 治胷膈伏熱內停飲食以致臟腑不舒氣結脹滿

甘遂煨令赤 青皮去白 黃芩 大黃炒各等分

右㕮咀每服一錢水半盞煎服以利為度

（五十二）橘皮飲子 治日食不化心腹脹滿嘔逆惡心不進乳食

陳皮去白 人參 高良姜米泔浸 檳榔各一分

白茯苓　甘草各半分

右㕮咀每服二錢水小盞姜棗煎服

秘結

（五十三）**木香散** 治心經伏熱小便不通

木通一兩　牽牛子半兩炒　滑石一兩

右爲末灯心葱白煎服

（五十四）**梔子仁散** 治小便不通心神煩熱

梔子仁五枚　茅根　冬葵根各半兩　甘草炙一分

右爲末每服一錢水小盞煎服

（五十五）**冬葵子散** 治小腹急悶

冬葵子一兩　木通半兩

右爲末每服一分煎服

（五十六）**白氣散** 治脾肺氣逆喘嗽面浮胸膈痞悶小便不利

桑白皮一兩　陳皮去白一兩半　桔梗炒一兩　甘草炙一兩

藿香葉半兩 木通四兩 赤茯苓去皮一兩

右㕮咀每服二錢水小盞姜二片煎服

(五十七)(八正散)治心經積熱大小便秘結方見諸淋門

○痘瘮斑瘡

東垣先生試効方論

夫小兒斑瘮始出之證必先見面燥腮赤目胞赤呵欠煩悶乍涼乍熱咳嗽嚏噴足稍冷多睡驚並瘡瘮之證或生膿胞或生瘾瘮此三等不同蓋諸證皆太陽寒水起右腎之下煎熬于腎足太陽膀胱寒水夾脊逆流上頭下額逆手太陽丙火不得傳導逆於面是壬寒水逆尅丙丁熱火故也

小兒瘡瘮之由皆始生之時啼声一發口中所含惡血隨吸而下還於右腎包絡之胞中其瘡之發下焦相火熾也三等之斑皆出於足太陽寒水之經外爲大寒內爲二火交攻化

血肉為膿矣為發矣邪可令內瀉二火又令濕氣上歸本位三服瘢痕即愈已後再无二番瘢出之患損生命者矣

（未出）（五十八）**三豆飲子** 治天行豆瘡但覺有此證即服之

赤小豆 黑豆 菉豆各一升 甘草節五分

右淘淨水煮熟任意食豆飲汁七日自不發

（五十九）**升麻葛根湯** 治小兒身熱欲作疹豆先宜服之

白芍藥 川升麻各一兩 甘草五分 乾葛一兩

右㕮咀每服二錢水半盞煎服不拘時

（六十）**惺惺散** 治小兒發熱頭痛欲作疹豆 方載變蒸類

（已出）（六十一）**異功散** 治豆出欲靨未靨之間頭溫足冷腹脹瀉渴急服此藥切不可與蜜水

木香 當歸各三錢半 官桂去皮 白术

茯苓二去被各 陳皮去白 姜製 人參去芦

肉豆蔻　丁香各二分半　薑製　附子炮去皮各一分半

右㕮咀每服二分水一盞姜五片棗二枚煎服

（六十二）木香散　治發瘡疹身热作渴

木香　大腹皮　人參去芦　桂心

赤茯苓去皮　青皮去白　前胡去芦　呵梨勒去核

半夏姜製　丁香　甘草炙各三分

右㕮咀每服二分水小盞姜三片煎空心温服

（六十三）豆蔻丸　治疹豆泄瀉

縮砂仁　木香各三分　白龍骨　訶子肉各半兩

赤石脂　枯白礬各七分半　肉豆蔻半兩

右為末麪糊丸如黍米大每服三十丸至五十丸煎異功散

下或瀉水穀白色淡黃色木香散下

（倒靨㘅）必用四聖散　治小兒瘡疹出不快透及倒靨一切惡候

紫草茸　木通去節　甘草　枳殼去白麩炒各等分

右㕮咀每服二錢水一大盞煎服

六十四　黑陷

六十五　無價散　治斑瘡不出黑陷欲死者

人猫猪犬臘晨燒　小許微將蜜水調

百者救生無一死　万錠黃金也不消

右將前四糞於臘日早晨日未出時貯於銷銀鍋內用炭火煆令煙盡白色為度但是瘡發不快倒靨黑陷及一切惡瘡每用一字蜜湯調服其効如神

六十六　黍粘子湯　如瘡子已出稠密身表急宜此藥以防已後青乾黑陷

黍粘子炒香　當歸身酒洗　甘草炙各一錢　柴胡

連翹　黃芩　黃芪各一錢半　地骨皮二錢

右同為粗末每服秤二錢水一盞半煎至一盞去滓溫服空心藥畢且休與

乳食

〔解毒〕〔六十七〕〔消毒救苦散〕治斑疹悉具消化便令不出如已出稀者再不生　東垣方

麻黄　羌活　防風各五分　川芎

藁本　葛根　蒼术　酒黄芩

生黄芩　柴胡各二分　細辛　紅花

蘇木　橘皮　白术各一分　升麻

生地黄　酒黄柏各五分　生甘草一分　當歸身

黄連各三分　連翹半分　吴茱萸半分

右剉如麻豆大每服五錢水一盞煎去滓熱服

〔六十八〕〔五福化毒丹〕治疹豆餘毒未解并上焦熱壅口齒出血

玄參一兩　桔梗去蘆八分　赤茯苓　牙硝別研

人參各半兩　青黛一分　甘草一分　麝香半分別研

右為末入青黛和勻煉蜜圓如芡實大金銀箔為衣嚼生犀水化下衄血臭氣用生地黃汁化下

（六十九）**消毒飲** 治毒氣壅遏壯熱心煩瘡疹雖出未能勻透

牛蒡子 炒六两　荊芥穗 一两　甘草 炙二两　防風

升麻 各一两半

右㕮咀每服二錢水一盞煎服如大便利者不宜服之

已靨

（七十）**白朮散** 治瘡已靨身熱不退此藥清神生津除煩止渴

人參　白朮　藿香葉　木香

白茯苓　甘草 各一两　乾葛 二两

右㕮咀每服二錢水一盞煎六分溫服不拘時

（七十一）**人參麥門冬散** 治發熱煩渴

麥門冬 一两去心　人參 去芦　甘草 炙

陳皮　白朮　姜制衣各半两

右㕮咀每服二錢水一分温服不拘時

（七十二）（穀精草散）治豆已靨眼目翳膜或瘾澁淚出

穀精草一两　生蛤粉二两

右爲末猪肝一葉以竹刀批作片子摻藥在内用亭繩縛定於甆器用貯水慢火煑熟令兒食之

［瘡入眼］（七十三）治斑瘡入眼

蒺藜炒　甘草炙　羌活　防風各等分

右擣每服二錢研水下撥雲見日有効

（又方）朱砂　腦子　水銀　麝香各等分

右四味研爲細末用水銀調滴耳中

（七十四）治小兒出瘡疹眼内有雲翳方

輕粉　黄丹各等分

右爲竹筒吹在耳内左眼有翳吹右耳右眼有吹左耳即退

痔蝕瘡 七十五 綿繭散 治因豆瘡身体肢節上有痔蝕瘡膿水不絶用出蛾綿繭不拘多少以生白礬搥碎置其内炭火燒令礬汁盡取細研乾摻瘡上

七十六 雄黄散 治小兒因豆瘡牙齦生痔蝕瘡

雄黄一兩　銅緑二条

右同研極細量瘡大小乾摻其上

水痘 七十七 麥煎散 治水豆

地骨皮炒　滑石　甘草炙各半分　甜葶藶紙夾炒用

麻黄去節　大黄紙裹煨　知母　羌活　人參各一分

右爲末每服半銭水一盞小麥七粒煎服

○五痔五軟

諸痔 七十八 蘆薈丸 治脾胃積熱遂成痔疾宜服此藥

龍膽草　黄連去鬚　蕪荑各一兩去皮先炒黄色次入前藥一処炒赤色

右各件爲末别入當歸末一分和勻飯飲丸如黍米大隨大小加減空心米湯下

〔七十九〕**鱉甲散** 治疳勞骨蒸

鱉甲九肋者沸湯浸洗用童子小便塗炙 黄耆蜜炙
白芍藥各一兩 生熟地黄 地骨皮 當歸去芦洗
人參去芦各半兩

右㕮咀每服二錢水半盞煎服

〔八十〕**猪肚圓** 治骨蒸疳勞肌体黄瘦

木香半兩 宣連 生地黄 青皮 銀州柴胡去芦
鱉甲九肋者沸湯浸洗令淨却用童子小便塗炙各一兩

右爲末猪肚一枚入藥於内麻繩纏定於沙鉢内懸肚蒸熟取出細研猪肚爲丸如麻子大米飲下大小加減不拘時

〔八十一〕**大胡黄連丸** 治驚癇腹脹虫動多睡肌体黄瘦五心煩熱

胡黃連　苦練子各一两　白蕪荑去扇半两炒

干蟾頭一分存性燒　射香一分　青黛一两半　芦薈一分各別研

右將前四味為末猪膽汁和為劑每一胡桃大入巴豆仁一枚在內却用油單一重裹之蒸熟又入後四味麪糊丸如麻子大每服十四五丸清米飲下食後臨卧日進三服

(八十二)肥兒丸 消疳進食

黃連　神曲　麥蘖各一两微炒　史君子肉

豆蔻各半两煨　木香一分炮　檳榔一个不見火

右為末面糊丸如粟米大空心飯飲下大小以意加減

(八十三)清肺飲子 治匿鼻涼膈

桑白皮　地骨皮　黃芩　生乾地黄各等分

右㕮咀每服量大小加減水煎食後服

(八十四)直指方胡黃連圓 治小兒熱疳

胡黄連　川黄連各半两　朱砂一分半別研

右為末入猪膽内繫定懸於銚口煑一時久取出入芦會青黛各二分半去足蝦蟆灰二分射香少許粳米飯圓如麻子大每服十圓米飲下

（八十五）蘆薈圓治小兒五疳

蘆薈　蕪荑去皮　青黛　宣連　真麝香少許　檳榔各一分　胡黄連半两　犢猪膽二个　蟬殼二十个

右為末猪膽圓如麻子大每服五七圓飯飲吞下

（八十六）史君子圓治小兒五疳下痢

史君子三两　丁香　木香　厚朴　麝香各一分　没食子　胡黄連　肉豆蔻各一两　芦薈一分

右為末粟米飯圓如黍米大每服二十圓米飲下

（八十七）比棗散治小兒走馬疳用比棗一枚去核入鴨嘴膽礬

一片在內紙裹火煆通紅出火毒研細傳牙左右

〔八十八〕治小兒耳邊鼻下赤爛濕痒名月蝕疳瘡

黃丹一分煆令赤色　菉豆粉一分　白礬一分飛過

右研細乾傳瘡上唾調亦可

〔八十九〕〔木香圓〕治冷疳多渴煩躁啼叫乳食不進好卧冷地

木香　青黛　檳榔　豆蔻去皮各二分　麝香一分

續隨子一两去殼　小蝦蟆三个先用繩縛晒乾燒存性

右為末楝蜜丸麻子大一歲兒十丸薄荷湯下

〔九十〕〔使君子圓〕治臟府虛滑疳瘦下痢腹脇脹痛不思乳食

常服安虫補胃消疳肥肌

厚朴去皮姜炒　青黛各半两疳热兼驚帶热渴者方即用

此一味只藏府不調不用　訶子半生半煨去核

甘草炙　陳皮各半两　使君子肉一两麪裹煨熟去面焙干

右爲末煉蜜丸如雞頭大每服一丸米飲化下小兒生百日
以上三歲已下服半丸乳汁化下
（九十一）（大蘆薈圓）治疳殺虫和胃止瀉
黃連　胡黃連　白蕪荑去扇　蘆薈
鶴虱炒　雷丸竅間白者佳赤者殺人勿用
青皮　木香各半兩　麝香一分別研
右爲末粟米飯丸菉豆大米飲下一二十丸
（九十二）（橘連圓）治疳瘦久服消食和氣長肌肉
陳皮　黃連去須米泔浸一日各等分
右爲末別研入麝香半錢用猪膽七箇分藥入膽內漿水煑
候臨熟以針微刺破以熟爲度取出用粟米粥和丸如菉豆
大每服十丸至二十丸米飲下量大小加減
（九十三）（龍粉圓）治疳渴

草龍膽　定粉　烏梅肉　黄連

等分為末煉蜜丸如麻子大米飲下一二十丸

（諸軟）（九十四）貼項方 治肝膽停熱致令筋弱項軟擡頭不起

附子生　南星

等分為末姜汁調攤貼患処次服防風圓瀉青圓

（九十五）地黄圓 治小兒頭顱不合躰瘦骨露脚軟不能行有如鶴膝皆禀賦不足腎虚不生骨髓此藥補之疾自愈

熟地黄洗焙八分　澤瀉二分　牡丹皮去心　牛膝

山茱萸　山藥　白茯苓　鹿茸去毛酥炙各四分

右為末煉蜜丸梧子大三歲已下三二丸温水化下空心

（九十六）羚羊角圓 治小兒五六歲骨氣虚筋脉弱不能行者

羚羊角屑　白茯苓　防風去芦　虎脛骨塗醋炙黄

酸棗仁炒　生乾地黄各半兩　黄耆

挂心　當歸炒各一分

右爲末煉蜜圓如菉豆大食前以温酒研破三五圓服之一月漸〻即可行也

（九十七）小茸圓治胎中受熱遍身筋軟

鹿茸　川牛膝　茯苓　木瓜　杜仲

兎絲子　當歸　熟地黄　天麻　青塩各等分

右爲末用蜜圓塩湯温酒化下皆可

（九十八）羚羊角散治面紅唇白腸熱項軟

熟地黄酒浸　白茯苓　羚羊角　酸棗仁炒

虎脛骨酒炙　肉桂　防風　甘草各等分

右爲末温酒塩湯化下皆可

（一）喉痛丹毒

（喉痛）（九十九）甘桔湯治風痰壅盛咽喉腫閉方見咽喉門

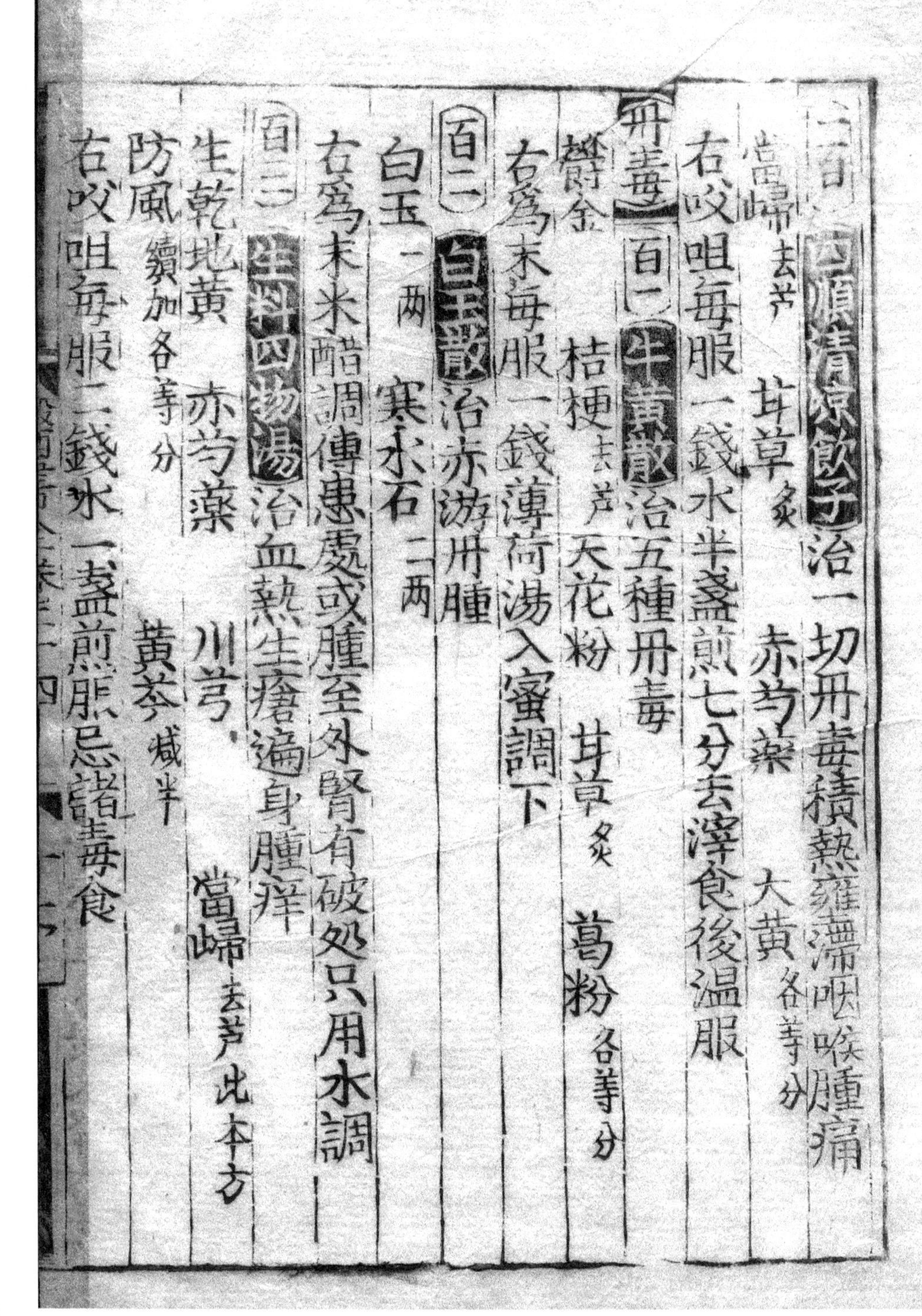

六百四 **清涼飲子** 治一切丹毒積熱壅滯咽喉腫痛

當歸去芦　甘草炙　赤芍藥　大黃各等分

右㕮咀每服一錢水半盞煎七分去滓食後溫服

丹毒

百一 **牛黃散** 治五種丹毒

鬱金　桔梗去芦　天花粉　甘草炙　葛粉各等分

右爲末每服一錢薄荷湯入蜜調下

百二 **白玉散** 治赤遊丹腫

白玉一兩　寒水石二兩

右爲末米醋調傳患處或腫至外腎有破處只用水調

百三 **生料四物湯** 治血熱生瘡遍身腫痒

生乾地黃　赤芍藥　川芎　當歸去芦此本方

防風續加各等分　黃芩減半

右㕮咀每服二錢水一盞煎服忌諸毒食

（百四）防己散　治小兒伏熱毒之氣遍身赤腫入腹入腎防其殺人

漢防己半兩　朴消　犀角　黄芩

黄耆　川升麻各一分

右㕮咀加竹葉煎大小以意加減

（百五）漏蘆散　治五種丹毒并諸瘡癤

漏蘆　麻黄去根節　連翹　川升麻　川芎稍

黄芩各一分　白歛三分　甘草一分　川大黄一兩

右㕮咀每服二錢水一盞煎服

（百六）治丹毒發作恐其入腹一時無藥急以針於紅點處刺出惡血使毒氣於此而散

○蟲痛疝氣　附　瘡疹雜方

（蟲痛）（百七）化虫圓　治一切蛔虫攻刺心腹疼痛不已叫哭合眼

胡粉炒　鶴虱各五两　白礬枯過一两二钱半

檳榔　苦楝根各五两

右為末麪糊圓如麻子大量兒大小加减米湯下

百八　靈礬散治小兒虫咬心痛欲絶者

五靈脂末二钱匕　白礬火飛半钱匕

右㕮咀每服二钱水一盏煎服不拘時當吐出虫即愈

百九　安虫散凡虫不可直攻宜安之

檳榔　胡粉炒黄　川楝子去皮核秤

鶴虱炒黄色各二两　白礬一分鐵器内火上熬枯秤

右為末每服一字温米飲調下

百十　川楝圓治上中三焦虚或胃寒虫動作痛

乾漆一分杵碎炒烟出尽　雄黄一分　巴豆霜一钱

右為末麪糊圓如黍米大看兒大小與服取東向石榴根煎

湯下痛者煎有子苦練根湯下或蕪荑湯下亦可

（百十一）蕪荑散　治諸虫作痛

白蕪荑去扇　乾漆炒令煙尽各等分

右爲末每服一字米飲調下臨發時服

（百十二）化虫圓　治因蛕苗虫五心煩熱

蕪荑　黄連　神麯炒　麥蘖炒各等分

右爲末麪糊圓如黍米大空心米飲下

（百十三）金露圓　專治小兒勞瘵尸虫作痛面目羸瘦五心煩熱

如其他食積冷氣作痛又非其治臨證審之又有心痛欲絕一

時無藥可療急用艾灸足大拇指中男左女右

厚朴去皮姜製　柴胡去芦　桔梗去芦各二分　附子一个炮

大黄　紫菀茸炒各三分　乾姜炮　川椒去目合口者

呉茱萸　白茯苓　人參去芦　川烏炮

官桂去皮各半兩 菖蒲三分 猪牙皂角去皮二條

右為末別研甜葶藶子半兩巴豆三分去油膜續隨子半兩

同前藥一處麪糊圓如麻子大以意加減空心下

疝氣丸 （百十四）治小兒疝氣方

芫花醋浸炒 木香 檳榔 三稜炒各半兩 附子炮

茯苓 青皮去白 全蝎 肉桂 硇砂各一分

右為末將硇砂浸洗去土頓在湯瓶上候成膏子和糠醋打

麪糊圓如菉豆大每服三十圓空心溫酒下未效再服

（百十五）外腎腫硬及陰瘡用乾地龍為末先以葱椒湯於避風

處洗次用津唾調傳其上

（百十六）三白散 治小兒膀胱蘊熱風濕相乘陰囊腫脹大小便利

牽牛二兩白者 桑白皮 木通去節 白朮

陳皮去白各半兩

右為末每服二錢姜三斤煎空心服

雜方 百十七 **金華散** 治小兒瘡疥瘡癬頭瘡等

黄連　黄蘗各半兩並為末　黄丹一兩火焙

輕粉一錢　麝香一字别研

右同研勻先以温水洗瘡後貼之

百十八 治濕癬瘡用蛇床子為末先以韭菜根煎湯洗次用臘月猪脂調藥傅之

百十九 治鼻衄用生蘿蔔去葉搗汁仰頭滴入鼻中或血妄行取汁飲之立效

百二十 **白歛散** 治小兒凍耳成瘡或痒或痛

黄蘗　白歛各半兩

右為末先以湯洗瘡後用生油調塗

百二十一 **生附散** 治凍爛脚成瘡用生附子為末麪水調貼之即愈

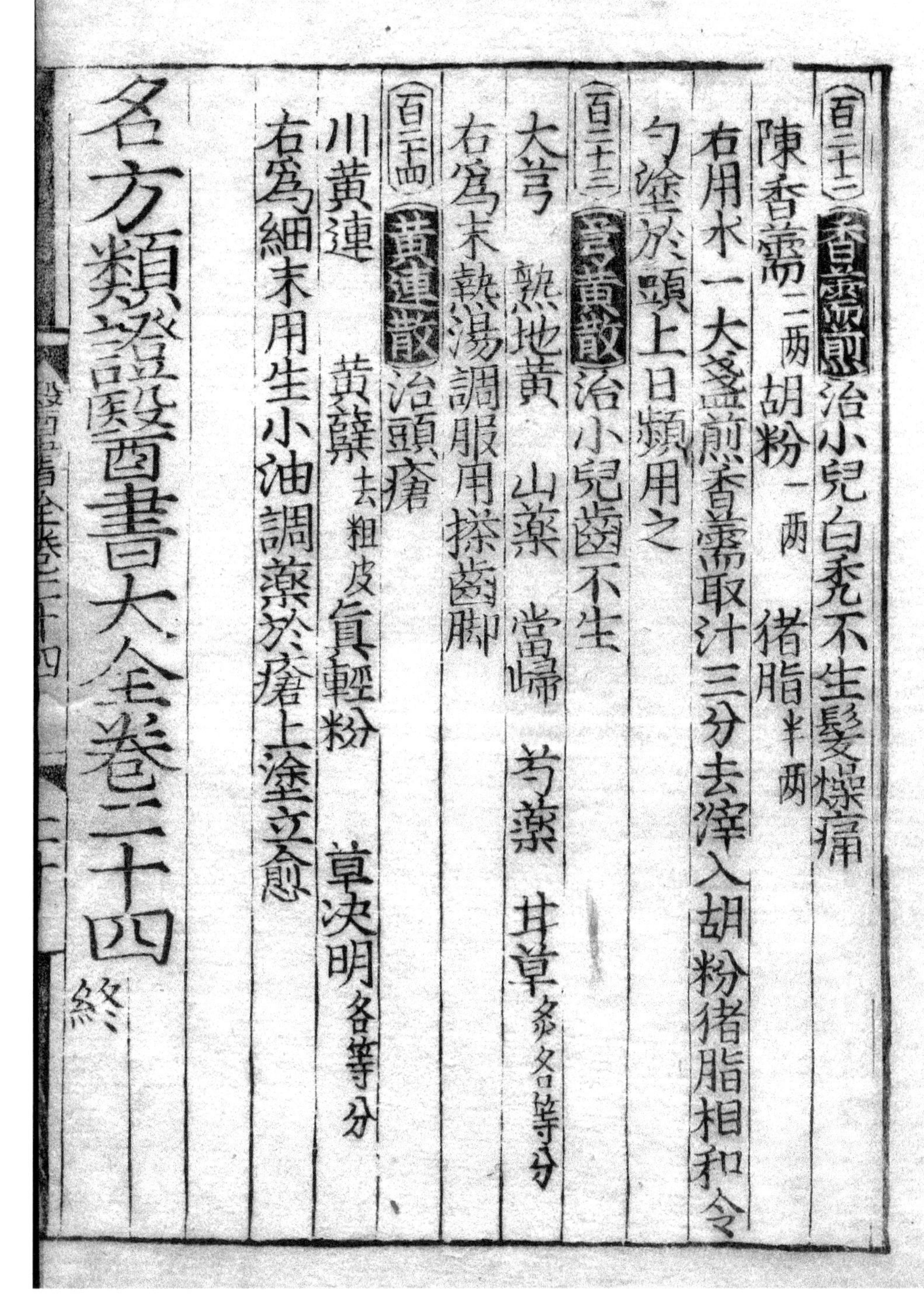

（百二十二）**香薷煎** 治小兒白禿不生髮燥痛

陳香薷二两　胡粉一两　猪脂半两

右用水一大盞煎香薷取汁三分去滓入胡粉猪脂相和令

勻塗於頭上日頻用之

（百二十三）**芎黄散** 治小兒齒不生

大芎　熟地黄　山藥　當歸　芍藥　甘草炙各等分

右為末熱湯調服用揩齒脚

（百二十四）**黄連散** 治頭瘡

川黄連　黄蘗去粗皮　真輕粉　草决明各等分

右為細末用生小油調藥於瘡上塗立愈

名方類證醫書大全卷二十四終

吾邦以儒釋書鏤板者往々矣，焉於未曾及醫方。惠民之澤人皆爲鮮。近世醫書大全自大明來，固醫家之寳也。所憾者率稍少，欲見而未見之者多矣。泉南阿佐井野宗瑞捨財刊行。彼此本有三寫之誤，今就諸家考本方以正行畫，雖一點畫私不增損。蓋宗瑞之志不爲利而在救濟天下人。偉哉陰德之報，永及子孫矣。

大永八年戊子七月吉日　幻雲壽桂誌

辯誤

氣門【蘇合丸】大明板每一斤作二十圓今拠和剤方改作每一两

【壽星丸】大明板冷塩湯今拠袖珎方改作冷塩酒

水腫門【家藏方消腫圓】大明板五十圓云云加至十圓今拠袖珍方改作五丸加至十丸

脫肛門【釣腸圓】藥種之內大明板白礬兩処有之今拠袖珍方改一種作綠礬

癰疽門【托里黃芪湯】藥種之內大明板黃芩兩処有之今拠外科精要改一種作黃芪

婦人門【六合湯】大明板表虛表實藥種相反今拠援萃方改之

小兒門金露圓藥種之内大明板厚朴两処有之今拠袖珍方改一種作官桂

今所刊之書與大明板有斤两分銖之異彼板有藥種之下不載斤两者又有藥種同者竊考諸方改之若有善本自大明來則復當用彼也